LA MUJER DEL MEDIODÍA

colección andanzas

JULIA FRANCK
LA MUJER DEL MEDIODÍA

Traducción de Belén Santana

Título original: *Die Mittagsfrau*

1.ª edición: marzo de 2009

3 1969 02106 7003

© 2007 S. Fischer Verlag GMBH, Frankfurt am Main

La autora desea agradecer al Deutscher Literaturfonds el apoyo prestado para la elaboración de este libro.

© de la traducción: Belén Santana López, 2009
Diseño de la colección: Guillemot-Navares
Reservados todos los derechos de esta edición para
Tusquets Editores, S.A. - Cesare Cantù, 8 - 08023 Barcelona
www.tusquetseditores.com
ISBN: 978-84-8383-129-8
Depósito legal: B. 6.482-2009
Fotocomposición: Foinsa-Edifilm, S.L.
Impresión: Liberdúplex, S. L.
Encuadernación: Reinbook
Impreso en España

Índice

Prólogo 11

El mundo nos espera 33

No hay momento más bello 139

Trampa nocturna 297

Epílogo 419

Nada malo; una vez cruzado el umbral, todo está bien.
Otro mundo, y ya no tendrás que hablar.

Diarios, Franz Kafka, 1922

Prólogo

Sobre el alféizar de la ventana había una gaviota, gritó, sonó como si tuviese el mar Báltico atragantado, agudo, la corona de espuma de las olas, estridente, el color del cielo, su graznido fue perdiéndose sobre la Königsplatz, allí reinaba el silencio donde el teatro había quedado en ruinas. Peter pestañeó con la esperanza de que su parpadeo bastase para ahuyentar a la gaviota y se fuera volando. Desde que había acabado la guerra disfrutaba del silencio por las mañanas. Hacía varios días que su madre le había preparado una cama en el suelo de la cocina. Ya era un hombrecito y no podía seguir durmiendo con ella. Un rayo de sol incidió sobre su rostro, Peter se tapó con la sábana y escuchó atentamente la suave voz de la señora Kozinska. Provenía de las grietas del suelo de piedra, de la vivienda que quedaba debajo de la suya. La vecina estaba cantando. Ay, amado mío, si pudieras nadar, nada hasta mí. A Peter le encantaba esa melodía, la nostalgia de aquella voz, el anhelo y la tristeza. Esos sentimientos eran mucho mayores que él y él quería crecer, era lo que más deseaba. El sol calentó la sábana que cubría el rostro de Peter hasta que él oyó los pasos de su madre, que se acercaban como si vinieran desde muy lejos. De repente, le arrancaron la sábana. Venga, vamos, arriba, le exhortó ella. El maestro está esperando, dijo la madre. Pero hacía tiempo que el maestro Fuchs ya no preguntaba por cada uno de los niños, sólo unos pocos lograban asistir a diario a la escuela. Su madre y él llevaban días yendo a la estación todas las tardes con una pequeña maleta para intentar tomar un tren en dirección a Berlín. Cuando llegaba uno, iba siempre tan lleno que no lograban montarse. Peter se levantó y se aseó. Su madre se quitó los zapatos dando un suspiro. Con el rabillo del ojo Peter vio cómo ella se quitaba el delantal para echarlo en el caldero donde hervía la colada. Todos los días el delantal blanco estaba manchado de hollín, sangre y sudor, y había que ponerlo a remojo durante horas, antes de que su madre pudiese ponerlo sobre la tabla y restregarlo hasta que sus manos enrojecían y las venas de los brazos se le hinchaban. La madre de Peter se quitó la cofia con ambas manos, se sacó las horquillas del pelo y los rizos cayeron suavemente sobre sus hombros. No le gustaba que él la observase en ese momento. Mirándolo de reojo, le dijo: Eso de ahí también, y a él le pareció que señalaba su miembro con cierto asco para que se lo limpiara; después le dio la espalda y se cepilló su espesa melena. Su cabello despedía un brillo dorado bajo la luz del sol y Peter pensó que tenía la madre más hermosa del mundo.

A pesar de que los rusos habían conquistado Stettin en primavera y desde entonces algunos soldados dormían en casa de la señora Kozinska, por la mañana temprano se la oía cantar. En una ocasión, la semana anterior, su madre se había sentado a la mesa para remendar uno de sus delantales. Mientras, Peter leía en voz alta: el maestro Fuchs les había puesto como tarea practicar la lectura en voz alta. Peter lo odiaba y alguna que otra vez había reparado en el poco caso que le hacía su madre. Probablemente ella detestaba que se rompiera aquel silencio. Casi siempre estaba tan ensimismada que parecía no percatarse cuando Peter, de pronto, en mitad de una frase, continuaba leyendo en voz baja. Mientras leía sin gran interés, Peter escuchaba con atención a la señora Kozinska. Habría que retorcerle el pescuezo, oyó decir a su madre de repente. Peter la miró sorprendido, pero ella sólo sonrió y clavó la aguja en el lino.

Los incendios del pasado agosto habían arrasado por completo la escuela, así que desde entonces los niños se reunían con el maestro Fuchs en la lechería de su hermana. Rara vez había algo que vender; la señorita Fuchs permanecía de brazos cruzados, apoyada en la pared tras un mostrador vacío, esperando. Aunque se había quedado sorda, a menudo se tapaba los oídos. La gran luna del escaparate se había roto, los niños se sentaban en el poyete y el maestro Fuchs les enseñaba los números en la pizarra, tres por diez y cinco por tres. Los niños le preguntaban dónde había perdido Alemania, pero él no se lo quería decir. A partir de ahora dejaremos de pertenecer a Alemania, explicaba, y se alegraba por ello. Entonces, ¿a quién pertenecemos?, inquirían los niños, ¿con quién vamos? El maestro Fuchs se encogía de hombros. Ese día, Peter le preguntaría por qué se alegraba.

Peter estaba de pie, junto al lavabo, secándose con la toalla los hombros, la tripa, el miembro, los pies. Si alteraba el orden, cosa que desde hacía tiempo no sucedía, su madre perdía la paciencia. Ella le había preparado un pantalón limpio y su mejor camisa. Peter se acercó a la ventana, golpeó el cristal y la gaviota salió revoloteando. Desde que habían desaparecido la hilera de casas de enfrente, los edificios posteriores y también la siguiente calle, Peter tenía una espléndida vista de la Königsplatz y del lugar donde se encontraban los restos del teatro.

Cuando iba a salir por la puerta, su madre le dijo: No vengas muy tarde. La noche anterior una enfermera del hospital le había dicho que ese día y el siguiente iban a poner trenes de refuerzo. Nos marchamos. Peter asintió, llevaba semanas ilusionado con viajar por fin en tren. Sólo una vez, hacía dos años, cuando había empezado a ir a la escuela y su padre fue a verlos, ambos habían tomado un tren a Velten para visitar a un compañero de trabajo. Ya hacía ocho semanas que la guerra había terminado, pero su padre no había vuelto a casa. A Peter le habría gustado preguntarle a su madre por qué no quería seguir esperando a su padre, le habría gustado ser su confidente.

El verano anterior, la noche del 16 al 17 de agosto, Peter se había quedado solo en casa. En aquellos meses su madre solía doblar turno y pasar tarde y noche en el hospital. Cuando ella no estaba, Peter tenía miedo de la mano que saldría por debajo de la cama en plena oscuridad, a través de la rendija que quedaba entre la pared y la sábana. Notaba el metal de su navajilla en la pierna y, una y otra vez, se imaginaba lo rápido que tendría que sacarla cuando apareciese la mano. Esa noche, Peter se había acostado boca abajo en la cama de su madre y escuchaba con atención, como todas las noches. Lo mejor era ponerse justo en medio de la cama, de forma que a cada lado hubiese espacio suficiente para descubrir la mano a tiempo. Debía asestarle una puñalada, rápida y firme. Peter rompía a sudar al imaginarse cómo aparecía la mano y él, paralizado por el miedo, no era capaz de empuñar la navaja.

Aún recordaba cómo había agarrado el pesado cobertor de terciopelo con ambas manos, al tiempo que sujetaba en una de ellas la navaja, y cómo había frotado la tela contra su mejilla. En tono bajo, casi sutil, empezó a oírse la primera sirena; el sonido se agudizó de repente transformándose en un aullido, que se prolongó en un gemido largo y estridente. Peter cerró los ojos. El ruido le quemaba en los oídos. A Peter no le gustaban los sótanos. Silencio. Una y otra vez ideaba nuevas estrategias para evitar el sótano. El ruido de la sirena volvió a aumentar. El corazón le palpitaba y su cuello le parecía demasiado estrecho. Todo en él se puso rígido y tenso. Tuvo que respirar hondo. Plumas de ganso. Peter apretó la nariz contra la almohada de su madre y aspiró su olor, como si fuera posible hartarse de él. Después se hizo el silencio, un silencio aplastante. Peter levantó la cabeza y oyó el castañeteo de sus dientes, trató de mantener la mandíbula cerrada, mordió con todas sus fuerzas, volvió a bajar la cabeza y hundió el rostro en las plumas. Mientras se frotaba contra la almohada moviendo la cabeza de un lado a otro, oyó un crujido debajo. Con cuidado, Peter deslizó la mano bajo la almohada y las yemas de sus dedos palparon un trozo de papel. En ese mismo momento, un inquietante rumor envolvió sus oídos, el rumor del primer lanzamiento; la respiración de Peter se aceleró, un estrépito, añicos, el cristal no podía soportar la presión, las ventanas estallaron, la cama en la que estaba tumbado tembló y, de repente, Peter tuvo la sensación de que todo a su alrededor estaba más vivo que él. A continuación se produjo un silencio. A pesar de lo que acontecía fuera, Peter extrajo una carta con la mano que tenía libre. Reconoció la letra. No pudo evitar carcajearse, claro, su padre, cómo no, lo había olvidado por completo, y eso que siempre lo protegería. Allí estaba su letra, aquí la Q de Querida, la A de Alice. Las letras permanecían inmutables, una junto a otra, nada podía afectarlas, ni sirenas, ni bombas ni incendios, Peter les sonrió con ternura. Los ojos le escocían y las letras amenazaban con desdibujarse. Había algo que el padre lamentaba. Peter tenía que leerlo, leer la carta de su protector, leer lo que allí ponía; mientras leyera, no le sucedería nada. El destino estaba sometiendo a Alemania entera a una dura prueba. La hoja temblaba en manos de Peter, seguro que del propio movimiento de la cama. Respecto a Alemania, él estaba dando lo mejor de sí. Ella le preguntaba si no podía trabajar en alguno de los astilleros. Los astilleros, claro; las sirenas aullaron, no las de los barcos, otras. Los ojos de Peter lagrimeaban. A los ingenieros como él se les requería con urgencia en otros lugares. Un silbido muy cercano, como delante de la ventana; un estallido, otro, aún más fuerte. Una vez finalizada la autopista del Reich había poco que hacer en el Este. ¿Poco que hacer? Peter oyó de nuevo aquel rumor, el olor a quemado empezó a hacerle cosquillas en la nariz, luego se volvió penetrante, agudo, pero Peter siguió riéndose, era como si, con la carta de su padre en las manos, no pudiera pasarle nada. Alice. La madre de Peter. Le reprochaba a su padre lo poco que escribía. Humeaba, ¿no olía a humo, no crepitaba algún incendio? Aquello no tenía nada que ver con su origen. ¿Cómo que aquello, qué era esto y qué aquello, qué origen, a qué demonios se refería su padre? Expedición tramitada. ¿De verdad era eso lo que ponía, expedición? ¿O sería expulsión? Estaban sucediendo cosas que iban a afectar a su relación.

Cuánto le había costado descifrar aquella carta. Si hubiese sabido leer mejor, tan bien como ahora, un año más tarde y a punto de cumplir ocho, tal vez hubiera creído en las facultades protectoras de la carta, pero aquella misiva había fracasado, Peter no había sido capaz de leerla hasta el final.

Cuando esa mañana emprendió el camino hacia la lechería del maestro Fuchs, todo estaba en orden y ya no necesitaría ninguna carta de su padre para resistir una noche, nunca más. La guerra había terminado, ese día se marcharían, él y su madre. Peter se encontró una lata en el arroyo y le dio una patada. Era formidable el ruido que hacía y los tumbos que daba. Dejarían aquel horror, quedaría atrás, no lo recordaría ni en sueños. Peter se acordó de los primeros ataques del invierno y volvió a sentir la mano de su amigo Robert, con quien una vez iba brincando por el camino, a lo largo de la valla baja y lacada de blanco, con la intención de cruzar la calle de la Berliner Tor para saltar a la zanja que estaba delante del quiosco. Sus zapatos resbalaron y ambos se escurrieron por el hielo. Algo había impactado contra su amigo, separando la mano de su cuerpo. Pero Peter había seguido rodando unos metros más, en solitario, como si el hecho de haberle arrancado a su amigo lo hubiese propulsado. Había sentido la mano, firme y cálida, y no la había soltado durante un buen rato. Cuando más tarde se dio cuenta de que aún sostenía la mano, no pudo dejarla caer en la zanja y se la llevó a casa. Su madre le abrió la puerta. Le instó a que se sentara en la silla y lo persuadió de que abriera la mano. Se había agachado ante él. Mientras esperaba, sostenía en una mano una de las servilletas blancas de tela con sus iniciales bordadas; le había acariciado y apretado las manos hasta que él se rindió.

Aún hoy se preguntaba Peter qué habría hecho su madre

con aquello. Dio una fuerte patada a la lata, de modo que fue rodando hasta la otra acera, casi hasta la lechería. Todavía en ese momento era como si estuviese sujetando la mano de Robert; un instante después, como si fuese ésta la que lo sujetase a él y su padre en la carta no se refiriese más que a ese suceso. Y eso que Peter llevaba dos años sin verlo y no había podido contarle lo de la mano.

El verano anterior, la noche del bombardeo de agosto, cuando Peter leyó la carta de su padre, sólo había podido descifrar una de cada tres o cuatro frases. La carta no había servido de nada. Las manos le temblaban. El padre quería respetar a la madre de su hijo, quería serle sincero: había conocido a otra mujer. En la escalera se oyeron pasos, de nuevo un rumor, tan denso que por una fracción de segundo le taponó los oídos, después un estallido y gritos. Peter recorrió de manera apresurada los renglones con la mirada. Debían seguir siendo valientes, seguro que pronto ganarían la guerra. Él, su padre, probablemente tardaría en ir, en esta vida un hombre tenía que saber tomar decisiones, pero pronto volvería a enviar algo de dinero. Peter había oído alboroto en la puerta de la casa, era difícil saber si el ruido procedía de un disparo, de una sirena o de una persona. Dobló la carta y volvió a deslizarla bajo la almohada. Temblaba. El humo lo hizo lagrimear, y el ardor de la ciudad se aproximaba en cálidas oleadas.

Alguien lo agarró y lo llevó sobre los hombros escaleras abajo hasta el sótano. Horas más tarde, cuando Peter y los demás se abrieron paso hacia el exterior, ya era de día. La escalera que conducía a su casa aún estaba en pie, sólo la barandilla estaba destrozada, y los balaustres atravesados sobre los peldaños. Humeaba. Peter subió la escalera a gatas, tuvo que trepar por encima de una cosa negra, después abrió la puerta de un empujón y se sentó junto a la mesa de la cocina. El sol daba de lleno sobre la mesa, tuvo que cerrar los ojos ante tanta claridad. Tenía sed. Durante un rato se sintió demasiado débil como para levantarse e ir al fregadero. Al abrir el grifo sólo escuchó un gorgoteo, no salía agua. Podían pasar horas hasta que su madre regresara. Peter esperó. Con la cabeza apoyada sobre la mesa, se quedó dormido. Su madre lo despertó. Tomó su cabeza entre las manos y lo apretó contra su vientre y, sólo cuando también él abrazó a su madre, ella se soltó. La puerta de la casa estaba abierta. Peter vio la cosa negra en el rellano. Pensó en los gritos de la otra noche. La madre abrió bruscamente un armario, se echó al hombro sábanas y toallas, tomó las velas que estaban en el cajón y dijo que tenía que volver a irse enseguida. Peter debía ayudarla a cargar, faltaban vendas y alcohol para desinfectar. Pasaron por encima de la carne quemada que estaba delante de su puerta; más bien por los zapatos, Peter reconoció que se trataba de una persona, una persona encogida, y descubrió un reloj de bolsillo, grande y dorado. Fue una sensación casi de felicidad la que lo invadió aquella mañana, pues era imposible que aquel reloj perteneciese a la señora Kozinska.

La foto de aquel hombre apuesto de traje elegante que con el brazo ligeramente inclinado se apoyaba muy digno sobre una reluciente carrocería negra y, con los ojos claros puestos en el cielo, parecía que mirase al destino, o al menos a algún que otro pájaro, seguía enmarcada sobre la vitrina de la cocina. La madre de Peter decía que, ahora que la guerra había terminado, su padre vendría para llevárselos con él a Frankfurt, donde estaba construyendo un gran puente sobre el Meno. Peter iría a una escuela de verdad, eso decía la madre, y a él le incomodaba oírla mentir de aquella manera. Y entonces por qué no escribe, preguntó Peter en un arrebato de rebeldía. Es el correo, respondió la madre, ya nada funciona desde que llegaron los rusos. Peter bajó la mirada y se avergonzó de su pregunta. Desde ese momento esperó con su madre, día tras día. Pudiera ser que su padre cambiara de opinión.

Una tarde, mientras la madre de Peter estaba trabajando en

el hospital, él había ido a mirar bajo la almohada. Quería asegurarse. La carta había desaparecido. Peter abrió el secreter de su madre con un cuchillo afilado, pero sólo halló papel, sobres y algunos sellos que ella guardaba en una cajita. Rebuscó en el ropero levantando los delantales planchados y cuidadosamente doblados y la ropa interior. Había dos cartas de Elsa, la hermana de su madre; las cartas procedían de Bautzen. Elsa tenía una letra tan garabatosa que Peter sólo logró leer el encabezamiento: Mi pequeña Alice. No encontró ni una sola carta de su padre.

Cuando Peter entró en la lechería aquella mañana, el maestro Fuchs y su hermana se habían marchado. Los niños esperaron en vano; miraban al resto de personas que acudían a la lechería, vacilantes primero, luego impetuosas, y se ponían a abrir todos los armarios. Revisaron cajas, tinas y vasijas. La gente renegaba y maldecía, no quedaba ni una gota de nata agria, ni un solo trozo de mantequilla. Una mujer mayor dio una patada al armario y una de las puertas se quedó colgando.

En cuanto el último adulto hubo abandonado la tienda, el chico de mayor edad se arrodilló en el suelo y levantó con destreza una de las baldosas, bajo la cual había un escondite fresco. Otro chico silbó y las niñas asintieron en señal de admiración. Pero el escondite estaba vacío. Fuera lo que fuese lo que hubieran guardado allí, mantequilla o dinero, había desaparecido. Cuando el chico alzó la vista y su despectiva mirada recayó precisamente sobre Peter, el chico le preguntó que por qué iba tan acicalado. Peter se miró, vio su camisa de domingo y sólo entonces se acordó de que tenía que llegar puntual a casa. Nos marchamos, era lo último que había dicho su madre.

Ya en el rellano, Peter oyó el traqueteo de las cazuelas. Durante las últimas semanas su madre había tenido turno de noche. Llevaba días limpiando la casa, como si en algún momento hubiese estado sucia; enceró los suelos, fregó las sillas y los armarios y limpió los cristales. La puerta de la casa estaba sólo entornada, Peter la abrió. Entonces vio a tres hombres alrededor de la mesa de la cocina, sobre la que estaba su madre, medio sentada, medio tumbada. El trasero desnudo de uno de ellos se movía hacia delante y hacia atrás a la altura de los ojos de Peter, la carne se bamboleaba tanto que a Peter le entraron ganas de reír. Pero los soldados agarraban fuertemente a su madre. Ella tenía la falda rasgada y los ojos muy abiertos, Peter no sabía si estaba mirándolo o si veía a través de él. Ella tenía la boca abierta..., pero no decía palabra. Uno de los soldados reparó en Peter, se sujetó con una mano la pretina del pantalón y se dispuso a sacar al niño de allí. Peter gritó llamando a su madre, ¡Mamá!, gritó, ¡Mamá! El soldado le propinó una fuerte patada en las piernas, de modo que Peter cayó de rodillas al otro lado del umbral, otra patada le alcanzó en el trasero y después la puerta se cerró.

Peter se sentó en la escalera a esperar y oyó cantar a la señora Kozinska. Había un pajarillo sobre una ramita verde. Cantó durante toda una larga noche de invierno, su trino resonaba muy alto. Pero era verano y Peter tenía sed y los trenes estarían a punto de partir, quería marcharse con su madre. Peter apretó los labios. Su mirada recayó en la puerta y en el agujero que había ocupado la cerradura. En el suelo aún había astillas. Peter se arrancó con los dientes la fina piel de los labios. Ya en otra ocasión su madre había recibido la visita de los soldados, hacía sólo unos días; seguro que habían pegado una patada a la puerta rompiendo la cerradura. Aquella vez se habían quedado allí todo el día, bebiendo y alborotando. Peter había golpeado la puerta una y otra vez. Alguien tenía que haber colocado algo por el otro lado, tal vez hubiesen puesto una silla bajo el picaporte. Peter miró por el agujero que había quedado tras reventar la cerradura, el humo era tan denso que no había podido distinguir nada. Así que se había sentado en la escalera a esperar, como ahora. Los dientes no se podían afilar. Peter mordisqueó con esmero un trozo de piel recién arrancada.

22

Mientras se mordía los labios, se frotaba los pulgares con los índices. Aunque su madre le cortaba las uñas al máximo, él siempre lograba desprender la piel del pulgar con el índice, allí donde la uña tenía su lecho.

La otra vez, cuando por fin se abrió la puerta, los soldados salieron a trompicones uno tras otro, bajaron la escalera y llamaron a la puerta de la señora Kozinska. El último se había dado la vuelta para gritarle a Peter algo en alemán: En casa tengo a uno como tú. No te olvides de cuidar de tu madre, le había dicho riéndose y levantando el índice. Cuando Peter entró en la cocina, que apestaba a humo, vio a su madre agachada en un rincón estirando una sábana. Ahora eres un hombrecito, le dijo sin mirarlo, ya no puedes dormir conmigo.

Aquella vez ella no le miró, no como ahora; jamás había visto en los ojos de su madre una expresión semejante a la que acababa de contemplar, gélida.

A Peter le costaba esperar delante de la puerta, se puso de pie, se sentó en la escalera y volvió a levantarse. A través del resquicio que había dejado la cerradura reventada, Peter trató de distinguir algo. Se puso de puntillas sobre el último peldaño y se inclinó hacia delante. Podía perder el equilibrio fácilmente. Peter se impacientó, las tripas le rugían. Siempre que su madre tenía turno de noche, volvía a casa por la mañana, lo despertaba para ir a la escuela y, a mediodía, lo esperaba con la comida lista. Preparaba una sopa con agua, sal y cabezas de pescado. Después, al sacar las cabezas, añadía un poco de acedera. Decía que era sana y tenía mucho alimento; sólo en ocasiones conseguía algo de harina, que amasaba en forma de pequeñas bolas, y las cocía en la sopa. Desde el pasado invierno ya no había patatas. No había carne, lentejas ni col. Ni siquiera en el hospital tenían para dar a los niños otra cosa que no fuese pescado. Al igual que la otra vez, la mirada de Peter se quedó clavada en la puerta cerrada y el resquicio que había dejado la cerradura. Se sentó en el peldaño superior. Se acordó de que, tras la última vez, su madre le había pedido que consiguiera otra cerradura. Las había por todas partes, en cada casa, en cada vivienda dejada de la mano de Dios. Pero él lo había olvidado.

Entonces Peter se puso a mordisquear también la piel levantada por el borde de la uña del pulgar, se podía arrancar en tiras alargadas y finas. Si no se hubiese olvidado de la cerradura, su madre podría haber cerrado con llave. Peter paseó la mirada por el marco carbonizado de la puerta del piso abandonado por los vecinos. Por todas partes se veían las huellas del incendio: las paredes, los techos y los suelos estaban negros. Y eso que su madre y él habían tenido suerte, sólo habían ardido la casa que tenían encima y la de los antiguos vecinos de al lado.

De pronto la puerta se abrió de golpe y salieron dos soldados. Se daban palmaditas en el hombro, estaban de buen humor. Peter se preguntó si podría entrar, antes había contado tres hombres. Uno de ellos debía de seguir dentro. Se levantó en silencio, se acercó a la puerta y la abrió ligeramente. Oyó unos sollozos. La cocina parecía abandonada. Esta vez ningún soldado había fumado, todo parecía tan limpio y acogedor como aquella mañana. Sobre el armario de la cocina estaba el trapo de su madre. Peter se volvió y, tras la puerta, se encontró con el soldado desnudo. Con las piernas ligeramente dobladas y la cabeza apoyada en las manos, el hombre estaba sentado en el suelo y sollozaba. A Peter le resultó una imagen extraña, pues el soldado llevaba casco, aunque por lo demás estuviese completamente desnudo y, en teoría, hiciese semanas que la guerra había terminado.

Peter dejó al soldado sentado tras la puerta y entró en la habitación contigua, donde su madre estaba cerrando el ropero. Llevaba puesto el abrigo y tomó la pequeña maleta de la cama. Peter quería decirle que lo sentía mucho, que se había olvidado de la cerradura, que no había podido ayudarla, pero sólo fue capaz de articular una palabra, y ésa fue mamá. Quiso cogerle la mano, pero ella se soltó y salió delante de él.

Pasaron junto al soldado sollozante, que seguía acurrucado en el suelo de la cocina, tras la puerta; bajaron la escalera y la calle todo derecho hasta el muelle de los pescadores. La madre caminaba tan rápido con sus largas piernas que a Peter le costaba seguirla. Avanzaba como al trote, y mientras andaba así tras ella, ya a saltos, corriendo casi, le sobrevino una sensación de felicidad inmensa. Lo invadió la certeza de que ese día lograrían tomar el tren, ese día emprenderían su gran viaje, el viaje hacia el oeste. Peter intuía que su destino no sería Frankfurt, sino tal vez Bautzen, donde vivía la hermana de su madre, y que primero irían a Berlín. Antes, cuando se iba a dormir, su madre le hablaba del río, de la hermosa plaza del mercado de Bautzen y del maravilloso olor que había en la imprenta de sus padres. Peter se puso a dar palmadas y empezó a silbar hasta que su madre se detuvo súbitamente ante él y le ordenó que se callara. Peter intentó cogerle de nuevo la mano, pero la madre le preguntó si no veía que llevaba la maleta y el bolso.

Yo puedo llevar la maleta, sugirió Peter. La madre se negó.

Peter había acompañado muchas veces a su madre al mercado de pescado. Una de las pocas pescaderas que aún trabajaba conocía bien a su madre. Era una mujer joven, con el rostro quemado desde el pasado agosto, apenas se reconocía ya su juventud. Si bien al principio la quemadura parecía un defecto, en aquellas semanas ese defecto se había convertido en una protección. Era la única que todos los días, por la mañana temprano, abría una sombrilla roja, como antes, decía la gente. Antes, y no se referían a mucho tiempo atrás, el mercado de pescado era una suma de grandes sombrillas rojas. Durante los últimos años y meses habían ido desapareciendo. La madre solía comprar a esta mujer pescado para los niños: anguilas, percas, bremas, tencas, lucios y a veces algún pez remontado desde de la bahía; en el hospital cualquier pescado era bienvenido y en primavera la madre de Peter había llevado a casa un sábalo. Cuando llegaron al muelle, hacía un rato que la pescadera había colocado su caja sobre el pequeño carro de madera, la sombrilla estaba atravesada encima. En medio del calor de aquel día de verano olía a brea y a pescado. Entre las ruinas del muelle había gatos. Peter observó a un gato flaco que recorría la orilla, el animal dio un leve giro y, de un solo salto, se plantó en el pequeño embarcadero. Donde hacía dos años los anchos y pesados cúteres aún se mecían pegados a las barcazas, hoy ya no quedaba ni una sola embarcación. El gato alcanzó a rozar el agua con una zarpa, una y otra vez sacudía la cabeza hacia atrás, como si algo lo asustara. ¿Había pez o no? La madre abrió el bolso y aparecieron unos billetes. Era lo que le debía. La pescadera se restregó las manos en el delantal, donde centellearon miles de escamas que parecían un vestido, el vestido de una sirena; la pescadera alcanzó los billetes y le dio las gracias. Después reparó en la maleta y, cuando la madre le tendió la mano, ella dijo: Buen viaje. Los labios de la pescadera estaban casi intactos, eran carnosos, parecían jóvenes y toscos; su voz, perlada, como si fuese a soltar una risita. Ya no tenía cejas, las pestañas sólo habían vuelto a crecer un poco; a Peter le gustó cómo ella se giró hacia un lado y bajó la mirada; fruto de la timidez dijo algo así como: Bueno, entonces mucha suerte, y Peter creyó que lo estaba mirando y que se refería a él. Peter se acercó mucho a su madre, apoyó la cabeza sobre su brazo y acarició el interior del codo con la nariz, como por casualidad, hasta que ella se apartó hacia un lado y tomó la maleta con la otra mano.

Se dirigieron a la estación a la carrera. Pero ya en la escalera de bajada se toparon con una oronda enfermera de uniforme, al parecer una compañera de la madre, que les dijo que los trenes de refuerzo no entraban en Stettin, había que ir hasta Scheune, la siguiente estación, pues los trenes saldrían de allí.

Corrieron entre los andenes. La enfermera perdía por momentos el aliento. Se arrimó a la madre y Peter corrió tras ellas, quería enterarse de lo que decían. La enfermera contó que apenas había pegado ojo, una y otra vez pensaba en los cadáveres que habían encontrado aquella noche en el patio del hospital. La madre de Peter guardaba silencio. No mencionó la visita de los soldados. La enfermera sollozó, admiraba a la madre de Peter por su entrega, y eso que todos sabían que había algo extraño en cuanto a su origen racial. La enfermera puso la mano sobre su vientre abombado, resopló, pero ése no era el momento para hablar del tema. Al fin y al cabo, ¿quién más había demostrado un coraje semejante? Ella jamás habría podido agarrar uno de los postes y extraerlo del cuerpo de una mujer, cuerpos ensartados cual animales, con el bajo vientre desgarrado. La enfermera se detuvo y apoyó su pesado cuerpo en el hombro de la madre de Peter; respiró hondo y relató cómo aquella superviviente no hacía más que llamar a gritos a su hija, que llevaba tiempo desangrada a su lado. La madre de Peter se detuvo y le ordenó que se callara. Santo cielo. Silencio.

El estrecho andén de Scheune estaba repleto de gente esperando. Había grupos sentados en el suelo que observaban recelosos a los recién llegados.

¡Enfermera Alice! El grito procedía de un grupo de personas sentadas en el suelo, dos mujeres hacían señas con los brazos. La madre de Peter siguió la llamada de aquella mujer, que obviamente la había reconocido. Se agachó junto al grupo. Peter se puso al lado de su madre, la embarazada los siguió, pero se quedó parada, como dudando. Basculaba de una pierna a otra. Las mujeres cuchichearon y dos de ellas más un hombre se fueron con la embarazada. Si una mujer tenía que ir al lavabo, en la medida de lo posible la acompañaban varias más; la gente decía que los ruskis acechaban tras los arbustos y asaltaban a las mujeres.

Transcurrirían varias horas hasta que llegase un tren. La gente se apelotonó junto al convoy incluso antes de que éste se hubiese detenido, tratando de aferrarse a los asideros y a las barandillas. Casi daba la impresión de que todas esas personas estuvieran parando el tren, como si fuesen ellos los que lo frenasen. El tren parecía no tener puertas suficientes. Brazadas, pisotones, patadas y codazos. Insultos y silbidos. El que era demasiado débil recibía un empujón y se quedaba atrás. Peter notó la mano de su madre en la espalda, sintió cómo lo presionaba entre el gentío, él tenía trozos de ropa en la cara, abrigos, una maleta le golpeó en las costillas y, finalmente, su madre lo agarró por detrás y lo levantó por encima de los hombros del resto de gente. El revisor tocó el silbato. En el último segundo la madre de Peter logró avanzar el metro decisivo, apretó a Peter, lo empujó, lo metió con todas sus fuerzas en el tren. Peter se dio la vuelta, sujetó la mano de su madre, la agarró fuertemente, el tren traqueteó, se puso en movimiento, las ruedas giraron; la madre echó a correr, Peter se aferró a la puerta, sujetó a su madre, iba a demostrarle lo fuerte que era. ¡Salta!, le gritó. En ese instante sus manos se soltaron. Los que se habían quedado en el andén corrían junto al tren. Alguien debió de accionar el freno de urgencia o bien la locomotora tuvo algún problema, las ruedas chirriaron sobre los raíles. Una señora rellena y con sombrero venía desde atrás gritando ¡Salchichas!, ¡Salchichas! Y, en efecto, muchos se volvieron hacia ella, se detuvieron y estiraron y alargaron el cuello para ver quién había gritado y dónde estaban las salchichas. La mujer aprovechó la ocasión y logró avanzar unos metros. El gentío empujó a la madre de Peter al interior del tren junto con la maleta. Peter la rodeó con los brazos, jamás volvería a soltarla.

En el tren ocuparon el pasillo, la gente empujaba e insistía en que los niños viajasen encima de las maletas. A Peter le gustó la idea, así sería igual de alto que su madre. Cuando ella se giraba, cosa que repetía una y otra vez, su cabello le hacía cosquillas, un rizo se le había escapado del moño. Su madre olía a lilas. Junto a ella, la puerta que daba a la parte de los asientos se había quedado abierta, allí viajaban dos chicas jóvenes con vestidos de manga corta sentadas sobre sus maletas y agarradas fuertemente al portaequipajes, que estaba a rebosar. Bajo sus axilas comenzaban a asomar los primeros pelillos, y Peter se estiró por encima del hombro de su madre para poder ver mejor los vestidos, que se redondeaban en determinados lugares. Bajo el mentón, Peter notó el agradable roce del abrigo de su madre. Debía de estar sudando, pero no había querido dejar el abrigo. El tren dio una sacudida y comenzó a avanzar lentamente. Por la ventana iban pasando quienes no se habían hecho con un sitio. Una de las dos muchachas se despedía con la mano y lloraba, y Peter vio que también bajo el otro brazo brotaba fino el vello.

Agárrate fuerte, le dijo su madre señalando con la cabeza el marco de la puerta del compartimento. En su cabello rubio y recogido tenía la cofia, aún la llevaba puesta a pesar del abrigo y de que no estaban en el hospital. ¿Estás en las nubes? Vamos, agárrate, le ordenó. Pero Peter puso las manos sobre los hombros de su madre, se había acordado del soldado que sollozaba agachado tras la puerta; le alegraba que al fin se marcharan y quiso rodear a su madre con los brazos. En ese instante recibió un codazo en la espalda y golpeó con tal fuerza a su madre que ésta casi perdió el equilibrio; la maleta bajo los pies de Peter se tambaleó, volcó y él cayó encima de su madre. Ella tropezó en mitad del compartimento. Jamás habría gritado, sólo murmuró algo entre dientes. Peter le puso la mano en la cadera para no perder el contacto. Quería ayudarla a levantarse. Los ojos de su madre echaban chispas, Peter se disculpó, pero ella pareció no escucharlo, apretó fuertemente los labios y apartó la mano de Peter. A partir de ese momento Peter quiso ganarse su atención a toda costa.

Mamá, dijo, pero ella no lo oyó. Mamá, intentó alcanzar de nuevo su mano, fría y firme, la mano que amaba. Al instante el tren traqueteó, de modo que unos cayeron encima de otros y la madre prosiguió el viaje agarrada con ambas manos al portaequipajes y al marco de la puerta mientras Peter decidió sujetarse a su abrigo sin que ella se diese cuenta ni pudiese evitarlo.

Poco antes de llegar a Pasewalk, el tren se quedó parado en mitad de la vía. Las puertas se abrieron y los pasajeros se empujaron y salieron del tren a empellones. Peter y su madre se dejaron llevar por la muchedumbre hasta que alcanzaron el andén. Una mujer gritó en voz alta que le habían robado el equipaje. Sólo entonces Peter cayó en la cuenta de que habían perdido a la embarazada. Tal vez ni siquiera había vuelto al andén en Scheune tras desaparecer ante aquella urgencia. La madre de Peter echó a andar rápidamente, muchos venían de frente y entorpecían su camino, a Peter lo zarandeaban una y otra vez, así que se agarró aún más fuerte al abrigo de su madre.

Al llegar a un banco del que acababa de levantarse un anciano, su madre le dijo: Tú espera aquí. Desde aquí salen trenes hacia Anklam y Angermünde, tal vez haya billetes. Enseguida vuelvo. Tomó a Peter de los hombros y lo empujó contra el asiento.

Tengo hambre, dijo Peter. Riendo, se aferró a los brazos de su madre.

Ahora vuelvo, espérame aquí, dijo ella.

Y él: Voy contigo.

Y ella: Suéltame, Peter. Pero él ya estaba de pie, dispuesto a seguirla. Entonces ella le dio la pequeña maleta y lo empujó con ella de vuelta al banco. A Peter no le quedó más remedio que sujetar la maleta sobre el regazo y no intentar alcanzar a su madre.

Tú te esperas. Lo dijo muy seria. Una sonrisa se paseó fugazmente por su rostro, le acarició la mejilla y Peter se quedó contento. Pensó en las salchichas que aquella señora había coreado en Scheune, quizás allí también hubiese salchichas, ayudaría a su madre a encontrarlas, quería ayudarla en lo que fuera; abrió la boca, pero ella no consintió ni una protesta, se dio la vuelta y desapareció entre el gentío. Peter la siguió con la mirada y descubrió su figura más atrás, junto a la puerta que conducía al vestíbulo de la estación.

Tenía ganas de hacer pis y se puso a mirar dónde estaban los servicios, pero prefirió esperar a que ella volviese, al fin y al cabo en aquellas estaciones era fácil perderse. El sol se iba poniendo poco a poco. Peter tenía las manos frías, sujetaba con fuerza la maleta y balanceaba las rodillas. Pequeñas partículas de pintura de la maleta se le quedaban pegadas a las manos, eran de color granate. Continuamente miraba hacia la puerta, donde había visto a su madre por última vez. Riadas de gente pasaban ante él. Las farolas se encendieron. En algún momento la familia que se había sentado a su lado en el banco se levantó y otros lo ocuparon. Peter se acordó de su padre, que iba a construir un puente sobre el Meno en algún lugar de Frankfurt; sabía cómo se llamaba, Wilhelm, pero no dónde vivía. Su padre era un héroe. ¿Y su madre? También conocía su nombre, Alice. Su origen era dudoso. Peter volvió a mirar a la puerta que conducía al vestíbulo de la estación. Tenía el cuello entumecido de llevar horas sentado en esa postura, con la mirada fija en la misma dirección. Llegó un tren, la gente recogió sus bultos y a los suyos, había que sujetarlo todo. Anklam, ese tren no iba a Angermünde, sino a Anklam. Con tal de avanzar, a la gente le pareció bien. Era medianoche pasada, Peter ya no tenía ganas de ir al servicio, ya sólo esperaba. El andén se había quedado desierto, los que aún aguardaban se habrían trasladado al vestíbulo. Si había un mostrador de venta de billetes, ¿no llevaría un rato cerrado? Quizá tras esa puerta no había ningún vestíbulo, tal vez aquella estación también estaba destruida, como la de Stettin. Al final del andén apareció una mujer rubia, Peter se levantó con la maleta encajada entre las piernas, se estiró, pero no era su madre. Se quedó un rato de pie. Cuando volvió a estar sentado y se puso a morderse los labios, oyó a su madre decir que no dejaba de morder ni de mondar todas las partes de su cuerpo y vio ante sí la expresión de asco en su rostro. Alguien, se dijo Peter, alguien tendrá que venir. Se le cerraban los ojos, los abrió, no podía quedarse dormido, entonces no se daría cuenta de si alguien venía a buscarlo; luchaba contra el sueño, pensó en la mano y puso las piernas encima del banco. Apoyó la cabeza sobre las rodillas sin dejar de mirar hacia la puerta de la estación. Cuando empezaba a clarear, se despertó con sed y la tela mojada de los fondillos del pantalón se le pegaba a la piel. Entonces se levantó para buscar los servicios y agua.

El mundo nos espera

En una cama de metal, esmaltada de blanco, las dos niñas se alternaban empujando con los pies descalzos el cobre abrasador de la bolsa de agua caliente. Una y otra vez la pequeña intentaba traerse la bolsa a su lado empujando con los dedos y arrastrando el talón, pero en el último momento la larga pierna de su hermana se lo impedía. Helene admiraba las largas piernas y los delgados y gráciles pies de Martha. Sin embargo, la firmeza con la que Martha, sin esfuerzo aparente, reclamaba la bolsa de agua para sí desdeñando la avidez de Helene hacía que la pequeña dudara. Helene apoyó las manos con fuerza en la espalda de su hermana y bajo la pesada manta trató de abrirse un hueco con sus fríos dedos entre las piernas y los pies. La luz de la vela oscilaba, cada ráfaga de aire causada por el forcejeo bajo el edredón y sus repentinas subidas y bajadas hacía temblar la llama. Helene quería reír y llorar de impaciencia, apretó fuertemente los labios y rodeó a su hermana con los brazos, ella tenía el camisón revuelto y la mano de Helene alcanzó el vientre desnudo de Martha, la cintura de Martha, los muslos de Martha. Helene quería hacerle cosquillas, pero Martha se escabullía, las manos de Helene resbalaban una y otra vez, y tuvo que pellizcarla para poder palpar una mínima parte de su hermana. Había un acuerdo tácito entre ambas: ninguna podía emitir el más mínimo sonido.

Martha no gritó, simplemente agarró las manos de Helene. Sus ojos brillaban. Juntó las manos de la pequeña apretándolas entre las suyas todo lo fuerte que pudo, se oyó un chasquido, Helene gimió, lloriqueó, Martha presionó hasta que Helene pareció darse por vencida sin dejar de susurrar: Suéltame, por favor, suéltame.

Martha sonrió, quería pasar una página de su libro. Las pestañas rubias de la hermana pequeña parpadearon, sus ojos reventaron en un finísimo ramaje de arterias que abarcaba todo el globo ocular. No cabía duda, Martha perdonaría a Helene tarde o temprano. Y todo por la bolsa de agua caliente que estaba a sus pies. Las súplicas de Helene le sonaban familiares y tranquilizaban a Martha. Soltó las manos de la pequeña y le dio la espalda, arrastrando consigo el edredón.

Helene estaba congelada, se incorporó. Aunque las manos aún le dolían, las estiró, rozó el hombro de Martha y tomó su gruesa trenza, de la que brotaban pequeños rizos. El cabello de Martha era indomable y suave a la vez, tan sólo un poco más claro que el cabello negro de su madre. A Helene le gustaba observar a Martha cuando su madre dejaba que la peinaran. La madre permanecía sentada con los ojos cerrados y tarareaba una canción que sonaba como el ronroneo de un gato; ronroneaba plácidamente en distintas escalas mientras Martha peinaba la larga y gruesa crin de su madre. Una de esas veces Helene se hallaba junto al lavadero aclarando una sábana, y cuando le hubo quitado el jabón, la escurrió encima del balde más grande. Puso atención para que el agua no salpicara el suelo de la cocina. Era cuestión de tiempo que su madre lanzase un grito. Su grito no era alto y claro, sino grave y gutural, rugía como una bestia enorme. La madre se encabritó. La silla en la que estaba sentada hacía un instante volcó con gran estrépito. Apartó a Martha de un empujón, el cepillo cayó al suelo. La madre empezó a bracear a su alrededor con ímpetu y desorden, las pinzas y los peines salieron volando, se acercó a la silla, la agarró, la levantó por los aires y la lanzó hacia donde estaba Helene. El rugido retumbó como si la tierra hubiese abierto sus fauces y empezase a tronar. Los tapetes de ganchillo que cubrían la mesa atravesaron volando la estancia. Le habían dado un tirón.

Sin embargo, mientras la madre abroncaba a sus hijas y maldecía por no haber parido más que engendros inútiles, Helene repetía una y otra vez la misma frase, como si fuera una letanía: ¿Puedo peinarte? Su voz temblaba: ¿Puedo peinarte? Cuando una tijera voló por los aires Helene levantó los brazos y se tapó la cabeza para protegerse. ¿Puedo peinarte? Y se acuclilló bajo la mesa. ¿Puedo peinarte?

Al parecer, su madre no la escuchaba, sólo cuando Helene se quedó callada la madre se volvió hacia ella. Se inclinó hacia delante para poder ver mejor a Helene, que seguía bajo la mesa, sus verdes ojos centelleaban. Eso ni se te ocurra, bufó. Después se incorporó y golpeó la mesa con la palma de la mano con tal fuerza que tuvo que dolerle. Ordenó a Helene que saliera de aquella mesa inmunda. Era aún más torpe que la mayor. La madre observó a aquella niña de rizos claros y dorados que se arrastraba y se levantaba con dificultad como si fuese una extraña.

Así que quieres peinarme. La madre soltó una cruel risotada. ¡Bah, pero si ni siquiera sabes escurrir la colada! La madre cogió la sábana del balde y la lanzó contra el suelo. ¿Es que no quieres estropearte las manos? Dio una fuerte patada al cubo, y luego otra, hasta que éste volcó con gran estrépito.

Helene se estremeció sin querer y se apartó. Las niñas conocían los ataques de ira de su madre; la forma inesperada en la que se producían, sin previo aviso, bastaba para asustarlas. Diminutas burbujas estallaban en los labios de la madre y acto seguido se formaban otras nuevas, tornasoladas. No cabía duda, su madre espumajeaba, hervía. Babeando, alzó el brazo, Helene dio un paso hacia un lado y agarró la mano de Martha. Algo rozó el hombro de Helene, tintineó y se partió en dos al caer entre los gritos de la madre. El cristal reventó. Miles de añicos, cientos de miles. Helene susurró ese número inabarcable, inconcebible, cientos de miles. Los cientos de miles destellaron. Había infinidad de cristales esparcidos por el suelo. La madre habría sacado del armario su jarrón de cristal de Bohemia. Helene quiso salir corriendo, pero las piernas le pesaban demasiado.

La madre se encogió, sollozó y cayó de rodillas. Los cristales estarían atravesándole la tela del vestido, pero no le importaba. Pasó sus manos por las esquirlas verdes abriendo surcos y la sangre empezó a manar entre los dedos; lloraba como una niña, un hilillo de voz; preguntó si no había un maldito Dios dispuesto a ayudarla, gimió y, finalmente, balbució sin cesar un nombre: Ernst Josef, Ernst Josef.

Helene quiso agacharse, arrodillarse junto a su madre, consolarla, pero Martha la sujetó con determinación.

Madre, somos nosotras. La voz de Martha sonó firme y contenida. Estamos aquí, Ernst Josef está muerto, como el resto de tus hijos, nacieron muertos, ¿me oyes, madre? Hace diez años, muertos. Pero nosotras estamos aquí.

En la voz de Martha había rabia e indignación, no era la primera vez que se enfrentaba a su madre.

¡Aaagh! La madre gritó como si Martha le hubiese clavado un puñal en el pecho.

Entonces Martha se llevó a Helene de la habitación.

Es repugnante, susurró, no tenemos por qué aguantar esto, ángel mío, ven, vámonos.

Martha rodeó a Helene con el brazo. Salieron al jardín y tendieron la colada.

Helene no podía dejar de mirar una y otra vez hacia la casa, por cuya ventana abierta los lamentos y gritos de su madre habían ido disminuyendo y espaciándose hasta enmudecer al fin, lo cual hizo temer a Helene que su madre se hubiese desangrado o infligido un daño aún peor.

Sentada en la cama junto a Martha, Helene siguió pensando que tal vez su madre sólo lograse gritar delante de sus hijas, que a solas le resultaría absurdo. ¿De qué servía gritar sin ser escuchado? Helene se estremeció de frío y rozó la trenza de su hermana, la trenza de cuyo interior brotaban pequeños rizos, finos y suaves, la trenza de su hermana, que era buena y que, si fuese necesario, la protegería.

Me estoy helando, dijo Helene. Por favor, deja que me meta bajo el edredón.

Y se alegró cuando la montaña que tenía ante sí se abrió y Martha estiró la mano y levantó un brazo como una columna para que Helene pudiera acurrucarse junto a ella bajo las plumas. Helene acercó la nariz a la axila de su hermana, y cuando ésta volvió a girarse hacia el libro, Helene apretó el rostro contra la espalda de Martha, inhalando profundamente aquel olor cálido y familiar. Helene pensó si debía rezar su oración nocturna. Podía juntar las manos. Se sentía a gusto. Le inundó un sentimiento de gratitud, pero éste iba dirigido a Martha, no a Dios.

A la sombra de la llama Helene se puso a juguetear con la trenza de su hermana. Debido a la luz mate, su cabello parecía más oscuro aún, los rizos eran casi negros. Helene se acarició la frente con la punta de la trenza de Martha, el cabello le hacía cosquillas en las mejillas y las orejas. Martha pasó la página del libro y Helene empezó a contar los lunares que había en la espalda de su hermana. Todas las noches lo hacía. Se aseguraba de cuántos iban desde el hombro izquierdo hasta el lunar que había sobre la columna, y luego apartaba la trenza y seguía contando por la derecha. Martha le dejaba hacer, pasó una página y soltó una risita.

¿Qué estás leyendo?

Nada que a ti te guste.

A Helene le encantaba contar. Era emocionante y tranquilizador. Cuando iba a la panadería, contaba los pájaros que veía a la ida y las personas con las que se cruzaba a la vuelta. Si salía de casa con su padre contaba las veces que *Baldo*, su gran perro de color canela, levantaba la pata, también las veces que les saludaban, y le encantaba que los números resultantes de las sumas fuesen altos; una vez los puso a competir, cada saludo anulaba una marca del perro. De vez en cuando, fruto de la euforia, la gente se dirigía a su padre llamándole Herr Professor, aunque más que de un malentendido se tratara de una muestra de adulación. Todos sabían que desde hacía unos años Ernst Ludwig Würsich editaba libros de filosofía y literatura compuestos en su imprenta, pero eso no significaba que le hubiesen otorgado el título de catedrático. El alcalde Koban se detuvo y acarició la cabeza de *Baldo*. Los dos hombres intercambiaron impresiones sobre el número de ejemplares impresos del libro homenaje a la asamblea municipal y Koban le preguntó al padre por la raza del perro. Pero el padre se negaba a especular sobre la mezcla del animal y siempre respondía que era un buen perro.

A Helene le desconcertaba la cantidad de conocidos que pasaban rápidamente junto a ellos sin saludar en cuanto pisaban la calle en compañía de su madre. Ella parecía no darse cuenta. Helene se ponía a contar en silencio y en secreto, y a menudo no lograba pasar de un saludo. La mujer del panadero Hantusch, que por lo general prácticamente se echaba al cuello de su padre, ni siquiera les miraba. Prefería bajar un poco la sombrilla, adelantándola como un escudo protector y evitando así cualquier contacto visual. Es probable que fuese Martha la que un día le contó a Helene que a su madre nadie la llamaba señora Würsich. Los vecinos de la Tuchmacherstrasse hablaban de la forastera, aquella extraña que, si bien se había casado con el muy respetado ciudadano de Bautzen y maestro impresor Würsich, seguía siendo una forastera incluso tras el mostrador del negocio de su marido o yendo de la mano por la calle con las dos hijas que tenían en común. Pese a que en la región de Lausitz era costumbre casarse en el lugar de origen de la novia, todavía diez años después de la boda seguían circulando rumores sobre la procedencia de aquella mujer. Se decía que los novios se habían casado por lo civil en Breslau. Por lo civil, aquello sonaba a enlace deshonroso. Todos sabían que los domingos la forastera no acompañaba a su esposo a la catedral de San Pedro. Se rumoreaba que era atea.

De nada servía que sus hijas hubiesen sido bautizadas en la catedral. Era notorio que los habitantes de Bautzen consideraban la falta de bendición nupcial un oprobio para la reputación de su gente de bien. Nadie se dignaba saludar a aquella forastera. Cualquier mirada que le echasen, aunque no pudiera cruzarse con la de Selma Würsich, pues ella, como con sabia previsión, prestaba más atención a sus insólitos hallazgos entre los adoquines que a los ciudadanos de Bautzen, iba acompañada de un cabeceo y un murmullo despectivos. Ya fuese por orgullo o por incomodidad, los transeúntes desviaban la mirada de Helene y de su madre, y o bien miraban por encima de la mujer agachada en el suelo, o a través de ella. Si Helene iba de la mano de su madre y se encontraba al alcalde Koban, amigo de su padre, éste cambiaba de acera sin saludarlas. Los hijos del juez Fiebinger se reían y se volvían a mirar, pues las finas telas que llevaba la madre en verano les resultaban indecentes y los amplios vuelos de sus vestidos de invierno les parecían extraños. Sin embargo, la madre parecía no darse cuenta de todo aquello. Se agachaba y mostraba radiante a Helene la pequeña perla de cristal que acababa de encontrar. Mira, ¿no es preciosa? Helene asentía. El mundo estaba lleno de tesoros.

Cada vez que salía de casa, la madre recogía todo lo que se encontraba por el suelo; botones y monedas, un zapato viejo con aspecto de poder utilizarse unos meses más y tal vez aprovecharlo, al menos el cordón, que a diferencia de la suela estaba nuevo, y a ojos de la madre los corchetes de la caña eran una gran rareza y tenían especial valor. Pero también un trozo de cerámica de colores hallado abajo en el río provocaba en la madre un grito de júbilo si éste estaba redondeado por efecto de la

41

corriente. Una vez se encontró un ala de ganso justo delante de la puerta de la casa y se echó a llorar desconsoladamente.

Martha dijo que era más que probable que alguien hubiese puesto ese plumero en la puerta sólo para ver cómo se agachaba y lo recogía la forastera. Las plumas ya estaban cortas por el uso y algunos cañones asomaban como dientes rotos, mondos y pelados.

La madre solía coleccionar plumeros, aunque rara vez les daba uso. Colgaba todas aquellas plumas de ave en la pared, sobre la cama. Una bandada de pájaros que acompañe a las almas, así denominaba su colección. Sólo uno de los plumeros hallados ocupaba un lugar encima del cabecero. Con éste sumaban nueve, esperaba encontrar el décimo. Cuando tuviese los diez, según sus propias palabras, podría completar las veintidós letras e iluminar los caminos. Ninguna de las hijas preguntaba desde dónde y hacia dónde había que conducir qué almas. La existencia de mundos paralelos de los cuales se desprendía la idea de un alma errante les resultaba turbadora. Además de su mundo, en el que un objeto era un objeto y un ser vivo un ser vivo, se suponía la existencia de otro en el que las relaciones entre los seres vivos y los objetos formaban una unidad. Helene se tapaba los oídos. ¿Acaso no era ya lo bastante difícil imaginar la condición de alma? ¿Qué no le ocurriría al alma si emprendía un viaje? ¿Seguiría siendo la misma, única y reconocible? ¿De verdad nos volveríamos a encontrar en otro mundo llegado el momento? La madre amenazaba con ello. Cuando esté muerta volveremos a encontrarnos, estaremos unidas. No hay escapatoria. Por miedo, Helene no quería saber nada más de las almas. La madre le encontraba a cada objeto su presunta razón de ser, y, si era necesario, se la inventaba. Durante los años que llevaba casada la casa se había ido llenando de cosas, no sólo los armarios y las vitrinas, también en el suelo y entre los muebles amenazaba siempre con multiplicarse un paisaje caprichoso; la madre depositaba montones y montañas de cosas, colecciones de objetos más o menos definidos. Únicamente Marja, el ama de llaves a quien los señores llamaban Mariechen y que era sólo unos años mayor que la madre, lograba con mucha paciencia y tenacidad mantener un orden perceptible en algunos sitios. La cocina, el comedor y la estrecha escalera que conducía a las dos plantas superiores eran del estricto dominio de Mariechen. Pero en el dormitorio de la madre y las estancias limítrofes apenas podían reconocerse los senderos transitables. Rara vez había una silla vacía en la que poder sentarse. La madre coleccionaba ramas y cordones, plumas y telas, pero ni siquiera podía tirarse un trozo de vajilla rota, una caja abollada o un taburete carcomido por más cojo que estuviese, ya que una pata se había podrido y era demasiado corta. Todo lo que Mariechen sacaba de sus dependencias, la madre lo llevaba a los aposentos superiores, donde primero depositaba el cazo agujereado o el trozo de cristal roto con la certeza de que algún día encontraría sitio y utilidad a cada objeto. Nadie lograba hallar una lógica a aquella acumulación de cosas, sólo la propia madre intuía en qué montón debía buscar cierto recorte de periódico y bajo qué pila de ropa había guardado aquel valioso encaje sorbio. ¿Acaso no era única la filigrana de ese encaje? ¿Dónde se habían visto unos lirios cuyo relieve sobresaliese con semejante delicadeza y exuberancia?

En busca de un vestido de invierno de lana que Martha había dejado de llevar hacía casi diez años y que ahora debía pasar a Helene, la madre se había puesto a revolver en el corazón de la montaña de ropa más alta, que casi llegaba al techo; pronto desapareció bajo las prendas para luego terminar saliendo a gatas con otro vestido distinto, ya demasiado pequeño. A raíz de la búsqueda, el montón de ropa se había ensanchado, con lo cual ahora se extendía por la estantería, dos sillas y el camino de paso. A Helene le parecía que la casa acabaría desmoronándose de lo llena que estaba. La madre se agachaba, recogía cosas sueltas, las ponía a izquierda y derecha y así ganaba terreno hacia el rincón de la habitación. Allí, cerca del suelo, tropezó con una sombrerera redonda que apretó contra su pecho como a uno de los hijos que había perdido.

En esa caja había traído al hogar de casada su sombrero de pedida, un sombrero inusualmente ancho, con velo y plumas de urraca que despedían un brillo azul oscuro, casi negro. Acarició con delicadeza el fino papel gris que cubría la tapa y los bordes, apenas mellados. Pero luego observó la caja con recelo, la giró, le dio la vuelta y la sacudió; dentro se oyó un tintineo, como si el sombrero se hubiese convertido en un montón de clavos o monedas. Durante un rato la madre trató de desatar con sus temblorosos dedos la cinta de raso violeta que daba varias vueltas alrededor de la caja, hasta que perdió la paciencia. La ira le descompuso el rostro. Profiriendo un grito lanzó la caja a los pies de Martha: ¡Seguro que tú puedes!

Martha alcanzó la sombrerera, que ahora mostraba una gran abolladura. Miró a su alrededor, pero no había ni un hueco a la vista donde depositar aquel tesoro, así que se la llevó a la cocina y la puso encima de la mesa. Helene y la madre la siguieron. Las manos de Martha eran hábiles y soltaron el nudo con destreza.

La madre quiso levantar la tapa ella misma. Al mirar dentro suspiró. Apareció un mar de botones y otros útiles de costura, flores de encaje y pequeños retales que servirían para forrar los botones aún desnudos y pendientes de arreglo.

La madre tuvo que sentarse y respirar hondo. Su pecho subía y bajaba con ímpetu, como si estuviese resistiéndose con todas sus fuerzas a la creciente excitación. Sollozó, las lágrimas resbalaron por sus mejillas y Helene se preguntó dónde ocultaría su delgada madre aquella fuente realmente inagotable de lloros.

Por la tarde, la madre se había acostado y las hijas estaban sentadas junto a la cama, Helene en el taburete y Martha en la mecedora. Helene se inclinó sobre la caja redonda y se entretuvo pescando corchetes grandes y pequeños, dorados y negros, blancos y plateados. Entre cintas y cordones ovillados Helene descubrió un rastro de polillas. Las cáscaras vacías de las larvas estaban pegadas a los retales. Helene se dio la vuelta. La madre estaba sentada sobre un cojín alto. Tenía una mano sobre su cofre de dos cajones, en los que guardaba postales y cartas, pero también hojas secas y naipes sueltos, por si algún día completasen el mazo o alguien necesitara una carta suelta para tener la baraja entera. El cajón inferior contenía principalmente precintos de café y sellos. La madre tenía los ojos cerrados y había advertido a sus hijas que estuviesen calladas y continuaran con su labor. Hacía horas que padecía fuertes dolores de cabeza, su frente mostraba en el entrecejo el triángulo de arrugas propio de quien sufre. A Martha aquel momento le pareció claramente propicio. La tarea asignada debía de resultarle pesada y absurda, pues consistía en desenredar los hilos de los carretes guardados con descuido en el costurero y volver a enrollarlos con esmero. Además debía ordenarlos por colores y por tipos.

En cuanto el brazo de la madre resbaló del cofre y su respiración se acompasó presa de un sueño profundo, Martha sacó un delgado libro de color mostaza que había escondido bajo su delantal y se puso a leer. Reía para sus adentros balanceando los pies, como si en cualquier momento fuese a bailar o a levantarse de golpe al menos. Helene miró a Martha anhelante, le habría gustado saber el motivo de su alegría. Observó el ovillo de cintas que tenía en la mano. Una sensación de asco se apoderó de ella cuando, sobre el terciopelo azul oscuro de su vestido, vio cómo un gusano blanco avanzaba a duras penas hacia su rodilla. En ese mismo instante un segundo y diminuto gusano cayó de entre los restos de polillas que sostenía en las manos y que creía abandonados, y fue a parar a su regazo, no lejos del primero. El gusano se retorció, no estaba claro qué dirección iba a tomar. Con toda la esperanza puesta en que Martha la rescatara, Helene susurró: ¿Puedo tirar esto a la basura?

A través de las cortinas corridas brillaba una luz verde hoja. De vez en cuando una ráfaga de aire inflaba las cortinas, y en el fino rayo de sol que apenas asomaba por la ventana bailaban diminutas partículas de polvo. Martha se meció hacia delante, se detuvo unos segundos y luego volvió hacia atrás. Pasó una página sin dignarse mirar el ovillo que Helene tenía en la mano. Cuando negó firmemente con la cabeza pero sonriendo al mismo tiempo, Helene no supo con certeza si Martha la había oído, tal vez estuviese en su mundo y metida por completo en el libro, o puede que sólo se alegrara de no ser ella la que tuviese que sujetar aquel ovillo de cintas apolilladas y larvas de gusano. Helene tuvo una arcada y puso el ovillo sobre la cama de la madre con cuidado, a cuyos pies había varios ligueros, medias y prendas de hacía unos días.

Martha se reclinó en la mecedora y estiró las piernas. Con un delicado movimiento se colocó detrás de la oreja el rizo que se había escapado de su gruesa trenza. De cuando en cuando chascaba la lengua, cruzaba una pierna sobre otra y fruncía el ceño, se lamía los labios como si la lectura le supiese a gloria. Sólo cuando su padre entró en la habitación con el perro se sobresaltó. *Baldo* metió el rabo entre las patas y se tumbó inmediatamente junto a la estufa.

Sin embargo, el padre no reparó lo más mínimo en las ruborosas mejillas de su hija mayor ni en el libro que ella escondió rápidamente bajo el delantal. Sólo tenía ojos para su esposa. No sabía cómo decirle adiós, y suspiraba mientras recorría la habitación de un lado a otro con su uniforme de húsar. A cada vuelta miraba a su mujer como implorando ayuda y pidiendo consejo. A Helene le pareció que su padre iba a hablar, pero él sólo respiró hondo, tragó saliva y ordenó a las niñas que salieran de la habitación.

Más tarde, Helene llamó a la puerta entornada, quería dar las buenas noches y aprovechar para ver el sable nuevo y la banda del uniforme militar. A ojos de Helene, el miedo que

Martha y su madre manifestaban ante la expedición militar del padre estaban totalmente injustificados. Su padre, con aquel bigote imperial que lucía un poco más corto que el káiser más por admiración y respeto que por las ligeras dudas iniciales respecto a la monarquía, y debido a la confianza y amor inquebrantables que profesaba a aquella madre asombrosa, era para Helene un ser absolutamente invulnerable. Tal impresión se vio refrendada por el brillo y centelleo del nuevo sable curvo. Helene aún estaba llamando a la puerta cuando ésta se abrió dejando un resquicio. El padre estaba arrodillado en el suelo de madera oscura, entarimado de roble recién pulido hacía unos días. Olía a resina y a cebolla. Tenía la frente apoyada en la mano de la madre.

Buenas noches, susurró Helene echando un vistazo al sable que el padre había dejado con descuido sobre la mecedora. Como su padre no respondió, Helene dedujo que estaba dormido. Se acercó de puntillas a la mecedora. Acarició la hoja del sable con el dedo y le sorprendió lo roma que era y lo fría que estaba. Le sobresaltó un leve chasquido y vio cómo su padre extendía un solo brazo indicándole que se marchara. Quería estar a solas con su madre. No le molestaba que Helene acariciase la hoja del sable, sólo le turbaba su presencia. Tenía que despedirse de su esposa. Selma Würsich estaba tendida en la cama con los ojos cerrados, tal vez fuese el cuello alto lo que le agarrotase la nuca y el olor a cebolla lo que hiciera manar lágrimas de sus ojos cerrados. La madre no oía nada, no veía nada, no decía nada.

Helene retrocedió en silencio de espaldas a la puerta, donde aguardó; esperaba que su padre le preguntara algo, pero él había vuelto a apoyar la frente sobre el dorso de la mano de su madre mientras repetía: Paloma mía, amor mío. Helene admiraba a su padre por el amor que profesaba. Todo el que amase a su madre sobreviviría a cualquier guerra.

La noche siguiente ninguna de las niñas dio las buenas noches a su padre. Le oían recorrer de un lado a otro la habitación contigua, a sabiendas de que no obtenía consejo ni ayuda. A veces decía algo que sonaba como ¡Alegría!, o como ¡Dios! Sólo en ocasiones oían el gemido del perro entre una palabra y otra.

Las niñas yacían muy juntas, Helene hundió la nariz entre los omóplatos de su hermana mayor, y de cuando en cuando estiraba el mentón para aspirar aire mientras Martha pasaba las hojas a intervalos regulares y reía para sus adentros. Pero entonces oyeron de forma alta y clara la grave voz de su madre, algo estropeada por el tabaco: Si te vas, moriré.

Helene acarició un lunar marrón mate, la espalda de Martha era fina y enjuta, acarició también las pecas y recorrió con el dedo la delicada puntilla de ganchillo del camisón, de arriba abajo.

Sólo una palabra, por favor.

No lloriquees.

Por favor, sólo una.

Primero sigue. Arriba, sí, más arriba.

Helene siguió las indicaciones de su hermana y deslizó su mano por encima del camisón subiendo hacia los hombros, después hizo círculos, desde ahí bajó por el brazo, sobre la piel y luego otra vez, por encima del lino, recorrió la espalda de arriba abajo y a lo largo de la columna, vértebra a vértebra, las percibía con claridad bajo la tela. Luego se detuvo.

Una palabra.

Estrella.

Helene movió la mano levemente, dibujó los picos, se paró y espetó:

Otra.

Y la estrella de mi esperanza se extinga.

Helene recompensó a Martha. Le rascó la nuca. Verso a verso, estrofa a estrofa, Helene fue conquistando las palabras de Byron de labios de Martha.

Bajo la ventana pasó un coche de caballos cuyo traqueteo sobre los adoquines hizo que algo tableteara y tintineara, como si portara una cristalería. Probablemente se trataría de uno de los proveedores del mesón Los Tres Cuervos, que en primavera había ocupado su nueva sede en la Tuchmacherstrasse. Aquella inauguración había insuflado vida a la calle. El repartidor de cerveza obstruía la acera con sus barriles, las finas damas iban a tomar café a mediodía mientras sus cocineras y amas de llaves hacían la compra más arriba, en la plaza de Kornmarkt, y por las noches, los húsares voceaban en la calle, que de repente resultaba demasiado estrecha y pequeña.

Los fines de semana, la noche del sábado al domingo, el barrio que quedaba al sur del Kornmarkt palpitaba. Hasta altas horas de la madrugada hombres y mujeres cantaban y pateaban al compás de conocidas melodías tocadas al piano. Si el pianista se cansaba y las teclas enmudecían, otra persona sacaba un acordeón. Llegaban de pueblos pequeños situados en la montaña, como Singwitz y Obergurig, algunos venían incluso de Cunewalde y Löbau los fines de semana. Por la mañana iban al mercado a vender escaleras y cuerdas, cestos y jarras, cebollas y coles y compraban lo que les hiciera falta. Naranjas y café, pequeñas pipas y tabaco del grueso. Se pasaban la noche bailando en el mesón Los Tres Cuervos hasta que, por la mañana temprano, enganchaban sus carros y se montaban en ellos; algunos incluso regresaban a la montaña simplemente a pie, arrastrando su carretilla. Sin embargo, en Bautzen reinaba entre semana el silencio.

Helene acarició la espalda de su hermana y fue recorriendo la columna con la yema del pulgar.

Más fuerte, dijo Martha, con las uñas.

Helene dobló los dedos para que sus uñas, demasiado cortas, al menos pudieran rozar la piel de su hermana. Tal vez se dejase crecer las uñas por amor a Martha, y entonces se las limaría en punta, como había visto hacer a una amiga.

¿Así? Con la mano izquierda Helene dibujó un planisferio sobre el omóplato de Martha y fue trazando líneas de lunar a lunar formando las constelaciones que conocía. La primera era Orión, que llevaba encima del pecho el lunar de Martha cual escudo protector; de las tres estrellas más claras que formaban el cinturón, la del medio tenía un poco de relieve. Helene sabía en qué momento Martha se estiraría y cuándo se desperezaría, cuándo, en silencio, se agarrotaría y en qué instante se encorvaría. En su mapa, Casiopea se transformaba directamente en la Serpiente, un reptil de gran cabeza. En la mitad se erigía Ofiuco, su portador. Helene lo había visto en un libro que había encontrado en la estantería de su padre. Algunas veces, Martha serpenteaba bajo las manos de Helene, y si ésta aguzaba el oído, la respiración de Martha podía pasar por un silbido de serpiente. Helene imaginó cómo sería levantar a Martha por los aires, llevarla en volandas, cuánto pesaría. Los suspiros de Martha eran imprevisibles, a Helene la tentaban, creía conocer cada fibra, cada nervio bajo la piel de su hermana; la acariciaba como a un instrumento que sólo suena si se tocan las cuerdas de una forma determinada. A los ojos de Helene, Martha ya era una mujer. Le parecía plena. Tenía senos con pezones redondeados, claros y suaves y delicados, y algunos días al mes lavaba su ropa interior a hurtadillas. Sólo cuando Helene tenía que cumplir un castigo por haber escamoteado unas pasas o dicho la palabra incorrecta, Martha le daba sus prendas para que se las lavara. Helene temía las tajantes órdenes de su hermana. Quitaba las manchas de la sangre impregnada en el lino, tomaba el frasquito marrón con esencia de trementina, desenroscaba el tapón y contaba treinta gotas para el último enjuague. En invierno colgaba la ropa interior para que se secara en la ventana sur del desván. La trementina se evaporaba y el sol hacía el resto para que la ropa resplandeciese blanca. Habrían de pasar varios años hasta que Helene tuviese que escurrir sus propias prendas, era nueve años menor que Martha y el verano anterior había empezado a ir a la escuela.

Más abajo, dijo Martha, y Helene acató la orden; continuó acariciándole el costado hacia abajo, hasta donde la cintura describía una suave curva, y desde ahí trazó un arco hasta el final de la columna.

Martha lanzó un hondo suspiro al que siguió un chasquido, como si abriese la boca para decir algo.

Los riñones, dijo Helene.

Sí, y sube por las costillas hacia el pulmón, cariño mío.

Hacía ya varios minutos que Helene había dejado de escuchar el roce de las páginas. Martha seguía acostada de lado, dándole la espalda, y permanecía en silencio, expectante. Las manos de Helene iban y venían acrecentando el deseo de Martha, otro suspiro, tan sólo quería oír uno más; sus manos sobrevolaron lentamente la piel, sin rozar toda la superficie, sólo algunos puntos, lo mínimo; el deseo aceleró su respiración, primero la de Helene, luego la de Martha, y finalmente la de ambas; sonó como los gemidos que daban al escurrir la ropa a solas en el lavadero, cuando no se escuchaba más que el propio aliento y el gorgoteo de la colada inmersa en el agua de la palangana de esmalte, burbujas de detergente, sosa espumeante, aquí el jadeo de dos niñas, aún sin gorgoteos, sólo la respiración, un rezumar, hasta que Martha, de pronto, se dio la vuelta.

Ángel mío, Martha rodeó las manos de Helene, que hasta hacía un momento la habían acariciado, y habló en voz baja y clara: Mañana mi turno termina a las cuatro e irás a recogerme al hospital. Bajaremos al río. Los ojos de Martha se iluminaron, como solían hacer últimamente cuando anunciaba un paseo junto al Spree.

Helene trató de soltarse. No preguntó, más bien fue una constatación: Con Arthur.

Martha puso el dedo índice sobre los labios de su hermana. No te pongas triste.

Helene negó con la cabeza, aunque estaba triste. Abrió los ojos todo lo que pudo, no lloraría bajo ningún concepto. Aunque hubiese querido hacerlo, le era imposible. Martha acarició el cabello de Helene. Ángel mío, nos encontraremos con él junto al viejo viñedo, detrás de la vía. Cuando Martha estaba feliz y emocionada, su sonrisa le resonaba en la garganta. Va a estudiar Botánica en Heidelberg. Vivirá con su tío.

¿Y tú?

Yo seré su esposa.

No.

Ese «no» salió de los labios de Helene tan rápido que ni le dio tiempo a pensárselo, fue un estallido. En voz baja, añadió: No, no será posible.

¿Que no será posible? Todo es posible, ángel mío, el mundo nos espera. Martha resplandecía exultante, pero Helene apretó los ojos y negó insistentemente con la cabeza.

Nuestro padre no lo permitirá.

Nuestro padre no aceptará a ningún hombre a mi lado. Martha soltó las manos de Helene y se echó a reír a pesar de lo que acababa de decir. Él me ama.

¿Nuestro padre o Arthur?

Arthur, por supuesto. A nuestro padre le pertenezco. Es incapaz de entregarme. Aunque quisiera, simplemente no es capaz. No dejará que me vaya con nadie.

Con ése seguro que no.

Martha se tumbó de espaldas y juntó las manos como si fuera a rezar. Dios, ¿qué otro remedio le queda? Tengo dos piernas y con ellas me iré. Y una mano, que será la que conceda a Arthur. ¿Por qué eres tan dura, Helene, tan miedosa? Sé lo que estás pensando.

¿Qué estoy pensando?

Crees que sería por la familia de Arthur, crees que nuestro

padre tiene sus reservas al respecto, pero eso no es cierto. ¿Por qué habría de ser así?, ni siquiera van a la sinagoga. Es cierto que a veces nuestro padre habla mal de esa gente, pero ¿acaso no te das cuenta de su sonrisa?; se burla de ellos con simpatía, como cuando te llama sucio gorrión, ángel mío. Si realmente creyera lo que dice, no se habría casado con nuestra madre.

A ella la ama.

¿Te ha contado alguna vez cómo se conocieron? Helene negó con la cabeza y Martha prosiguió. Cómo viajó a Breslau, donde se topó con la señorita Steinitz y sus llamativos sombreros en la imprenta. Era especial, cuenta él, una señorita sofisticada con un abrigo de color cian. Todavía lo conserva. Cada día llevaba un sombrero distinto.

Sofisticada, dijo Helene para sí. Aquella palabra sonaba como un bombón, debía de significar algo elegante, y eso que los bombones sólo eran amargos.

Su tío era sombrerero; y ella, su modelo favorita. Por eso no se puede tirar ni uno solo de esos amasijos de fieltro que hoy hacen daño a la vista. Una vez oí cómo nuestro padre la acusaba de estar enamorada de su tío, y decía que por eso no podía desprenderse de los sombreros. Ella se limitó a reír de una forma que me hizo pensar que él estaba en lo cierto. ¿Crees que le preocupó que fuese judía?

Helene miró a Martha incrédula y apretó los ojos. No lo es. Helene negó con la cabeza para subrayar lo dicho. No del todo.

Tú no te has dado cuenta porque no lleva peluca. Además, ¿a qué sinagoga habría de ir? No separa la vajilla y permite que cocine Mariechen, pero claro que lo es. Tú crees que aquí en Bautzen la llaman la extranjera porque habla con acento de Breslau. ¿Eso es lo que crees? ¿Te crees que es acento de Breslau? Yo no lo creo, es la lengua de su ralea. Lo que ocurre es que utiliza todas las palabras que te son familiares, de las que ni siquiera intuyes que la delatan.

Martha, ¿cómo es que hablas así? Helene seguía negando

con vehemencia, lentamente, como si así pudiese acallar las palabras de su hermana.

Pero si es cierto. Con nosotros no necesita fingir. ¿Por qué crees que nunca nos acompaña a la iglesia? Siempre da un gran rodeo para evitar la catedral.

Es por el mercado de carne. Dice que los puestos huelen mal. Helene quería que Martha se callase.

Pero Martha no permitió que la interrumpieran. Cuando en Navidad vamos a misa con nuestro padre, ella arguye que alguien debe quedarse a preparar la cena. Sí, claro. ¿Y por qué tiene que ser justo ella quien prepare la cena de Navidad? ¿Porque quiere dar un descanso a Mariechen?, ¿porque tiene un gran corazón?..., pues porque sencillamente no le interesa lo más mínimo celebrar la Navidad en la iglesia ni nuestro Dios, ángel mío. ¿No te habías dado cuenta?, ¿nunca hasta ahora?

Helene apoyó la cabeza en la mano imitando a Martha. ¿Has hablado con ella de eso?

Claro. Dice que no es asunto mío. Le dije que cuando fuera a casarme ella no figuraría en ningún registro parroquial, además me falta su libro de familia y, por tanto, la mitad del mío. Adivina qué me contestó. Que no fuese tan descarada. Y que si seguía comportándome así, nadie querría casarse conmigo.

Helene observó a Martha y supo que su madre había mentido. Martha era como mínimo igual de hermosa que su madre, tenía su preciosa nariz fina, la piel blanca con pecas y el talle esbelto. ¿A quién iba a interesarle el libro de familia?

Martha dijo que de nada serviría que Mariechen les enseñase a bordar sus iniciales en lino. La tara estaba en su procedencia, no en una inicial.

A Mariechen se la consideraba un portento en el arte de la labor, incluso entre sus parientes wendos. Aunque las mujeres solían llamar a menudo a la puerta de la Tuchmacherstrasse para encargarle tapetes de encaje, cofias y colchas, ella rechazaba tales ofertas y respondía con leal sonrisa que se debía a los

Würsich. Sólo en ocasiones regalaba algo a una hermana, prima o sobrina. La mayor parte de los encajes y pequeños tapetes que Mariechen bordaba o hacía a ganchillo en algún rato libre se quedaba en casa. De aquella fidelidad inquebrantable surgió una alianza especial entre Marja, de origen wendo, y su señora, Frau Selma Würsich. Tal vez lo que las unía era su amor por las telas.

Helene observó a Martha. No descubrió ningún defecto. Le parecía perfecta. Los finos rasgos de su rostro en modo alguno atraían solamente las miradas de Arthur. Cuando Helene iba con Martha por el Kornmarkt, no sólo eran los jóvenes quienes la seguían con la mirada dándole los buenos días entre alegres silbidos. También los viejos emitían sonidos semejantes a gemidos y gruñidos. El paso de Martha era largo y ligero, mantenía la espalda recta y airosa, lo cual infundía respeto, o al menos eso era lo que Helene sentía. Los hombres chascaban la lengua y le tiraban besos como si paladearan sirope. Incluso las vendedoras del mercado se dirigían a Martha con un «hermosa señorita» o un «linda flor». Cada día eran más los hombres que se acercaban a la pequeña imprenta de la Tuchmacherstrasse con la intención de desposar a Martha. Cuando ella estaba tras el mostrador para echar una mano en la pequeña tienda, a lo largo de la tarde se congregaban varios jóvenes dispuestos a que les mostrasen diversos tipos de papel y motivos impresos, aunque rara vez lograsen decidirse por uno. Comparaban varios modelos, entablaban conversación los unos con los otros y, entre miradas dirigidas a Martha sin el menor recato, alardeaban de sus propios negocios y estudios cortejando a la chica como buenamente podían. Sólo cuando uno se atrevía a preguntar a Martha si podría invitarla a un café y ella rechazaba la oferta entre risas, aduciendo que nunca tomaba café con los clientes, la decisión de encargar un pequeño trabajo de imprenta empezaba a estar más próxima. Sin embargo, ellos acudían una y otra vez y se vigilaban, cuidándose cada uno de que ningún otro obtuviese mayor favor de Martha. Helene los comprendía bien, sólo que ella misma deseaba pasarse toda la vida durmiendo y despertando a solas junto a la hermosa Martha. La unión con un hombre le parecía totalmente absurda e innecesaria. Y el matrimonio era lo último.

¿Y por qué crees tú que nuestro padre no quiere conceder tu mano a alguien como Arthur Cohen?

¿Que por qué...? Martha dejó caer la cabeza sobre el almohadón, parecía más enfadada que pensativa, y cuando sacó un pañuelo de debajo del almohadón y se sonó con fuerza, como hacía su madre tras un largo llanto, Helene se arrepintió de haber preguntado. Pero luego, de repente, Martha desplegó su sonrisa, una sonrisa de la que últimamente apenas podía sustraerse, una sonrisa que se tornaba en risita con facilidad y que rara vez, y sólo en ausencia de su padre o de su madre, se transformaba en una risa plena y relajada.

¿Cómo se va a fiar de nuestra madre, ángel mío? Cuando va a alguna feria desaparece durante días. Seguro que se detiene en algún mesón de Zwickau o Pirna y baila con desconocidos hasta la madrugada.

Eso nunca. Helene tuvo que sonreír, pues no sabía si Martha mencionaba tal suposición sólo para hacerla rabiar o si habría algo de cierto en su afirmación.

¿Quién cuidaría entonces de ti? Él no puede montar en su caballo y marcharse a la guerra sin sabernos atendidas. Tiene miedo, eso es todo. Y quiere que yo cuide de ti. Y eso haré. Ya verás.

Helene no quiso responder. Intuía que cada palabra serviría para que Martha pensase con más fervor y prolijidad aún en sus posibilidades de escapar. Seguro que desde hacía semanas no pensaba en otra cosa que no fuese en cómo empezar una vida junto a Arthur Cohen.

¿De quién es eso que lees?

No es nada apto para ti.

Pero quiero saber qué es.

Tú quieres saberlo todo. Martha arrugó la nariz, le gustaba la curiosidad que mostraba Helene y la ventaja que ella aún le sacaba a su hermana pequeña. Cuando Helene comenzó a ir por fin a la escuela femenina de Lauengraben, hacía un año, ya sabía leer y escribir. Martha le había enseñado a tocar el viejo piano, observando con gran admiración y algo de envidia la suavidad con la que las manos de Helene ya desde el principio, sin práctica alguna, se deslizaban por el teclado, la rapidez con la que sus dedos alcanzaban incluso las octavas más graves y la seguridad con la que recordaba las melodías que Martha solía reconstruir con esfuerzo y leyendo nota a nota. Aún más rápida y segura que sus dedos sobre el piano era la mente de Helene para el cálculo; no importaba los números que Martha le lanzara, a Helene apenas le costaba transformarlos, fraccionarlos, dividirlos y relacionarlos con otras cifras. Ya a las pocas semanas de entrar en la escuela, la maestra puso a Helene junto a las alumnas mayores y le marcó las tareas de las niñas de diez años. Helene, entretanto, había cumplido siete. Poco a poco fue vislumbrándose que, en el plazo de escasos meses, la maestra habría transmitido a la niña todos sus conocimientos sin que ésta hubiese alcanzado la edad correspondiente. A Helene le avergonzaba no poder crecer con la suficiente rapidez. También le asustaba. A los catorce años, dieciséis a más tardar, las jóvenes regresaban a la casa familiar para ocuparse de sus labores y ser presentadas a hombres supuestamente ricos y de gran reputación; una reputación que la chica en cuestión no haría más que acrecentar. Las que lograban cursar estudios superiores eran muy pocas y, por tanto, bien conocidas y envidiadas por el resto de muchachas de la ciudad. Cuando una amiga de Martha manifestó su deseo de trabajar en un jardín de infancia, sus padres le preguntaron en tono despectivo qué necesidad tenía de hacerlo. La familia poseía dinero suficiente, la chica estaba lo bastante formada y contaba ya con dos acaudalados pretendientes entre los que elegir un buen esposo. Cuando Martha hablaba de sus amigas, a Helene aquello le parecía una historia de terror. Martha hizo una pausa repleta de significado; pero esa amiga suya quería un hombre al que ella amara, y eso fue lo que les respondió a sus padres. Ellos se echaron a reír. Con la voz de la experiencia, el padre objetó que primero había que encontrar al hombre adecuado, y sólo entonces podría surgir el amor. El juez Fiebinger, cuyos hijos no empezarían a estudiar hasta haber cumplido un determinado periodo de servicio en el regimiento local, envió a sus hijas directamente a Dresde, una al Conservatorio y otra a la Escuela de Magisterio. Martha le hablaba a menudo a Helene de las hijas del juez. Había que ser maestra. Hacía aún pocos años que Martha, sentada en la escuela junto a la futura maestra, la había ayudado con las cuentas. Tal vez aquella chica ni siquiera hubiese accedido a los estudios superiores sin su ayuda... Martha le susurró a Helene al oído que, si continuaba así, su padre seguro que la mandaría a estudiar a Dresde o a Heidelberg. Mientras susurraba, los labios de Martha rozaban la oreja de Helene produciéndole un agradable cosquilleo del que la pequeña nunca se cansaba. Después de que su padre hubiese permitido a Martha acudir a la Escuela de Enfermería no tendría reparo alguno, en vista de la inteligencia de Helene, en volcar todo su orgullo en la pequeña y enviarla a Heidelberg, donde sería una de las pocas mujeres que estudiasen Medicina. Cuando Martha le dibujaba semejante futuro, Helene contenía la respiración con la esperanza de que su hermana nunca dejase de contar aquella historia, tenía que seguir hablando y relatar cómo un día Helene estudiaría anatomía en una de las enormes aulas de la Universidad de Dresde, hablarle de los divertidos nombres de algunas partes del cuerpo, la médula espinal y el conducto vertebral. Helene no se cansaba jamás de escuchar las palabras que Martha traía a casa y le repetía una y dos veces para luego olvidarlas. Helene quiso saber más acerca de la fosa romboidea y de las arterias de la base craneal, pero Martha empezó a titubear, como si le hubiesen pillado en falta. Miró a Helene desconcertada y confesó que sólo se sabía los nombres, no dónde se encontraban ni su historia. Acarició la cabeza de su pequeño ángel y la consoló diciendo que muy pronto ella también estudiaría, tan sólo unos años más y vería como sí. En cuanto el hilo narrativo de Martha se interrumpió, tal vez porque se había quedado plácidamente dormida junto a Helene, ésta cayó presa de pensamientos menos agradables. Le vino a la cabeza que, si bien su padre en los últimos tiempos le permitía llevar la contabilidad de la imprenta, también mostraba un ligero enojo y renegaba para sus adentros cada vez que Helene detectaba un error. Sencillamente no quería descubrir en su hija menor un solo atisbo de inteligencia. Mientras Helene se pasase las tardes sentada en su despacho haciendo cuentas, él no sufría ningún sobresalto y se mostraba satisfecho. Helene formaba largas filas de números con el único fin de que su padre se detuviese por un instante y notara que su hija pronto calcularía con más destreza que él. Sin embargo, el padre no se percataba de los esfuerzos de la pequeña. Cuando la maestra convocó a los padres de Helene a la escuela de Lauengraben para hablar con ellos de cómo, en el transcurso de aquel año escolar, en algunas asignaturas su hija había asimilado sin ninguna dificultad la materia de los primeros cuatro cursos, el padre había sonreído amable y distraído, como era habitual en él, encogiéndose de hombros y mirando lleno de ternura cómo su esposa sacaba con torpeza una aguja clavada en el forro del abrigo y el hilo que traía en el bolsillo y, en mitad de la reunión y pese a la presencia de la maestra, se disponía a remendar con aquel hilo rojo el agujero que había en su vestido malva. Los padres se sintieron aliviados al comprobar que Helene no había robado nada ni cometido ningún desacato, al tiempo que no entendían por qué la maestra les había hecho venir para decirles que en breve ya no sabría qué más enseñarle a aquella niña. Simplemente la pondría a leer, rimas y cuentos, siempre y cuando ellos no tuviesen nada que objetar. La madre partió el hilo con los dientes, el agujero estaba cosido. El perro golpeó impaciente con su larga cola la pierna de su amo. Al padre le incomodaba la mirada interrogante de la maestra. No era tarea suya decirle a la maestra qué debía hacer con Helene.

A su regreso no le dijeron a Helene ni una palabra de su visita a la escuela. Era como si se avergonzaran de su hija.

Helene quería seguir en la escuela, pese a que albergaba pequeñas grandes dudas respecto al sueño que Martha había ideado para ella. Su padre o su madre jamás habían pronunciado las palabras «Heidelberg» o «Universidad», y Helene en ningún caso quería volver antes de tiempo a casa con su madre para recoger telarañas apolilladas de los armarios.

¿Qué te gustaría ser de mayor? Martha le hacía a veces esa pregunta.

Helene sabía qué responder, siempre decía lo mismo: Seré enfermera, como tú. Apretó la nariz contra el hombro de Martha y aspiró el aroma de su hermana. Olía a panecillos y sólo un poco al vinagre con el que se restregaba las manos al acabar su turno. Helene observó la sonrisa de Martha. ¿Le gustaría la seguridad con la que respondía la pequeña? ¿Se sentiría halagada porque Helene quisiera dedicarse a lo mismo que ella? Pero al cabo de un instante, Helene se dio cuenta de que la sonrisa de Martha no estaba relacionada con su respuesta. Martha acarició las letras doradas impresas en la cubierta del libro.

Vaya regalo.

Déjame ver.

Cierra los ojos, sí, así. Puedes leer a ciegas.

Helene notó cómo Martha tomaba su mano, pero en lugar de conducirla a la tapa del libro, la dirigió hacia su vientre; su ombligo, situado ya en una hondonada a diferencia del de Helene, sobresalía como un botón. Helene cerró los ojos con fuerza y sintió cómo Martha tomaba su dedo y presionaba contra el agujero del ombligo.

¿Y? ¿Qué es lo que puedes descifrar?

Helene percibió la ligera curva del vientre de Martha. La suavidad de su piel. A diferencia de su madre, cuyo vientre se ensanchaba sobre todo por debajo del ombligo, Martha tenía un abdomen hermoso que sólo iba insinuándose a lo largo; Helene palpó las costillas de Martha y pensó en las letras doradas sobre el libro color mostaza que había descifrado hacía tiempo a escondidas. Ponía «Byron». Así que dijo: Byron.

Byron. Martha corrigió la pronunciación de Helene. No abras los ojos y sigue leyendo.

Por la voz de su hermana, Helene percibió que a Martha le fascinaba su capacidad de leer a ciegas. Continúa, le ordenó Martha por segunda vez. Y Helene sintió cómo Martha conducía su propia mano junto con la de Helene por encima de su vientre, haciendo círculos, cómo llevó la mano de Helene hasta su cintura, acariciándose. Lee.

Selección de poemas líricos.

Helene había memorizado las letras doradas y llevaba tiempo preguntándose qué serían poemas líricos. Pero entonces Martha tomó la mano de Helene y la puso sobre el último arco costal.

¿También puedes ver lo que hay bajo la piel, ángel mío? ¿Sabes lo que hay debajo de las costillas? Aquí está el hígado.

Conocimientos de enfermera. Recuérdalo bien, todo eso lo tendrás que estudiar. Y aquí está la vesícula, muy cerca, eso es. Helene tenía la palabra «bazo» en la punta de la lengua, pero no quiso pronunciarla, sólo quería abrir los ojos, pero Martha se dio cuenta y le espetó: No los abras.

Helene notó cómo Martha sujetaba su mano, la conducía hasta el otro arco costal y al final subía hacia su pecho.

Aunque tenía los ojos cerrados con fuerza y no podía ver lo que estaba tocando, Helene sintió cómo, de repente, su rostro se encendió. Martha dirigió su mano y Helene notó claramente el pezón, su firmeza, su suavidad, su perfecta redondez. De vuelta hacia el valle que estaba más abajo notó un hueso.

Las costillas.

Martha dejó de contestar, pues ya estaba subiendo por la otra colina. Helene parpadeó, pero los ojos de Martha ya no la vigilaban, se paseaban sin rumbo bajo los párpados entornados, gozosos, y Helene vio cómo los labios de Martha se abrían ligeramente y se movían.

Ven aquí.

Con voz rasposa, Martha acercó la cabeza de Helene hacia sí con la otra mano y apretó su boca contra la de Helene. La pequeña se asustó, notó la lengua de Martha junto a sus labios, deseosa, nunca se habría imaginado lo áspera y lisa que era la lengua de Martha al tocar sus labios. Le hacía cosquillas, Helene casi se echó a reír, pero la lengua de Martha se puso dura y empujó los labios de Helene, como si buscase algo. La lengua separó los labios de Helene y chocó contra sus dientes, Helene tenía que respirar, quería coger aire, abrió los labios y, en ese mismo instante, la lengua de Martha llenó su boca por completo. Helene notó cómo aquel músculo se revolvía en su boca, se movía de un lado a otro, chocaba contra la cara interna de sus mejillas empujando y arrinconando a su propia lengua; Helene se acordó del último paseo por el Spree y de cómo Martha le había ordenado que caminase unos pasos tras ella y Arthur; y de pronto se percató de que su mano estaba sola sobre el pecho de su hermana y las manos de Martha llevaban tiempo moviéndose entre su cabello y a lo largo de su espalda.

Habían ido hasta el embarcadero oculto tras el viñedo, al que sólo se accedía a través de los sauzales. El suelo estaba negro y resbaladizo. Ven, exclamó Martha a unos metros de distancia y se adelantó con Arthur. Saltaron entre los tocones, el suelo resbalaba, vencía, los pies descalzos se hundían. Por todas partes gorgoteaba agua acumulada en pequeños charcos. Enjambres de mosquitos diminutos zumbaban. Allí, en la curva del río, el Spree había creado una pequeña ensenada, una porción de tierra que ya no era firme y que jamás pisaba un paseante. Allí donde alcanzaba la mirada florecían las caltas. La corona de margaritas que Martha había trenzado para Helene en el prado de la ladera amenazaba con resbalársele de la cabeza, Helene la mantenía con una mano mientras con la otra sujetaba los zapatos y se arremangaba el vestido para no ensuciarse. Resultaba difícil saber dónde había suelo firme, pues éste cedía a cada paso y, por más rápido que corriesen, apoyando primero la punta del pie, pronto acabaron negros hasta el tobillo y hasta la pantorrilla. Los pétalos ensiformes de las lilas despedían reflejos plateados bajo el sol.

Arthur se había puesto el bañador detrás de un sauce y había sido el primero en correr hacia la orilla, lanzarse al agua y bracear con ímpetu para que no lo arrastrase la corriente. Parecía estar moviéndose en el sitio. La brisa agitaba los carrizos, que se mecían y se doblaban hacia el agua. El viento sopló, ramas verde amarillento, los tallos mostraron su vientre. El rumor rompía contra los oídos de Helene. Aunque Arthur no dejaba de llamarlas, Martha estaba indecisa. No tenía bañador, el año pasado había crecido tan rápido que se le había quedado pequeño.

Nos dejamos las enaguas y metemos sólo los pies.

Martha y Helene se quitaron el vestido y lo colgaron en la rama de un sauce menudo. El agua estaba helada, el frío se les metía por las pantorrillas. Cuando Arthur alcanzó la orilla y quiso salpicarlas, las muchachas salieron corriendo. Martha gritó y rió repitiendo sin cesar el nombre de Helene. Arthur quiso seguir el curso de río y tumbarse con Martha en la hierba al pie de la ladera, pero Martha agarró a Helene de la mano y dijo que no iría a ningún lado sin su hermana pequeña. Además, si se tumbaban con las enaguas puestas, éstas podían mancharse de verde. Arthur dijo que podía sentarse encima de su chaqueta, pero Martha rechazó la propuesta y se señaló la boca para que Arthur escuchase el fuerte castañeteo de sus dientes.

Yo te calentaré. Arthur puso las manos sobre los brazos de Martha, quería acariciarla y frotarla, pero en ese momento ella castañeteó con los dientes todo lo fuerte que pudo.

Arthur le acercó el vestido. Le ordenó que volviera a ponérselo y ella le dio las gracias.

Más tarde las dos hermanas estaban sentadas muy juntas sobre la ladera. Un poco más arriba, Arthur había descubierto pequeñas fresas y se dedicaba a gatear por el prado. De cuando en cuando se acercaba a las niñas y se arrodillaba ante Martha para ofrecerle un puñado de fresas sobre una hoja de parra.

En cuanto se alejaba, Martha tomaba las fresas y alternaba metiendo una en su boca y otra en la de Helene. Se dejaron caer de espaldas sobre la hierba y se pusieron a observar las nubes. El viento se había calmado, sólo llegaba hasta ellas un delicado soplo de olor a madera procedente de la serrería. Helene inspiró profundamente aquel aroma entremezclado con notas dulces de alguna flor. Martha reconoció a un húsar cuya montura sólo tenía patas delanteras, e incluso éstas desaparecían si uno miraba mucho rato. Mientras allí abajo parecía no correr el viento, las nubes se desplazaban cada vez más rápido hacia el oeste. Helene creyó distinguir un dragón, pero Martha le dijo que los dragones tenían alas.

No es de extrañar que todo el mundo hable de movilización, exclamó Arthur desde más arriba. ¡Viéndoos ahí tumbadas, no cuesta nada recoger fresas!

Las hermanas intercambiaron una mirada elocuente. A Arthur lo que le interesaba era su cercanía y no la movilización, de eso estaban seguras. Ambas ignoraban a qué se referiría Arthur con lo de movilización. Es más, intuían que también para él aquel concepto estaba rodeado de similar misterio. El viento les trajo retazos del silbido de Arthur, que entonaba una alegre marcha. ¿Para qué iba a querer alguien irse a una guerra? ¿Acaso había mejor lugar que la orilla del Spree o mayor certeza que la luz con la que el sol les calentaba desde hacía meses? Las vacaciones no terminarían nunca, nadie obedecería el llamamiento a la movilización.

Ya no hay más, dijo Arthur cuando al cabo de un buen rato regresó con ambas manos llenas de fresas silvestres y se sentó ante las dos hermanas. ¿Las coges? Tendió las manos hacia Martha, las fresas salieron rodando y a punto estuvieron de caer en la hierba.

No, no quiero más.

¿Tú tal vez?

Helene negó con la cabeza. Durante un instante, Arthur se miró las manos indeciso.

¡Querida mía!, suplicó a Martha entre risas, son para ti.

De eso nada, se las daremos a este angelito.

Martha extendió sus manos abiertas y tomó las fresas de Arthur, algunas de las cuales cayeron al prado.

Sujétala. Martha señaló a Helene con la cabeza. Arthur obedeció, se abalanzó sobre Helene, se puso encima de ella clavando las rodillas sobre su cuerpecillo y apretándole los brazos contra el suelo con sus fuertes manos. Mientras Arthur y Martha se reían, Helene forcejeaba, cerraba las manos en un puño, gritaba que la soltasen. Helene trató de arquear la espalda para quitarse a Arthur de encima, pero él pesaba mucho, se reía y pesaba tanto que la espalda de Helene cedía ante la presión. Entonces Martha fue metiendo una fresa tras otra entre los labios de Helene. Ésta los apretaba todo lo fuerte que podía. El zumo le resbalaba desde las comisuras de los labios hasta el mentón y por el cuello. Helene trató de implorar sin abrir la mandíbula que por favor la dejaran en paz. Entonces Martha introdujo las pequeñas fresas en la nariz de Helene, de modo que apenas le llegaba el aire y el jugo de la fruta le quemaba dentro de la nariz. Martha aplastó las fresas sobre la boca de Helene, encima de los dientes, las aplastó hasta que la piel que rodeaba los labios empezó a escocerle ante tanto dulzor, hasta que Helene abrió la boca para lamer no sólo las fresas que tenía entre los dientes, sino también los dedos que Martha le metía en la boca.

Me haces cosquillas, dijo Martha riéndose, mira, es como si, como si..., prueba tú.

En ese mismo instante Helene notó los dedos de Arthur en su boca. No se lo pensó dos veces y les dio un mordisco. Arthur gritó y se levantó de golpe.

Se había alejado unos metros.

¿Estás loca? Martha miró atónita a Helene, sólo era una broma.

Ahora que Helene notaba la lengua de Martha en su boca, pensó si debía pegarle un mordisco. Pero no fue capaz, había algo en la lengua de Martha que le gustaba, y al mismo tiempo se sentía avergonzada.

Martha la despertó a sacudidas. Aún estaba oscuro y llevaba una vela en la mano. Las niñas debían acompañar a su padre a la habitación contigua, donde su madre yacía rígida sobre la cama. Tenía los ojos inexpresivos, incapaces de fijar la mirada. Helene creyó distinguir un parpadeo, se apoyó con los puños sobre la cama y se inclinó sobre su madre, pero sus ojos permanecieron inmóviles.

Me muero, dijo la madre en voz baja.

El padre seguía en silencio, con gesto serio. Toqueteaba inquieto la empuñadura del sable. No quería dedicar ni un minuto más a hablar del sentido de la guerra ni de su papel en ella. Hacía una semana que lo esperaban en el cuartel, a las afueras de la ciudad, y su regimiento no toleraría el menor retraso. No cabía demora ni escapatoria alguna. A Ernst Ludwig

Würsich no le sorprendió que, en vista de su partida, su esposa decidiese adelantar el momento de morir. A menudo había fantaseado con esa idea, expresándola en voz alta y baja para sí y para los demás. Interpretaba la pérdida de cada hijo alumbrado tras el nacimiento de Martha como una incitación a poner fin a su vida. El péndulo del reloj de pared descomponía el tiempo en pequeñas unidades medibles.

Helene se acercó con cuidado a la mano de su madre con la intención de besarla, pero la mano se movió y se retiró de golpe. La pequeña se inclinó sobre el rostro de la enferma, pero su madre volvió la cabeza sin dedicarle siquiera una de sus extrañas miradas. Los cuatro bebés que habían nacido muertos eran varones. Habían ido falleciendo uno tras otro, dos de ellos aún en el vientre materno y los otros dos poco después de nacer. Todos tenían el pelo negro, un pelo denso, largo y negro y la piel oscura, casi azul. La mañana de su alumbramiento, el cuarto niño había respirado broncamente, con esfuerzo, sonó como si hubiese inspirado de modo profundo y después se hizo el silencio, como si el aire no hubiese podido abandonar su pequeño cuerpo. Lo hizo sonriendo, y eso que los bebés no sonríen. La madre había bautizado al niño muerto Ernst Josef, lo había tomado en sus brazos sin soltarlo durante días. Permaneció con ella en la cama, y cuando tenía que ir al retrete se lo llevaba consigo. Pasado el tiempo, Mariechen contó a Martha y a Helene cómo ella, habiéndole pedido el padre que se mantuviera vigilante, había entrado en la habitación, donde la madre estaba sentada al borde de la cama con el pelo suelto, acunando al bebé muerto. Hasta pasados varios días no la oyeron rezar, y entonces se sintieron aliviados. La madre había dedicado un largo *qaddish* a Ernst Josef, aunque no hubiese nadie que dijese «amén», ni nadie que guardase luto con ella. El padre y Mariechen estaban preocupados, ninguno de los dos lloraba la muerte del pequeño. En los días siguientes, si alguien dirigía la palabra a la madre, le decía algo o le hacía alguna pregunta, el volumen de su voz crecía; era un farfullido, un monólogo, o eso parecía, como si estuviese hablando para sí de manera ininterrumpida y su murmullo sólo remitiese hasta hacerse inaudible en los momentos en los que nadie le dirigía la palabra. Todavía hoy se la oía rezar todos los días. Los extraños sonidos que procedían de su boca parecían un lenguaje inventado. Helene no creía que su madre supiese lo que estaba diciendo. Aquellas palabras tenían algo inclusivo y excluyente a la vez, para los oídos de Helene carecían de significado, pero al mismo tiempo protegían la casa y descansaban sobre ella como un silencio, un silencio ensordecedor.

Cuando Mariechen abría las cortinas por las mañanas, la madre volvía a correrlas. Desde entonces sólo había uno o dos meses al año en los que la madre salía de su particular oscuridad, pues se acordaba de que tenía un hijo vivo, una niña llamada Martha con la que quería jugar y hacer tonterías, como si ella también fuese una niña. Una vez la salida coincidió con Pascua, y la costumbre local de hacer rodar huevos por la colina de Protschenberg fue la ocasión perfecta. La madre parecía excitada, llevaba puesto uno de sus sombreros llenos de plumas. Lo lanzó al aire como si fuera un disco y se dejó caer en la hierba para rodar por el prado ladera abajo y quedarse tumbada al llegar al final. Martha corrió tras ella. Damas y caballeros con sombrilla las observaban a una distancia prudencial, el comportamiento de aquella forastera ya no les sorprendía; irritados ante semejante escena negaban con la cabeza y se daban la vuelta, sus propios huevos debían de parecerles más interesantes que la mujer que acababa de dejarse caer rodando ladera abajo. El padre de Martha había seguido a su esposa e hija, se inclinó hacia su mujer y le tendió la mano para ayudarla a levantarse. Martha, que por entonces tenía ocho años, agarró a su madre de la otra mano. La madre estalló en una carcajada gutural y se puso a decir que ella amaba más al Dios de su marido que al suyo propio, pero que ambos eran uno solo e indisoluble, ni más ni menos que ese disparate común a un puñado de hombres sedientos de locura que habitan la tierra, gusanos que desde hace siglos y milenios dedican la mayor parte de su vida a buscar una justificación plausible de su existencia. Extraña peculiaridad la de esos seres ridículos.

Ernst Ludwig Würsich llevó a su esposa a casa para que se tranquilizara.

Martha quedó a cargo de la criada y el padre se sentó en la cama junto su esposa. Jamás esperaba de ella respeto por su persona, le dijo con suavidad, mas sólo por respeto a Dios le pedía silencio. Le acarició la frente, el sudor le resbalaba por la sien. Le preguntó si tenía calor y la ayudó a desvestirse. Con cuidado le acarició los hombros y los brazos. Besó el reguero que corría por su sien. Dios era justo y misericordioso. Al momento supo que no había dicho lo correcto, pues su mujer negó con la cabeza y susurró: Ernst Josef. Sólo al cabo de unos segundos, cuando él se disponía a calmarla sellando sus labios con un beso, ella terminó la frase murmurando: Él fue uno de cuatro. ¿Cómo puedes llamar justo y misericordioso a un Dios que me ha arrebatado cuatro hijos?

Las lágrimas desbordaron sus ojos. Él besó su rostro, su llanto, bebió de su desgracia y se tendió junto a ella.

Aquella misma noche la madre dijo a su marido: Ha sido la última vez, no quiero perder otro hijo. No fue necesario preguntarle si lo había entendido, pues así era aunque a él no le gustara.

Al cabo de casi diez meses nació otro bebé. Grande, grueso y de piel blanca con reflejos rosados, cabeza pelona y unos ojos enormes que en el transcurso de pocas semanas resplandecieron tan azules que la madre se asustó. El bebé era una niña; su madre no le sacó ningún parecido, y cuando el padre quiso llevar a su nueva hija ante el cura, fue Mariechen quien eligió el nombre de la criatura: Helene.

Para su madre Helene no existía, no quería tomarla en brazos ni podía abrazarla. A medida que crecía, el bebé lloraba y adelgazaba, no toleraba la leche de cabra y escupía más de lo que tragaba; Mariechen trató de amamantar a la criatura para tranquilizarla, pero su pecho era viejo, jamás había olido a leche y no podía producirla; el bebé lloraba. Encontraron un ama de cría que amamantó a Helene. El bebé respondió poniéndose gordo y rollizo. Con el paso de los días sus ojos parecían aclararse cada vez más, y pronto empezaron a asomar los primeros cabellos, una fina pelusa de oro blanco. La madre permanecía en la cama, inmóvil, y cada vez que le acercaban a la niña volvía el rostro. Cuando hablaba de ella no mencionaba su nombre, tampoco decía mi niña, sino la niña.

Helene tenía conocimiento de lo que habían sido esos primeros años, pues había oído a la criada contárselo a Martha. La madre no quería volver a oír hablar de Dios alguno. Se había apropiado de una habitación de la casa, un cuarto para ella sola, donde dormía en una estrecha cama con plumeros encima y hablaba de acompañar a las almas. Por las noches, cuando Helene estaba en la cama de Martha contando lunares y apretando la nariz contra la espalda de su hermana, Helene adoptaba cada vez con más frecuencia y sin premeditación alguna ese ángulo de visión en teoría reservado únicamente a un Dios. Se imaginaba a esa multitud de pequeños seres erguidos y diminutos que pululaban por la tierra construyendo imágenes de ese Dios, inventando nombres e historias sobre la creación. La idea de los gusanos ridículos, tal y como los llamaba su madre, le resultaba por una parte plausible, pero, por otra, sentía compasión por aquellos seres que al fin y al cabo y a su manera no hacían nada distinto a lo que hacen las hormigas, los lemmings y los pingüinos. Procuraban la existencia de jerarquías y estructuras que se correspondieran con su especie, la de la tribulación y la duda, y que contuvieran ambas, pues el ser humano no se concibe sin sus dudas. Helene sabía lo susceptible que era su padre ante esas reflexiones. En especial cuando la madre contaba entre risas que había pasado la noche con todas las almas —él bien podía llamarlas Dios—, y que ahora que llevaba un hijo en el corazón se sentía dichosa, por lo que quería irse pronto con las almas, su carne con las almas, para siempre, el padre se ponía serio y enmudecía. Helene oyó cómo un amigo, el alcalde Koban, trató de persuadir al padre para que internara a su madre, pero éste no quiso saber nada al respecto. Amaba a su mujer y la idea de internarla le torturaba más que tenerla recluida en casa. No le molestaba que pasase muchos meses del año en oscuras estancias ni que jamás pisara la Tuchmacherstrasse.

Incluso cuando se redujo el espacio en la casa debido a que su mujer, en sus escasos meses de vigilia, no dejaba de amontonar cosas traídas del exterior para coleccionarlas y adjudicarles un lugar entre los distintos montones que cubría con telas de diversos colores, el padre prefirió llevar aquella vida con su esposa a la mera idea de vivir sin ella.

Si bien al comienzo él se había rebelado ante semejante afán de recolecta y acumulación, y de cuando en cuando había sugerido a su esposa que se deshiciera de algún objeto, ante lo cual ella le explicaba con todo lujo de detalles la utilidad del objeto en cuestión —bien podía ser una chapa especialmente deforme que para ella entrañaba la posibilidad de contemplar una metamorfosis—, en los últimos años sólo preguntaba por la utilidad de un objeto cuando necesitaba escuchar una declaración de amor. Las declaraciones de amor que su esposa rendía a cosas comúnmente inútiles y carentes de valor eran las historias más fascinantes que Ernst Ludwig Würsich jamás había escuchado.

En una ocasión, Helene estaba sentada en la cocina ayudando a Mariechen a confitar grosellas.

¿Dónde están las cáscaras de naranja que puse a secar en la despensa?

Disculpe la señora, se apresuró a contestar la criada, están en la despensa, dentro de una caja de puros. Necesitábamos el sitio para las flores de saúco.

Conque saúco, ¡té! Sus fosas nasales se hincharon en señal de desprecio. Eso huele a pis de gato, Mariechen, ¿cuántas veces tengo que decirlo? Recoge menta, pon a secar milenrama, pero nada de hojas de saúco.

Pero paloma mía, intervino el padre, ¿qué vas a hacer tú con las cáscaras de naranja? Ya están secas.

Sí, y recuerdan al cuero, ¿no te parece? La voz de la madre se volvió aterciopelada y empezó a divagar: Cáscaras de naranja cortadas del fruto como serpiente en espiral y puestas a secar. ¿No te parece embriagador el aroma de la despensa? Y cómo giran al colgarlas de un hilo sobre la estufa, es demasiado hermoso. Espera, te lo mostraré. Y en ese mismo instante la madre corrió hacia la despensa como una niña pequeña, encontró la caja de puros y sacó las cáscaras de naranja sujetándolas cuidadosamente con ambas manos. Son como piel, ¿no crees? Le tomó de la mano para que acariciara la cáscara de naranja, debía hacerlo igual que ella para que sintiese lo mismo, para que supiese de lo que hablaba. La piel de una tortuga joven.

Helene reparó en la ternura con la que su padre miraba a su esposa; él seguía el movimiento de aquellos dedos que acariciaban la cáscara seca de la naranja y se elevaban hasta la nariz, contemplaba cómo ella dejaba caer sus párpados y se preparaba para inspirar aquel aroma, y obviamente no quiso decirle que ya no era época de calentar la casa. Ella guardaría las cáscaras de naranja en la caja de puros hasta el próximo invierno y el siguiente, para siempre, nadie podía tirar nada y el padre de Helene sabía por qué. Helene quería a su padre por la capacidad de preguntar y callar en el momento justo, lo quería cuando miraba a su madre como entonces. Seguro que, en silencio, daba gracias a Dios por tener a aquella mujer.

Casi dos años después del final de la guerra, Ernst Ludwig Würsich logró al fin emprender el camino de vuelta a casa junto a un enfermero oriundo de Dresde que también iba de regreso. Fue un camino arduo, que el padre recorrió en su mayor parte sentado en un carro tirado por el enfermero, un enfermero que le insultaba según el momento del día: por las mañanas porque se disculpaba por las molestias que le estaba ocasionando, a mediodía porque quería avanzar demasiado, y por las noches porque a pesar de la pierna que le faltaba pesaba unos cuantos kilos de más.

Debido al retraso con el que se había presentado en el cuartel, semanas después del comienzo de la guerra, el padre había sido expulsado del tercer regimiento de húsares sajones, constituido cuatro años antes, y ese hecho le causó una gran decepción. ¿A quién podría haber confiado que en casa su esposa decía estar muriéndose y que él, sin ella, carecería del más mínimo sentido del heroísmo? Sin embargo, el argumento de más peso y tal vez la razón de que no hubiese podido hablar con nadie del inminente fallecimiento de su esposa era que aquélla en modo alguno era la primera vez que su mujer manifestaba tal intención. Aunque tales palabras llevaban varios años resonando en sus oídos —los detonantes habían sido distintos—, él no lograba acostumbrarse a aquel ultimátum. De igual modo era consciente de la escasa relevancia que semejantes palabras tendrían ante cualquier regimiento y de cómo, ante el deber de mostrar obediencia incondicional a la nación, en modo alguno serían una razón que justificara un desacato. Para el Imperio alemán, por el que debía incluso arriesgar su vida, la amenaza de muerte de Selma no era más que un asunto ridículo e insignificante.

Nada más llegar al viejo cuartel le despojaron de su uniforme de húsar y del sable diciéndole que ya otro había montado en su caballo y cabalgado hacia Francia, donde había encontrado una muerte heroica. También la artillería se había puesto en marcha, así que debía presentarse en el nuevo cuartel de infantería. Durante todo ese recorrido el padre no había dejado de tropezarse con su perro, el viejo *Baldo*. Él le había gritado que se fuera, pero el animal no dejaba que lo echasen, no quería dejar solo a su amo. ¡Que Dios nos ampare!, había gritado Ernst Ludwig Würsich a su querido *Baldo* estirando el brazo para que el perro se marchara; no obstante, tal vez no fuese tan de extrañar que alguien bautizado en homenaje al canciller del Reich, Theobald von Bethmann Hollweg, no quisiese romper ese vínculo. *Baldo* bajó la cabeza y meneó su cola gacha. El animal lo siguió de cuartel en cuartel con tanta insistencia que a Ernst Ludwig Würsich se le saltaban las lágrimas y tuvo que amenazarlo mostrándole la palma de la mano para que el perro volviese a casa, donde nadie lo esperaba. En el cuartel de infantería entregaron al ciudadano Würsich, hasta hacía un momento húsar, un simple uniforme de soldado, con visibles muestras de su honorable uso, y dedicaron unas semanas a decidir adónde lo enviarían. A mediados de enero saldría hacia la región de Masuria. La ventisca apenas les permitía avanzar. Mientras los hombres que marchaban delante, detrás y a su lado hablaban de revancha y de derrota, él anhelaba el calor de las plumas de su cama de Bautzen, en la Tuchmacherstrasse. Bien es cierto que poco después el batallón al que pertenecía entró en combate en mitad de campos y lagos helados, pero antes de que Ernst Ludwig Würsich pudiese empuñar su arma durante el ataque de su tropa, a la orilla de un bajo y joven robledal, perdió la pierna izquierda debido a una granada de mano que el compañero más próximo hizo estallar por accidente. Otros dos compañeros atravesaron con él el lago helado de Löwentin y lograron alcanzar, ya en febrero, el hospital militar cercano a Lötzen, donde el padre caería en el olvido durante los años que restaban de conflicto y, por tanto, quedaría excluido de un posible retorno.

En cuanto estuvo en su lecho de enfermo y hubo logrado un atisbo de conciencia entre tanto dolor se puso a buscar su talismán; su esposa le había entregado en mano aquella piedra uno de los días de su despedida, primero con la esperanza de que el talismán lo trajera por el buen camino y le indujera a quedarse; luego, mientras él sacaba brillo al sable, ella le había pedido que lo considerase un camino de salvación. Lo llevaba cosido al forro del uniforme, era una piedra en forma de corazón. Su esposa veía en ella una hoja de tilo que su marido debía colocar sobre cualquier herida para que ésta sanara. Sin embargo, como la herida que tenía al final del tronco le parecía demasiado grande y las primeras semanas tras el accidente evitaba mirar hacia abajo, eludiendo con más razón aún el menor roce con la carne herida que se encontraba más abajo, decidió poner la piedra sobre la cuenca de su ojo, donde pesaba y le producía una agradable sensación de frío.

Con la piedra sobre el ojo, Ernst Ludwig Würsich se dirigía a sí mismo palabras de consuelo, palabras que le recordaban a las de su esposa, «querido mío», y palabras de aliento, «todo irá bien». Después agarraba la piedra y la apretaba fuertemente, era como si no sólo estuviese introduciéndole a presión su dolor, ese dolor conocido y punzante, y la forma en la que éste se encabritaba, blanco y refulgente, arrebatándole una y otra vez la vista y también el oído, sino que a un tiempo trasladaba a la piedra su último aliento, insuflándole vida. Un poco al menos, tan poco y tanto a la vez que la piedra enseguida le pareció más caliente que la mano. Sólo cuando el talismán llevaba un rato junto a él, sobre las sábanas, podía volver a enfriar el ojo. Así transcurrían los días, con un acto tan sencillo. Días que al principio en modo alguno le resultaban insulsos, más bien al contrario, el dolor le mantenía despierto, le picaba, le irritaba tanto que habría deseado salir corriendo con ambas piernas, sabía exactamente cómo hacerlo. Jamás había pensado en su mujer con tanta pasión, jamás había sentido un amor tan puro y prístino, libre de la menor distracción y de cualquier duda, como en aquellos días en los que toda su actividad se limitaba a tomar y dejar la piedra de su esposa.

Sin embargo, el dolor persistía, agotaba sus nervios, y entre la claridad de los primeros días iban abriéndose pequeñas grietas, el descubrimiento de aquel amor tan puro iba desmigajándose, desmoronándose. Una noche el dolor le despertó, no podía girar a la izquierda ni a la derecha, el dolor ya no era blanco ni refulgente, sino líquido, negro, una lava sin luz, sólo a lo lejos oía los gemidos y quejidos de las otras sábanas pegadas a las suyas, y sintió como si todo aquel amor, el reconocimiento pleno de la razón de su existencia no hubiese sido más que un ejercicio heroico y vano de rebelión contra el dolor. No volvió a percibir nada puro y prístino. Todo era dolor. No quería gemir, pero no había espacio ni tiempo para su voluntad. La enfermera auxiliar estaba ocupada con otro herido al que no le quedaba mucho tiempo, de eso estaba seguro; los lamentos que procedían del fondo del barracón iban a cesar, y lo harían muy pronto, antes que los suyos. Deseaba estar tranquilo. Gritó, quería culpar a alguien, pero no se acordó ni de Dios ni de la fe. Imploró. La enfermera se acercó y le puso una inyección, pero apenas tuvo efecto. No logró dormirse hasta después del alba. A mediodía pidió lápiz y papel. El brazo le pesaba y su mano le pareció débil, apenas podía sostener el lápiz. Escribió a Selma. Le escribió para no permitir que el vínculo entre ambos se rompiera, tan pálido le resultaba entonces el recuerdo de su amor, tan veleidoso su objeto de deseo. Los días siguientes se los dedicó a su piedra como prueba de fidelidad. Al tocarla le invadía una sensación de hidalguía. Podía haber llorado. Por sus pensamientos rondaban conceptos como honor y conciencia. Ernst Ludwig Würsich se avergonzaba de su existencia. Al fin y al cabo, ¿de qué servía un hombre herido y sin pierna? Ni siquiera se le había colocado delante un ruso, no había podido mirar al enemigo a los ojos, por no decir que en ningún momento, en aquella guerra, había puesto en honroso riesgo su vida. Lo de la pierna se debía a un lamentable accidente que en absoluto podía contar como tributo al enemigo. Sabía que tomaría la piedra y la guardaría hasta que la siguiente infección de la herida o del intestino le sorprendiera prendiendo fuego a su cuerpo, quemándolo por completo, sumiéndolo en la fiebre y el ocaso del dolor.

La victoria lograda en aquella batalla invernal le resultaría a Ernst Ludwig Würsich tan ajena como preguntarse por el sentido de la guerra. El día en que, poco después de acabado el conflicto, se desmanteló el hospital, decidieron llevarlo a él y al resto de heridos de regreso a casa, pero el transporte resultó complejo y laborioso. A mitad de camino algunos empeoraron, el tifus comenzó a propagarse, algunos murieron y el resto fue alojado provisionalmente en un pequeño asentamiento de barracones próximo a Varsovia. Desde allí continuarían hacia Greifswald en un medio de transporte para enfermos más grande. Semana tras semana le decían que sólo esperaban a que se recuperase para enviarlo de regreso a Bautzen, pero por más que su estado de salud fuese mejorando poco a poco, lo que hacía falta eran recursos humanos y económicos que facilitasen su vuelta. Cada mes escribía dos, tres cartas a casa dirigidas a su mujer, aunque desconocía si seguía viva. No obtenía respuesta. Escribió a Selma contándole que el muñón de la pierna no terminaba de sanar, no así las heridas del rostro; allí donde antes tenía el ojo derecho la piel había cerrado a la perfección, las cicatrices remitían con el paso de los días. Al menos eso era lo que intuía al palparlas, no podía saberlo a ciencia cierta, ya que no disponía de espejo. Esperaba que ella lo reconociera. Precisamente la nariz había permanecido casi intacta. Sí, el rostro se había recuperado de forma excelente, sólo mirando de cerca y con ayuda de alguna deducción a partir del resto de su fisonomía se podía reconocer el lugar que ocupara el ojo derecho. A partir de entonces, en sus futuras salidas al teatro le gustaría pedirle prestado su binóculo de oro, el que le había regalado en su primer aniversario de boda; a cambio, él podría ofrecerle al fin su monóculo. Y es que a ella siempre le había parecido que el monóculo le quedaba mejor que a él.

Creía que, de seguir aún con vida, su esposa al menos se reiría de aquella forma tan encantadora en caso de que leyera su carta y se enterase así de las heridas que había sufrido. Con sólo imaginar el destello de sus ojos, alternando entre verde, marrón y amarillo, un escalofrío de deseo y bienestar en el mundo recorría su espalda. Incluso dejaba de sentir por unos minutos aquel dolor hasta entonces desconocido que irradiaba la herida aún abierta junto al coxis, un dolor palpitante que le trepaba por la espalda.

¿Cómo imaginar que su esposa Selma entregaba las cartas sin leerlas y sin abrir a Mariechen para que las guardara?

Selma Würsich decía a Mariechen llena de repulsa que cada vez detestaba más recibir correo de aquel hombre —como había pasado a denominar a su marido entretanto—, quien en contra de su voluntad explícita, y supuestamente en señal de amor hacia ella, había querido convertirse en héroe. A través de aquellas señales de vida Selma creía percibir en su marido cierta burla arrogante de la que ya ella venía sospechando sin motivo aparente desde que se habían conocido. En su fuero interno esperaba que llegase el día de su regreso para, expresando la más absoluta indiferencia y encogiéndose de hombros, darle la bienvenida con estas palabras: Anda, ¿así que aún existes?

Tras las primeras semanas echándolo de menos y los sucesivos días y meses de rabia por su partida, la indiferencia que manifestaba suponía para ella el mayor de los triunfos. Precisamente aquella criada wenda, una solterona, tal y como la había denominado Ernst Ludwig delante de sus hijas, era la única persona con la que la madre aún hablaba, aunque fuese poco.

Selma Würsich se pasaba las estaciones del año al acecho. Ya no tenía tiempo para nada, en primavera le asaltaba un desasosiego interno que iba de dentro hacia fuera. De repente tenía ante sí a una de sus hijas que le preguntaba algo, salía la palabra «Ascensión» y, al instante, Selma se daba la vuelta diciendo que aquello no tenía nada que ver con ella; bien es cierto que las palabras resonaban en sus oídos y los ojos de su hija se clavaban a dúo en su persona, pero aquello en modo alguno la atañía. Entonces se limitaba a decir que no quería que la molestaran y reclamaba tranquilidad.

Delegó la decoración de los huevos de Pascua en Mariechen, a quien tales cosas de todos modos se le daban mejor. En realidad, la mera compañía de otras personas le resultaba a Selma cada vez más molesta, simplemente carecía de paciencia para soportar el parloteo y el interrogatorio de sus hijas. En secreto daba encarecidas gracias al cielo por que Mariechen la mantuviera alejada de semejantes compañías.

En verano Selma recogía del enorme árbol aún sin podar las escasas cerezas que los niños de la calle y sus propias hijas habían dejado tras el saqueo. Al hacerlo llevaba puesto uno de sus anchos sombreros con velo que le permitían mirar discretamente hacia el Kornmarkt y, subida a la escalera, una y otra vez se volvía en la dirección por la que creía que se aproximaría su esposo. Sentada en la escalera delante de la casa y con la cesta llena de cerezas, Selma mordisqueaba la carne fina y picada por los gusanos que rodeaba los huesos. Tenía un sabor ácido y ligeramente amargo. Después ponía los huesos a secar al sol. Cada pocos días tomaba un puñado de huesos y los sacudía entre las manos ahuecadas. El ruido la reconfortaba, ése podía ser el sonido de la felicidad, pensaba Selma.

Una vez, en otoño, creyó reconocer a su marido andando con dificultad entre la hojarasca de la acera de enfrente, entonces se dio la vuelta presurosa para estar en casa cuando él llegase. Se esforzó por no sentir nada que no fuese indiferencia, pero su esfuerzo fue en vano, la campana de la puerta no sonó y él no apareció. El hombre que se abría camino entre la hojarasca tenía que ser otro, probablemente alguien que en ese momento estaría sentado a la mesa junto a su esposa ante un plato de sopa de col caliente tras ser recibido con un apasionado abrazo.

A comienzos del invierno Selma Würsich partía con un cuchillo cáscaras de nueces aún verdes, y también las que ya estaban negras y resecas, mientras miraba por la ventana los remolinos de nieve que caían lentamente. Los copos flotaban bailando arriba y abajo, como si desconociesen la fuerza de la gravedad. A menudo lo veía bajar por la Tuchmacherstrasse. Habría envejecido con el paso de los años y olería a desconocido. Cuando regresara se iba a enterar.

Sin embargo, a una primavera y un verano marcados por la incansable espera y el anhelo de poder alegrarse por el mal ajeno les sucedió una época de agotamiento. El negocio renqueaba, apenas se demandaban trabajos de imprenta. El papel se encarecía. Mientras Selma permanecía sentada junto a la ventana, con la mirada perdida, Helene actualizaba cada trimestre los precios de los membretes y las esquelas. Las postales se vendían tan mal que llevaban meses sin reimprimirlas. Apenas les encargaban cartas de menú, la mayoría de locales enumeraban su escasa oferta de platos en una pizarra. Los ahorros de antes de la guerra, cuando el negocio prosperaba y el padre de Helene había empezado a imprimir guías del buen matrimonio, cuadernos de crucigramas y hasta poemas, perdían ostensiblemente su valor. El número de calendarios vendidos al año no alcanzaba el centenar. Sólo los costes de componer los de 1920 prometían ser mayores que las previsiones de venta.

Obedeciendo a una de sus ocurrencias nocturnas, la madre de Helene había decidido pagar al cajista, empleado desde hacía muchos años, con varios meses de antelación, creyendo que así hacía frente al encarecimiento de los precios, como si fuera más astuta que ellos. Sin embargo, los encargos iban en continuo retroceso, el cajista permanecía sentado allí abajo en la imprenta sin nada que hacer, resolviendo crucigramas, y los cuadernos se acumulaban en el almacén, pues nadie los compraba. A raíz de un trastorno del crecimiento, el cajista tenía las piernas demasiado cortas, y en el cuartel no le habían considerado apto para la guerra. Al igual que él, su esposa y sus ocho hijos pasaban hambre; algunos de los pequeños mendigaban en el Kornmarkt algo de pan y manteca, y una y otra vez los pescaban robando manzanas y nueces.

Una tarde, en el bolsillo de la bata que el cajista colgaba junto a la puerta al acabar la jornada, Selma encontró un puñado de azucarillos que, por su forma y color, reconoció a simple vista como robados de su cocina. A la mañana siguiente sintió lástima al ver a aquel hombre de brazos cruzados. Aborrecía la idea de hablar con él del asunto del azúcar, el robo y su sueldo. No esperaba obtener más que excusas, así que prefirió buscar una solución definitiva. Le encargaría que enseñara a su hija pequeña el oficio de componer, manejar los tipos y la prensa. Al fin y al cabo a Helene no tendría que pagarle por los escasos trabajos pendientes ni los pocos encargos que recibían.

En su último año de escuela Helene se aburría soberanamente, había llegado el momento de que hiciera algo útil. La madre no quiso ceder ante la insistencia de la pequeña para que la mandaran al instituto femenino. A su parecer, si la escuela le había aburrido tanto hasta entonces, sería un divertimento demasiado caro prolongar aquella forma de esmerada holgazanería dos años más.

Selma Würsich se hallaba junto a la ventana que daba a la Tuchmacherstrasse mirando calle arriba, se sujetaba la bata con las manos, hacía días que no encontraba el cinturón; las campanas repicaron, sus hijas regresarían de la iglesia en cualquier momento. La sola idea de que su hija llegara a ser maestra y el hecho de que, fruto de su espontaneidad infantil, hubiese manifestado su deseo de estudiar Medicina le desagradaban. Vaya cría díscola y respondona, susurró la madre para sí.

Martha y Helene regresaban del Kornmarkt caminando tranquilamente agarradas del brazo. Sobre la vitrina, Selma encontró una cinta de raso violeta. La criada debía de haberla enrollado con esmero y puesto allí. Selma se la ató alrededor de la bata a modo de cinturón. Con mucho cuidado hizo una lazada y sonrió ante su ocurrencia. Entonces oyó la campanilla de la puerta.

¡Venid ahora mismo, quiero hablar con vosotras! Desde la barandilla, la madre hizo señas a sus hijas para que subieran. No esperó a que se sentaran.

Helene, llevas años ocupándote de la contabilidad, así que no te vendrá mal aprender la mecánica del oficio. Por un instante, la madre dirigió una mirada cautelosa a su hija mayor temiendo alguna crítica por su parte, pero Martha parecía tener la cabeza en otra parte. Ya ahora me es imposible justificar las ventas sin tu contabilidad, además te encargas de comprar papel y del mantenimiento. El cajista nos está sacando hasta el último cuarto, así que no nos vendría mal que te enseñase lo más necesario y así pudiéramos despedirlo.

Los ojos de Helene brillaron. Estupendo, susurró la pequeña. Después se abalanzó sobre Martha, la besó y exclamó: ¡Lo primero que haré será imprimir dinero y luego un libro de familia para ti!

Martha se sacudió a Helene de encima. La pequeña se sonrojó y guardó silencio. La madre la agarró del brazo y la obligó a arrodillarse.

Mira que tienes pájaros en la cabeza. Tanta alegría me da pavor, niña. El trabajo no será fácil. Luego la soltó y Helene pudo ponerse de pie.

Miró a su madre con satisfacción. No le sorprendía que considerase aquel trabajo difícil, puesto que apenas visitaba las dependencias de la imprenta, lo más probable era que jamás hubiese visto cómo se componía un texto y, desde la distancia, era lógico que aquello le resultase un tanto misterioso. Helene pensó en el clac clac y el suave resoplido de la prensa, en el rechinar de los rodillos. ¡Qué distinta podía llegar a ser la mirada del tipógrafo! Lo que a él le parecía correcto en un punto determinado, a ella le resultaba inquietante. Helene se vio claramente componiendo ella misma por fin las letras y las palabras, de manera que los espacios en blanco favoreciesen la armonía y la claridad. La idea de manejar sola la enorme prensa la colmaba de excitación. En muchas ocasiones había deseado poder perfeccionar el trabajo del cajista.

Selma observaba a Helene. El brillo de sus ojos la desasosegaba. La alegría acrecentaba el tamaño de aquella chiquilla y la luz que irradiaba.

Lo que te falta, dijo la madre en tono severo, es el sentido de la medida. Su voz era cortante; cada palabra parecía afilada. No te das cuenta del orden que tienen las cosas, es evidente que por eso te cuesta reconocer el orden supremo que nos rige. Algo importante que aprenderás de nuestro cajista, querida niña, es a someterte. A tener humildad.

Helene notó cómo la sangre se le disparaba a la cabeza. Bajó la mirada. La claridad y la oscuridad se fragmentaban y se desvanecían, los colores se desdibujaban. Aún faltaba configurar un pensamiento que le permitiese articular una respuesta. El caleidoscopio seguía girando, un clavo oxidado se aproximaba una y otra vez a las cáscaras de nuez, nunca se sabía para qué podría servir cada cosa. Transcurrieron unos segundos hasta que pudo volver a componer una imagen clara en su interior. Aquella madre parecía un regalo envuelto en la cinta de raso violeta que Helene descubrió. El lazo temblaba mientras su madre hablaba. A Helene se le pasó por la cabeza que quería que la desenvolvieran, no cabía duda. Contempló el paisaje materno compuesto por restos de ropa, plumeros rematados con costras de sangre negra, fundas de almohadón con puntas agujereadas de las que llovían huesos de cereza y montañas de periódicos acumulados. Era incapaz de reconocer la cima desde la que su madre pretendía darle lecciones sobre los órdenes existentes. Helene no logró alzar la mirada para encontrarse con la de su madre. Buscó los ojos de Martha, pero esa vez su hermana no acudió en su ayuda, esa vez no.

Al cabo de pocas semanas Helene perdió el miedo a la joya de la imprenta de su padre. La minerva modelo Monopol ya no le suscitaba devoción, sino que le exigía pleno esfuerzo físico. A diferencia del cajista, que como era muy bajito para alcanzar el pedal levantaba hábilmente una de las piernas desde la banqueta del padre para mantener el impulso del mecanismo propinándole una patada, Helene al principio no conseguía mover el pedal ni un solo milímetro. Aunque manejaba con destreza la máquina de coser y no tenía ninguna dificultad para mantener las ruedas en movimiento pisando constantemente el pedal, resultaba evidente que para accionar la Monopol se requería la fuerza de un hombre. Helene se subió al pedal con ambos pies y resbaló. La rueda apenas había avanzado dando una sacudida. El cajista se rió. Tal vez no le importara explicarle cómo limpiar los rodillos, dijo Helene en tono incisivo mirando con descaro la capa de polvo de un dedo de grosor que los cubría.

No estaba dispuesta a aceptar que su aprendizaje fracasara

por razones de fuerza física. Por las tardes, nada más irse el cajista, Helene se colocaba junto a la Monopol y comenzaba a practicar con la pierna derecha. Apoyándose sobre la bandeja del papel pedaleó y pedaleó hasta que la enorme rueda empezó a moverse cada vez más rápido y el roce de los rodillos produjo un ruido extraordinariamente grave. Estaba sudando, pero no podía parar.

Durante el día, el cajista le enseñaba a manejar la máquina de coser, la prensa y la grapadora; cumplía de forma diligente su cometido y, sin embargo, una y otra vez constataba con un guiño que la Monopol sólo obedecía a su amo. Era obvio que desde la marcha del padre él se atribuía esa condición. Al cajista le reconfortaba saberse en teoría indispensable.

Nadie sabía que, con el paso de los años, Helene y el cajista habían entablado una relación laboral amistosa. Él era el primer adulto que la tomaba en serio. Ya a los siete años, cuando Helene había empezado a llevar la contabilidad paterna y a hacerse cargo en su ausencia, debido a la guerra, de la compra y gestión del material, el cajista le tenía un gran respeto. La llamaba Fräulein Würsich, cosa que agradaba a Helene. Él aceptaba todas sus cuentas sin la menor objeción.

Incluso cuando, tras acabar la guerra, Helene no había podido satisfacer plenamente las expectativas de aumento de sueldo del cajista, aquello no afectó en modo alguno a la actitud amable que él mostraba hacia la pequeña. Ella era la persona con la que hablaba de los asuntos pendientes en la imprenta. Si había que revisar alguna de las máquinas, el cajista lo consultaba con Helene, sobre todo desde que la madre había vuelto a desaparecer durante meses en el piso superior de la casa, donde corría las cortinas y daba la espalda a las ventanas. Helene le tenía simpatía a aquel hombre. Era ella quien subía a la cocina, se dirigía a la despensa, miraba varias veces a un lado y a otro para asegurarse de que no la viera nadie y llenaba un cucurucho hecho con papel de periódico de cebada limpia, otro de sémola y un tercero con un pepino, un colirrábano y un puñado de nueces. El día que descubrió una enorme caja de azucarillos en el compartimento superior de la despensa no dudó en arrancar una hoja del almanaque de Bautzen para envolver un buen puñado y llevárselo también al cajista.

Por las tardes, nada más marcharse el cajista, Helene practicaba en secreto el manejo de la Monopol. Al cabo de unos días no sólo entrenaba con la pierna derecha, sino también con la izquierda. Practicaba hasta que no podía más. Y entonces seguía practicando, ensayaba cómo superar ese momento de no poder más y seguir practicando. Por la noche sentía las piernas muy agarrotadas, y a la mañana siguiente notaba un tirón desacostumbrado cuyo nombre hasta la fecha sólo conocía de boca de los muchachos: agujetas. Al parecer aquello se llamaba así, qué nombre tan extraño y serio a la vez.

Una tarde se encaramó a la banqueta de su padre, que estaba anclada al suelo. Para su sorpresa, no necesitó siquiera estirar las piernas, la banqueta parecía estar hecha a su medida. Puso los dos pies sobre el pedal y empezó a moverlo; al hacerlo tuvo que apretar fuertemente el abdomen y sintió un agradable cosquilleo, un revoloteo en el estómago, como cuando se columpiaba. Pensó en las manos de Martha y en los suaves senos de Martha.

Sólo cuando unas semanas más tarde Selma Würsich preguntó al cajista si Helene por fin había aprendido todo lo necesario, él llevó a la muchacha junto a la guillotina. Hasta entonces había evitado por todos los medios que Helene se acercara siquiera a aquella máquina. En ese instante le asaltó un oscuro presentimiento. Observó el cabello rubio que Helene llevaba recogido en una gruesa trenza, sólo a duras penas lograba articular las palabras. Sus comentarios fueron escuetos: Primero abrir. Ajustar aquí. El cajista desplazó las regletas colocándolas una sobre otra, como si fueran tablones de madera. Apoyar aquí.

Sin la más mínima expresión de disculpa, el cajista empujó

a Helene ligeramente hacia un lado y le mostró en silencio cómo debía golpear primero la resma de papel y luego nivelarla para que encajara en la máquina. A su entender, la guillotina era peligrosa no porque Helene fuese una joven delicada de apenas trece años, sino porque ya era capaz de manejar todas las máquinas, todas a excepción de la Monopol.

Con motivo del vigesimoprimer cumpleaños de Martha, la madre aceptó que Mariechen preparase un asado de ternera cubierto de tomillo. Como siempre que había carne, ella no la probó. Nadie aludía a sus razones, pero las hijas estaban de acuerdo en que tendrían que ver con ciertas prescripciones respecto a los alimentos. En Bautzen no había una carnicería *kosher*. Aunque se decía que los Kristallerer pedían al carnicero que degollara a los animales según sus necesidades, y se rumoreaba que hasta le llevaban sus propios cuchillos para ese fin, parecía que a su madre no le agradaba la idea de hacerse notar en público con tales deseos en una ciudad tan pequeña y abarcable como aquélla. También podía ser cierto lo que ella afirmaba y que simplemente no le gustara la carne.

A Martha le habían permitido invitar a su amiga Leontine a la fiesta de cumpleaños. La madre llevaba un vestido largo de terciopelo color café. Ella misma había alargado el bajo con un encaje que a Helene le pareció inapropiado y un poco ridículo. El día anterior Helene le había puesto los rulos a Martha y dejado que se secaran durante la noche. Ahora dedicaba la tarde a hacerle un recogido prendiendo sedosas malvas en sus pequeños tirabuzones hasta que Martha se asemejara a una princesa y también un poco a una novia. Después Helene ayudó a Mariechen a poner la mesa; sacaron del armario la valiosa porcelana china y las servilletas se colocaron en unos servilleteros de plata con forma de pétalos de rosa que pertenecían al ajuar de la madre y que sólo se utilizaban en Navidad.

Cuando sonó la campanilla, Martha y Helene corrieron a la vez hacia la puerta. Fuera estaba Leontine, que escondía su rostro tras un gran ramo de flores que había recogido más abajo, en el prado. Acianos, ruda y cebada. Leontine rió a carcajadas y dio una vuelta sobre sí misma: se había cortado el pelo a lo chico. Donde antes había un estricto moño a la altura de la nuca ahora se veía su cuello blanco, los remolinos que describía su corto cabello, la oreja. Helene no se cansaba de mirar.

Más tarde, sentada a la mesa, Helene tenía la mirada clavada en Leontine; trataba de apartarla, pero le resultaba imposible. Helene admiraba el largo cuello de Leontine. Era fuerte y delgado. En sus antebrazos se reconocían todas las arterias y tendones. Leontine trabajaba con Martha en el Hospital Municipal. Aún no era enfermera jefe y todavía no tenía edad para serlo, pero a sus veintitrés años era desde hacía algunos meses la enfermera principal en el quirófano. Leontine era la mano derecha del cirujano. Ella sola levantaba a cualquier paciente, y, al mismo tiempo, sus manos permanecían tan firmes y tranquilas durante las intervenciones que el cirujano, recién nombrado catedrático, cada vez le pedía más ayuda en caso de suturas difíciles.

Cuando Leontine reía, su risa era grave y larga.

Siempre que tenía oportunidad, Helene se pasaba el tiempo junto a Martha y Leontine. La risa de Leontine era tal que uno enseguida notaba cómo su propio diafragma respondía de forma espontánea. Cuando se sentaba, se veía claramente cómo sus rodillas puntiagudas se separaban bajo la falda. Permanecía allí sentada tan campante, con las piernas descaradamente abiertas de par en par. De vez en cuando apoyaba la mano sobre la rodilla doblando un poco el brazo, de manera que el codo apuntaba hacia fuera. A los comentarios breves y escuetos que se escuchaban sobre una desgracia en particular les seguía su risa grave. Leontine casi siempre era la única que se reía. Martha y Helene la escuchaban con atención y boquiabiertas;

tal vez así la risa atravesara mejor el diafragma para aposentarse luego en la cavidad abdominal. Martha y Helene necesitaban un buen rato para intuir al menos de qué se reía Leontine. Seguro que en esos momentos parecerían tontas. Negaban con la cabeza, no porque considerasen la risa de Leontine inoportuna, sino porque no cabían en sí de asombro. A Helene le gustaba especialmente su voz. Era firme y clara.

Cuando estuvieron sentadas a la mesa para festejar el cumpleaños de Martha con el asado de ternera en el centro, Leontine dijo: Mi padre quiere que vaya a la universidad.

¿A la universidad? La madre se sorprendió.

Sí, cree que sería bueno que ganase más dinero.

La madre negó con la cabeza. Pero una carrera cuesta dinero, dijo acercando a Leontine la fuente con rollitos de patata.

Ya, yo no quiero estudiar. Leontine se retiró el cabello de la frente y su pelo negro cayó hacia un lado, como si fuera un hombre.

La madre asintió en señal de aprobación. Es comprensible. ¿Quién va a querer aprenderse un montón de cosas inútiles? Demanda de enfermeras habrá siempre. En cualquier momento y en cualquier lugar, una enfermera siempre encuentra trabajo.

¿Por qué cosas inútiles? Helene miró interrogante a Leontine, en cuya boca acababa de desaparecer un gran trozo de carne asada.

Tal vez no tan inútiles, respondió Leontine, pero yo no me quiero marchar. Marcharse de dónde, se preguntó Helene. Como si hubiera oído sus pensamientos, Leontine añadió: Marcharme de Bautzen. Helene lo aceptó como respuesta, aunque no terminaba de convencerle.

La madre volvió a asentir. Helene se preguntó si su madre podría identificarse realmente con las palabras de Leontine, al fin y al cabo, y después de tantos años, ella no estaba en absoluto arraigada en Bautzen. No podía tener ningún apego a aquel sitio. A ojos de Helene no podía haber muchas razones por las que Leontine quisiera quedarse allí. Su padre era un abogado de prestigio, viudo y bebedor, ambas cosas con un sentido de la medida muy particular. Tenía predilección por sus hijas menores. Cuando partía en viaje de negocios, siempre se llevaba a una de las pequeñas, que volvía con un vestido nuevo o con una sombrilla a la última moda. Su padre era un hombre acomodado, no podía decirse que su hija mayor fuese una Cenicienta que estuviese obligada a hacer trabajos indignos. Tampoco es que le pegase por capricho; sin embargo, Leontine parecía resultar una carga para su padre. A él le molestaba que no se casase. De vez en cuando su padre le hacía propuestas y acababan discutiendo. Tras la muerte de la madre hacía más de diez años, el padre vivía solo con sus tres hijas y una suegra que había perdido el juicio hacía años. Los domingos pasaba junto al ayuntamiento en dirección a la catedral de San Pedro llevando del brazo a derecha e izquierda a sus hijas menores. La suegra les seguía unos pasos más atrás junto a la cocinera, y era como si Leontine no tuviese un puesto fijo en aquella familia. Ella tenía que buscarse su propio acompañante. A menudo servía de apoyo a su abuela, pero en cuanto llegaban a la iglesia y reconocía a Martha entre las personas congregadas a la entrada, Leontine aprovechaba la ocasión y se dirigía al banco de la mano de Martha. Allí se sentaba entre Martha y Helene, en el lugar que, en su mente, reservaban a aquel padre que aún no había regresado a casa tras el final de la guerra. A Leontine le encantaba que Martha, durante la misa, posase su mano de hermosos y largos dedos junto a la suya y las entrelazaran. A veces, por el otro lado, sentía un peso cálido junto a su hombro, era Helene que reclinaba la cabeza sobre su brazo, como si viese en ella a una madre.

No había día en que Martha no llevase a Leontine a la Tuchmacherstrasse tras salir del hospital. Juntas se ocupaban de las tareas de la casa y, según los turnos, echaban una mano en el blanqueo de la ropa en la pradera del Spree. Eran inseparables.

Ni diez caballos podrán sacarme de aquí, insistió Leontine. Se sirvió un rollito de patata algo mermado y a Helene no se le escapó cómo Martha rozaba con su codo el codo de Leontine mientras las dos evitaban cualquier mirada que pudiera delatarlas.

Comeros la carne, niñas, vamos. Helene, ¿cómo va la imprenta? La madre sonrió con cierta sorna. Como todo lo aprendes tan rápido... ¿Ya te lo sabes todo o aún hay cosas que no dominas?

¿Cómo voy a saber lo que no sé? Helene se sirvió un medallón de carne.

La madre revolvió los ojos en señal de desesperación y resopló. ¿Qué tal si te limitas a responder a mi pregunta, señorita?

¿Cómo voy a responderla? No sé.

Entonces lo haré yo por ti, cariño.

Su madre nunca la había llamado «cariño». Sonaba igual que una palabra extranjera, afilada, como si la madre quisiera recalcar ante la amiga de Martha lo cariñosa que era con sus hijas aunque no le resultara precisamente fácil. Han pasado diez semanas, tiempo suficiente para haber aprendido lo más importante. Lo que no sepas hacer ya tendrás que aprenderlo por tu cuenta. Mañana por la mañana despediré al cajista. De inmediato.

¿Cómo? Martha dejó caer el tenedor. Madre, tiene ocho hijos.

¿Y? ¿Acaso yo no tengo dos? Además, nos falta el hombre de la casa. No podemos seguir pagándole. Ya no tenemos beneficios. Helene, tú eres quien mejor lo sabe. ¿Cómo fue el año pasado?

Helene apartó sus cubiertos. Alcanzó la servilleta y se limpió la boca con pequeños golpecitos. Mejor que éste.

Y peor que cualquiera de los anteriores, ¿me equivoco?

Helene no asintió, odiaba regalar a su madre palabras y gestos esperados.

Pues eso. El cajista está despedido.

Las semanas siguientes fueron muy duras para Helene. No estaba acostumbrada a pasar todo el día sola. Desde el momento en que lo despidieron, el cajista no había vuelto a aparecer por allí. Decían que se había marchado de la ciudad con su familia. Helene pasaba los días sentada en la imprenta esperando a una clientela que nunca aparecía. Se propuso preparar la prueba de acceso a la Escuela de Enfermería con el libro de Martha, pero al hojearlo apenas encontraba algo que aún no supiera. El orden en que debían ponerse las compresas y los vendajes según las distintas dolencias ya era materia del examen final. La mayor parte del libro estaba dedicada a los conocimientos que debían adquirirse durante la formación. Los pocos detalles que Helene desconocía se quedaron grabados en su memoria con sólo hojear el libro, así que empezó a leer otros volúmenes que descubrió en la estantería de su padre. Las hijas tenían prohibido sacar cualquier libro de aquella robusta estantería, pero ya antiguamente, aun en presencia de su progenitor, consideraban una aventura y una prueba de audacia llena de suspense sustraer uno de aquellos valiosos libros. Para que no quedase a la vista ningún hueco, en el lugar ocupado hasta hacía un momento por *La marquesa de O.* de Kleist, Helene desplazó *El cóndor* de Stifter hacia la izquierda. La librería de su padre no seguía ningún orden, cosa que irritaba un poco a Helene, pero no sabía con seguridad si su madre supervisaba aquel desorden ni lo que podría pasar si ella se decidía a imponer una clasificación alfabética por su cuenta y riesgo. Mientras leía, Helene aguzaba los oídos, y en cuanto oía un ruido escondía el libro bajo el delantal. A menudo miraba hacia la puerta cuando creía reconocer la voz grave de Leontine. Una vez la puerta se abrió de repente, Martha y Leontine entraron con una gran cesta, riéndose.

¡Pero qué roja estás!, constató Leontine acariciando fugazmente el cabello de Helene. No tendrás fiebre, ¿verdad?

Helene negó con la cabeza, bajo el delantal sujetaba un tesoro. Lo había encontrado en lo más alto de la estantería, envuelto en un periódico y escondido tras el resto de libros. Tenía más de cien años. La cubierta en rústica estaba forrada con un papel de colores en el que estaba impreso el título: *Pentesilea. Una tragedia.* Helene se disculpó brevemente ante Martha y Leontine, se agachó bajo el enorme mostrador de madera y ocultó su tesoro en el cajón inferior. Lo tapó con uno de los viejos almanaques de Bautzen.

Un campesino de las montañas de Lausitz le había regalado a Leontine aquella cesta en señal de agradecimiento. Hacía unos meses ella le había entablillado una grave fractura de muñeca. Leontine puso la gran cesta encima del mostrador, delante de Helene. Estaba repleta de gruesas vainas, color verde claro, de guisantes. Sin dudarlo un momento, Helene hundió ambas manos trazando surcos entre las hortalizas. Olía a hierba y a juventud. A Helene le encantaba abrir las vainas con el pulgar y notar cómo los guisantes, lisos, brillantes y verdes, se desplazaban de arriba abajo a lo largo de la vaina según su tamaño y rodaban por el pulgar hasta caer en la fuente. Helene se llevaba a la boca los guisantes más diminutos, aún tiernos. Martha y Leontine conversaban sobre algo de lo que Helene no debía enterarse. Lo hacían entre risitas, cuchicheando y dejando sus misteriosas frases a medias.

Ha preguntado por ti a todas las enfermeras y a los pacientes. ¡Y luego menuda cara puso cuando por fin te encontró! A Martha aquello le divertía.

Mi pequeña niña. Leontine revolvió los ojos imitando obviamente al campesino.

¡Ah, su sola visión me hace desfallecer!, interrumpió Martha. Luego reventó de risa. En cuerpo y alma, enfermera.

¿O no es así? Leontine rió.

Pues claro. Tenías que haber visto cómo se llevaba la mano una y otra vez al pantalón. Por un momento pensé que se te iba a echar encima.

Pero a nuestro querido profesor no le pareció divertido: Coja sus guisantes y márchese, su jornada terminó a mediodía. Leontine suspiró. Y eso que para él nunca me quedo lo suficiente.

¿Acaso te sorprende? ¿No oíste cómo hace poco le dijo a la enfermera jefe que parecías una mosquita muerta, pero que las matabas callando? Helene se preguntó cómo una mosca muerta podría matar a otras en silencio. ¿Se referiría a eso?

Te aprecia, pero su miedo es cada vez mayor.

¿Miedo? Leontine hizo un gesto de rechazo con la mano. Él desconoce el miedo. ¿Por qué habría de tenerlo? Soy una simple enfermera, nada más.

Las chicas fueron desgranando las vainas.

El silencio se hizo largo. ¿Y qué pasa si terminas yéndote? Martha estaba dispuesta a todo.

Por nada del mundo habría mirado Helene en ese instante el rostro serio de su hermana; se imaginó que era invisible.

Leontine no reaccionó.

A Dresde, quiero decir. A la universidad. Es lo que dicen todos.

Jamás. Leontine vaciló. Sólo si vienes tú también.

Eso es una tontería, Leontine, una solemne tontería. El gesto de Martha se volvió triste y severo. Sabes que no puedo.

¿Lo ves?, dijo Leontine, pues yo tampoco.

Martha puso la mano en la nuca de su amiga, acercó su rostro y la besó en los labios.

Helene se quedó sin respiración y rápidamente se dio la vuelta. Seguro que había algo que hacer, tenía que ir a buscar algo en lo alto de la estantería, tal vez sacar una resma de papel del cajón y ponerla sobre el mostrador. La imagen de Martha atrayendo hacia sí a Leontine y la de Leontine redondeando los labios se le había quedado grabada en la retina. ¿Habría visto mal? Con mucho cuidado se arriesgó a mirar por encima de su hombro. Leontine y Martha estaban inclinadas sobre la cesta de guisantes y era como si no hubiese habido ningún beso.

¿Y si te la llevas contigo? Podría ir a la Escuela de Enfermería de Dresde. Leontine habló en voz baja señalando a Helene con la mirada. Helene hizo como si no hubiera oído nada y no se percatase de que estaban hablando de ella. Con el rabillo del ojo vio a Martha negar con la cabeza. Se sucedió un silencio persistente. Helene notó que su presencia obstaculizaba el devenir de la conversación. La primera reacción fue marcharse y dejarlas solas, pero entonces sencillamente se quedó de pie. Era incapaz de mover los pies, desgranaba los guisantes y se sentía avergonzada. No quería que Leontine las dejara, no quería que Martha y Leontine se callasen por su culpa y tampoco quería que Martha y Leontine se besaran.

Aquella noche, en la cama, Helene le dio la espalda a Martha. Que se rascara la espalda ella sola. Helene no quería llorar. Respiró hondo y los ojos se le hincharon cada vez más, sentía la nariz cada vez más pequeña y estrecha. Le costaba tomar aire.

Helene no quería contar ningún lunar ni tocar el vientre de Martha bajo las sábanas. Pensaba en el beso. Y mientras se imaginaba cómo sería besar a Leontine a sabiendas de que sólo lo haría Martha, sus ojos se llenaron de lágrimas.

La madre exigía a Helene que administrase la imprenta de tal manera que no apareciesen números rojos, cosa que cada día le resultaba más sencilla. Un beneficio recién obtenido podía compensar por arte del cálculo las pérdidas registradas a principios de año, haciéndolas parecer relativamente escasas. La madre no era consciente de lo que aquello significaba. Sólo le extrañaba lo poco que Helene ponía en marcha alguna de las máquinas.

Para no gastar papel inútilmente Helene diseñó unas sencillas tablas de cálculo. Creyó que en aquella época de carestía podrían resultar útiles.

La simple contemplación de una de esas tablas ponía a Helene de buen humor. Lo rectos que le habían quedado los números. Había merecido la pena dejar más espacio para el ocho, ¡y qué limpio había quedado el margen!

En cuanto se corrió la voz del despido del cajista, la mujer del panadero Hantusch despachó a Helene un pan inusualmente pequeño y demasiado cocido.

Helene preguntó si no le podía dar uno de los dos que había en la estantería, más grandes y blancos, pero la mujer del panadero, que hasta hacía pocos años solía regalarle trocitos de bizcocho de mantequilla, negó de forma ostensible con su cabeza cuellicorta. El profundo surco que caracterizaba el paso del tronco a la cabeza apenas se movió un milímetro. Debía darse por satisfecha con poder comprar algo. Helene se llevó el pan.

Pobre criatura. La mujer del panadero jadeó, sus pesados párpados ocultaron los ojos, de sus palabras se desprendía lástima, pero al mismo tiempo sonaban a ofensa e indignación. Ahora teniendo que dedicarte a manejar máquinas pesadas. Una niña manejando máquinas. La mujer del panadero negó esforzadamente con la cabeza.

Helene se detuvo en la puerta. Las palancas no pesan, dijo, y se sintió como si estuviera mintiendo. Mis listas de precios han quedado muy bonitas. Si quiere le traigo una el lunes y hacemos un cambio: yo le doy una lista de precios y usted me da cuatro hogazas de pan.

Mejor déjalo, dijo la mujer del panadero.

¿Tres?

No podemos contribuir a que las niñas hagan ahora el trabajo de los hombres. Tu madre tiene una posición acomodada. ¿Por qué ha despedido al cajista?

No se preocupe, en septiembre empezaré a ir a la Escuela de Enfermería. Ya no tenemos nada. Casi todo era dinero y el dinero ha perdido todo su valor.

La mujer del panadero reveló sus dudas frunciendo el ceño. En aquella época todos sospechaban que su vecino tenía más que ellos. Helene se acordó de cómo a principios de año, queriendo dar una sorpresa a su madre, había ido a su habitación y quitado la sábana para hacer una gran colada. Al levantar el colchón para poner una sábana limpia vio los billetes. Allí había montones de billetes, sobre el lecho de plumas. El papel de las más diversas monedas estaba metido entre las plumas, enrollado en fajos sujetos con clips. Las cifras impresas en los billetes eran muy bajas, ridículas. Cuando Helene, asustada ante aquel descubrimiento fortuito, volvió a poner rápidamente la sábana vieja sobre el colchón, la voz de su madre resonó a sus espaldas.

Serás mal bicho, ¿cuánto me has robado ya, eh, cuánto?

Helene se dio la vuelta y vio cómo su madre, presa de la ira, apenas podía agarrarse al marco de la puerta. Dio una calada a su purito, como si estuviese aspirando un descubrimiento.

Llevo años preguntándome: Selma, me digo, ¿quién es el que te está robando aquí? Su voz sonó débil y amenazante. Cuántos años llevo diciéndome no, Selma, no puede ser tu hija, jamás, tu niña no.

Yo sólo iba a cambiar la cama, madre.

Vaya excusa, menuda excusa pobre e inmunda. Con estas palabras la madre se abalanzó sobre Helene y le apretó el cuello con tanta fuerza que, para aspirar aire, a Helene no le quedó más remedio que alzar la mano contra su madre y empujarla lejos de sí con todas sus fuerzas; le pellizcó los brazos, pero la madre no la soltaba. Helene quería gritar, pero era incapaz. Sólo cuando se oyeron unos pasos en la escalera y Mariechen carraspeó haciéndose notar, la madre desistió.

Desde aquel día, Helene no había vuelto a pisar la habitación de su madre. Recordó el susto que se había llevado al ver los billetes y se preguntó cómo se las habría arreglado su madre para apartar todo aquel dinero sin que afectase a la perfecta contabilidad que le había encargado. Un dinero que, de eso Helene estaba segura, ya entonces, pocos meses después, apenas tenía valor. Un dinero que gastado a su debido tiempo seguramente se hubiese traducido en toda una casa y tal vez en una carrera.

Helene miró a la mujer del panadero Hantusch y pensó que su recelo era probable que se debiera al malestar que le causaba su propia situación.

La semana pasada recibimos un papel muy resistente, con un alto porcentaje de cera. Helene sonrió con toda la amabilidad de la que fue capaz. Soporta bien la humedad, justo lo que necesita un negocio como el suyo.

Gracias, Lenchen, muchas gracias, pero a mis clientes puedo decirles directamente el precio cada día. La mujer del panadero se llevó el protuberante índice a los labios. Aquí. Esto es lo que cuenta. Utilizar papel sería un gasto inútil.

A finales de noviembre, la noche en la que Ernst Ludwig Würsich pidió al enfermero –que tirando de un carro de adrales había cubierto con él los últimos kilómetros para llegar a Bautzen– que llamase de improviso a la puerta de su casa, y en que Mariechen les abrió temerosa a pesar de lo intempestivo de su visita y sin apenas reconocerlo al principio, para luego rogarle que entrara junto con el enfermero, que se deshacía en explicaciones, su esposa se hallaba sumida en un estado de oscuridad mental. Ante la puerta de Selma sólo había cada cierto tiempo un orinal. Casi siempre era Mariechen quien lo vaciaba y tres veces al día dejaba en el mismo sitio una pequeña bandeja con la comida. La madre estaba postrada en la cama, y desde hacía semanas se las arreglaba para que ninguna de sus hijas ni Mariechen entraran en la habitación. El padre fue conducido a la sala y lo sentaron en una butaca. Miró a su alrededor y preguntó: Y mi mujer, ¿no vive aquí mi mujer?

Naturalmente, Mariechen rió aliviada. La señora se está arreglando. ¿Quiere tomar un té?

No, lo que quiero es esperarla, respondió Ernst Ludwig Würsich pronunciando cada palabra más despacio que la anterior.

¿Y usted, cómo se encuentra? La voz de Mariechen sonaba más aguda que de costumbre, argentina, le interesaba entretener la espera a la señora de la casa, dejar incluso que cayese en el olvido.

¿Que cómo me encuentro? El padre miró al vacío con el único ojo que le quedaba. Bueno, la mayor parte del tiempo me siento como ese hombre que mi esposa ve en mí. Reprimió un gemido. Pareció estar sonriendo.

A pesar de que Mariechen creyó haber avisado a la madre nada más llegar, la señora no apareció. Helene recalentó la sopa del mediodía y Martha dio algo de comer al enfermero, al que despidieron poco después. A Ernst Ludwig Würsich hablar le costaba tanto como incorporarse. Pasó sus primeras horas hundido en la enorme butaca. Sus hijas permanecieron sentadas a su lado, no sin gran esfuerzo. No quisieron prestar atención a la pierna que le faltaba. Lo que sí resultaba difícil era mirarle a la cara, era como si la mirada se deslizase desde el ojo abierto hacia la cuenca de carne cicatrizada, como si resbalase una y otra vez. Aquel movimiento deslizante se convirtió en un patinazo. Las niñas buscaron un asidero. No lograban mirarle sólo a un ojo. Le preguntaron por lo acontecido durante los últimos años. Sus preguntas eran generales; con el fin de evitar hablar de él, las niñas le interrogaron sobre la victoria y la derrota. Ernst Ludwig Würsich no supo dar ninguna respuesta. Cuando torcía la boca, parecía estar sufriendo un gran dolor y, sin embargo, trataba de esbozar una sonrisa, una sonrisa que pretendía consolar a aquellas mujercitas en las que ya se habían convertido sus hijas. Tenía la lengua pegada a la boca, repleta de dolor.

Helene llamó a la puerta de su madre y la empujó sin reparar en los libros, las telas y los vestidos amontonados tras ella.

Nuestro padre ha regresado, susurró Helene en mitad de la oscuridad.

¿Quién?

Nuestro padre, tu marido.

Es de noche, ya estoy dormida.

Helene se quedó callada. Tal vez su madre no la hubiese entendido. Permaneció en la puerta sin querer marcharse.

Venga, vete. Iré en cuanto me encuentre mejor.

Helene vaciló. No podía creer que su madre fuera a quedarse en la cama, pero después oyó cómo se daba la vuelta tapándose con la manta.

Helene retrocedió en silencio y cerró la puerta.

En el transcurso de los días siguientes, la madre no debió de encontrarse lo bastante bien. Y así, el señor de la casa, maltrecho, fue trasladado pasando ante la habitación de su mujer hasta la planta más alta, donde lo colocaron en el lado derecho de la cama de matrimonio. Al cabo de pocos días, la polvorienta alcoba matrimonial se había convertido en una habitación de enfermo. Siguiendo órdenes de Martha, Helene ayudó a Mariechen a subir un lavabo. El muñón de la pierna se había vuelto a infectar durante el fatigoso viaje. A eso se sumaban ligeras fiebres y unos dolores que anulaban todos los demás sentidos, unos dolores que su padre no era la primera vez que percibía en la pierna que le faltaba.

Por amor a su padre, Martha le provocó un estado de justa embriaguez. Debería durar lo necesario hasta que ella lograse sustraer del Hospital Municipal morfina y cocaína en dosis suficientes. Martha llevaba tiempo trabajando en el quirófano con Leontine, sabía qué momento era el más indicado para hacerse con aquellas sustancias. Aunque la enfermera jefe era la única que tenía la llave del armario de los medicamentos peligrosos, en contadas ocasiones se la confiaba a Leontine. ¿Quién habría de comprobar más adelante cuántos miligramos le habían inyectado a tal o cual enfermo?

A la mañana siguiente la criada se puso a coser un camisón nuevo para el padre. La ventana estaba abierta, desde fuera llegaba el ruido de las cornejas posadas sobre el viejo olmo. Mariechen había puesto los edredones de las niñas sobre el alféizar para que se ventilaran. Por la noche las camas olerían a madera y carbón. Helene había bajado a la imprenta y llevaba un buen rato inclinada sobre el libro mayor haciendo las cuentas del mes cuando sonó la campanilla.

En la puerta esperaba un señor muy elegante que hizo una leve inclinación. Le faltaba el brazo izquierdo y apoyaba el derecho en un bastón. Helene lo conocía, había sido invitado en alguna ocasión.

Grumbach, dijo el visitante presentándose y carraspeó. Había oído que su viejo amigo y maestro de imprenta, el editor de sus primeros poemas, había vuelto a casa. Otro carraspeo. Llevaban seis años sin verse, así que no podía dejar pasar la oportunidad de hacerle una breve visita. Aquel húmedo carraspeo parecía obedecer más a una necesidad constante que a lo embarazoso de la situación. Grumbach no quiso tomar asiento.

Hacía mucho tiempo que no nos veíamos. Helene escuchó al señor Grumbach hablando con su padre. No podía quitarle el ojo de encima, temía que él y su carraspeo se acercasen demasiado. El padre lo miró y movió los labios.

¿Tal vez se encuentre mejor mañana? El invitado pareció formular la pregunta sólo para sí mismo, pues lo hizo sin mirar a Helene ni a la criada. Entre carraspeos, emprendió el camino de regreso.

Contra todo pronóstico, Grumbach volvió a llamar a la puerta al día siguiente.

Sus ojos brillaron al ver a Martha. Aquel día, ella no había ido al hospital. Ya en la puerta, Grumbach aceptó deshacerse del paraguas, pero rechazó educadamente la taza de té que le ofreció Helene.

Al día siguiente sí la aceptó, y a partir de entonces las visitas fueron diarias. Nunca debieron haberlo invitado. Grumbach tomaba el té a grandes sorbos, apuraba una taza tras otra y masticaba los trozos de azúcar cande haciendo mucho ruido. Ya en el transcurso de una sola visita fue necesario rellenar el azucarero. El invitado era manco. Con el pulgar que le quedaba señaló su espalda y les contó que había vuelto de la guerra con una esquirla de metralla incrustada, y que ésta sólo le permitía caminar inclinado hacia delante y con bastón —evitó la palabra «joroba»—, pero que gozaba de muy buen ánimo. Carraspeó. Helene se preguntó si la esquirla habría dañado los pulmones y por eso carraspeaba de continuo. El invitado contó satisfecho que en los últimos meses había escrito tantos poemas que juntos podrían preparar una edición de su obra en siete volúmenes. No quiso percatarse de que su viejo amigo era incapaz de responderle, pues tras la última inyección que le había administrado su hermosa hija mayor, parecía que al enfermo le faltaba la saliva necesaria para articular una sola palabra.

Aunque Martha había pedido a Helene que bajase a ayudar a Mariechen a deshuesar, calentar y confitar las ciruelas, ella se quedó allí sentada. Un agradable aroma a ciruelas ascendió hasta el tejado, penetró por la más mínima rendija y anidó en el cabello de Helene. Helene se reclinó. Jamás permitiría que aquel invitado se quedase a solas con Martha y su padre.

Es estupendo que por fin volvamos a tener tiempo para charlar, dijo Grumbach; probablemente estimaba el habitual silencio de su interlocutor.

Helene observó el bastón, cuya empuñadura de marfil finamente tallado ofrecía un peculiar contraste con las tres pequeñas placas que su dueño había atornillado, una de colores, otra dorada y otra plateada, cuya inscripción Helene no pudo distinguir a distancia. Debido a la muesca hecha con posterioridad en el extremo inferior del bastón, se distinguía claramente que ya lo habían cortado una vez por encima de la contera. Lo más probable era que Grumbach tuviese ese bastón desde hacía miles de años y que, acabada la guerra, no hubiese podido reutilizarlo en su forma original.

El invitado no le quitaba ojo a Martha. Ella se estiró para abrir la ventana de arriba.

Tú sí que te acuerdas, ¿verdad? ¿Recuerdas al viejo tío Gustav? ¿Gusti?, preguntó el invitado dirigiéndose a Martha y seguro que alegre ante la generosa sonrisa que ella le dedicó y que podía significar cualquier cosa: tanto haberle reconocido como alegrarse por el reencuentro.

Grumbach había tomado asiento en la butaca de orejas, junto a la cama de su amigo, pero sólo podía permanecer allí sentado inclinándose hacia delante. Acompañado de su familiar carraspeo y unos ligeros chasquidos, chupaba el terrón de cande. Un trozo así exigía una audaz dentadura, pero desde que se le acabó de romper el tercer molar había optado por chupar el azúcar.

Así que tío Gustav, susurró Helene a Martha en cuanto tuvo ocasión sin poder reprimir una risita. Aquel intento de crear confianza recurriendo a la palabra «tío» le pareció a Helene tan desmañado y peregrino que, a pesar de la evidente fragilidad del tío Gustav, le entraron unas ganas enormes de reír. Los sorbos que el invitado daba con la boca entreabierta acentuaban ligeramente el silencio. Helene no podía quitarle ojo. Observó cómo Grumbach paseaba la mirada por la figura de Martha, como si entre los derechos de los que gozaba como invitado se arrogase también cierto derecho de contemplación sin límites: el cabello cintilante y recogido, el cuello largo y blanco, el talle esbelto y, sobre todo, lo que venía después. Todo ello parecía despertar orgullo y júbilo en el tío Gustav. Si hasta hacía pocos días sólo le estaba permitido observar a Martha desde lejos, en esos momentos por fin consideraba encontrarse a la distancia justa. Al igual que la mayoría de los hombres que frecuentaban la imprenta, también él había seguido el desarrollo de Martha con una extraña mezcla de asombro y lujuria difícilmente contenible. La forma en la que Grumbach y el resto de pretendientes se acechaban unos a otros para que todos guardasen la debida distancia respecto a Martha resultaba bochornosa, así que a Grumbach el regreso de su viejo amigo y su reencuentro no le alborozaban menos que la ocasión, a ello debida, de obtener un acceso ilimitado a la casa y poder disfrutar de la presencia de sus hijas. Al observar cómo Martha limpiaba con esmero la jeringuilla y, dándole la espalda, manipulaba en el lavabo los paños y esencias necesarios para curar la herida, al invitado no le costaba nada inclinar el bastón y la mano que sobre él reposaba unos centímetros hacia un lado, como por casualidad, para poder rozar con el dorso el áspero tejido del delantal de Martha en cuanto ella se diera la vuelta. El talle esbelto y lo que venía después. Martha parecía no darse cuenta de aquel contacto, seguro que los pliegues del vestido y el delantal eran demasiado gruesos, pues una y otra vez se volvía y regresaba junto al lavabo. Como un niño travieso, el invitado se alegraba de las caricias que los movimientos de Martha le hacían en el dorso de la mano.

Helene observó cómo el tío Gustav levantó la nariz y olisqueó, seguro que no se le escapaba una y había percibido en el ambiente un aroma a café; mientras se excitaba con las caricias involuntarias de Martha, tal vez estuviese dudando si pedir a Helene que le trajese una taza. Le divertía pedir a las hijas de su amigo que le trajeran alguna cosa de la casa. Aunque Martha le había advertido que no debía fumar en presencia de su padre, él le había pedido que le trajera un cenicero para la pipa, luego una copa de vino y, más adelante, no había dicho que no a la papilla de avena que Helene había preparado para su padre y que éste apenas había podido probar.

Todos los días, cuando se presentaba en la casa sobre la hora del almuerzo, como por casualidad, Grumbach quería saber qué era lo que olía tan bien. Gelatina de ruibarbo, potaje de judías con comino, puré de patatas con nuez moscada. Grumbach aseguraba no tener reloj desde la guerra y decía que así, sin esposa ni hijos, era fácil perder la noción del tiempo. Por eso precisamente resultaba tan asombroso que aquella visita siempre llamase a la puerta justo a la hora de comer.

Cuando Martha y Helene le habían ofrecido un poco de

todo lo que había con la esperanza de que se hubiese saciado y se marchara, Grumbach se quedaba sentado, balanceaba el tronco y se ponía cómodo. Luego se desabrochaba el brazo de madera y naturalmente se lo daba a Helene para que lo dejara en un rincón.

Es increíble cómo todo va creciendo y asentándose, dijo el invitado palmeando con los ojos la espalda de Martha. Cuando ella hacía la cama de su padre y se inclinaba mucho hacia delante para enganchar la sábana y el delantal que se le abría ligeramente por detrás y dejaba entrever el vestido, a aquel hombre le parecía que Martha estaba inclinándose sólo para él.

Todo echado a perder, dijo el padre de Helene y parpadeó.

¿Qué, padre, qué se ha echado a perder? Martha estaba de nuevo junto al lavabo mientras el invitado, sentado en la butaca, se dejaba acariciar el dorso de la mano por el delantal.

La casa, mirad el papel, un papel de color intenso, unas tiras enormes.

En efecto, durante los años que había estado ausente apenas se habían ocupado de la casa. Nadie cuidaba del papel pintado que allí arriba, bajo el tejado, se deterioraba y se desconchaba como si fuera piel vieja.

El hecho de que a su amigo y padre de las muchachas le sorprendiera el estado de la casa no interrumpía el silencioso goce de Grumbach. El roce del vestido de Martha era demasiado dulce. Sólo cuando Helene se levantó, Martha se volvió hacia ellos. Sus mejillas de un delicado color rojo estaban encendidas, sus finos hoyuelos hacían enloquecer. La inocencia que el invitado pudo intuir cuando Martha levantó la mirada tal vez le hiciera sentirse avergonzado. Helene esperaba que así fuera.

¿Quieres que te ayude?, preguntó Helene ensartando con los ojos a aquel invitado a quien debían llamar tío Gustav.

Martha negó con la cabeza. Helene se abrió paso entre su hermana y el invitado y se arrodilló junto a la cabecera de la cama.

¿Está despierto?, susurró Helene. Desde que su padre había regresado, Helene no podía evitar tratarlo de usted. Él carecía de la voz y la atención necesarias para hacer desaparecer la sensación de extrañeza que había entre ambos.

Padre, soy yo, la pequeña. Su tesoro.

Helene tomó la mano del padre y la besó. Seguro que se ha preguntado qué hemos hecho durante su ausencia. Su voz sonaba a súplica. Era imposible saber si su padre la estaba escuchando. Hemos ido a la escuela. Martha me ha dado clases de piano, un aburrimiento, después *El clave bien temperado*, padre. Me temo que me falta paciencia para tocar el piano. Hace tres años y pico llevamos a Arthur Cohen con su equipaje a la estación. ¿Se lo ha contado ya Martha? Imagínese, Arthur no pudo alistarse. No estaba censado.

Un judío, dijo Grumbach interrumpiendo el murmullo de Helene, luego se reclinó en su butaca y añadió con un chasquido de desdén, ¿a quién se le ocurriría censarlo?

Helene se giró sólo a medias, hasta que Grumbach reparó en que la pequeña estaba mirándole la mano, colocada junto al vestido de Martha. Helene arrugó los ojos. El invitado resopló, pero dejó la mano en su sitio. Aquélla sería una justa recompensa por su silencio. Helene se volvió hacia su padre, besó la palma de su mano, el índice, cada dedo, y continuó.

Cuando Arthur fue a alistarse, le dijeron que sin un domicilio demostrable en Bautzen no estaba censado y no podían destinarlo a ningún regimiento. Arthur protestó hasta que pasó la revisión médica y le declararon no apto debido a su raquitismo. Le dijeron que se marchase a Heidelberg si contaba con el dinero y las recomendaciones necesarias. Ante la duda, un médico sería más útil que un soldado raquítico.

El padre carraspeó, Helene prosiguió.

¿Se acuerda de él? Arthur Cohen, el sobrino del peluquero. Fue a la escuela aquí, en Bautzen. Se la pagó su tío. Era un buen alumno.

El padre comenzó a toser con más fuerza y Martha dejó lo que tenía entre manos en el lavabo para lanzarle a Helene una mirada severa, una mirada que delataba el temor a que revelara su amistad con Arthur Cohen. Ni el padre ni su invitado, nadie debía saber jamás una palabra sobre aquellos paseos por el Spree.

Ahora está estudiando en Heidelberg. Helene hizo una pausa y respiró hondo, no le resultaba fácil pronunciar la palabra «Heidelberg» ni la siguiente explicación: Botánica. Eso es, estudia Botánica. Y nos escribió una carta en la que cuenta que allí las mujeres estudian Medicina.

El padre tosió con tanta fuerza que las palabras de Helene se ahogaron en medio del ruido, por más que ella se esforzase en elevar la voz. ¿Qué más podía contarle a su padre sobre Heidelberg y la universidad? Qué otra cosa podría entusiasmarle..., Helene vaciló, pero al momento el padre vomitó sin dejar de toser. Helene se retiró sobresaltada arrastrando consigo el bastón del invitado. De no haberse agarrado al vestido de Martha para apartarse después con fuerza de las rodillas del invitado, sentado justo tras ella, habría tropezado cayendo hacia atrás justo encima de Grumbach. Como él siempre estaba inclinado, probablemente hubiese aterrizado encima de sus hombros y de su cabeza.

Pero de ese modo, Helene aterrizó en el suelo. Su mirada recayó en las distintas insignias que decoraban el bastón. Weimar. Cassel. Bad Wildungen. Helene se puso de pie y devolvió el bastón a su sitio.

El invitado negó con la cabeza. Se levantó, alcanzó el brazo de madera que estaba sobre la cama y se acercó a Martha. Susurró tan alto que Helene no pudo evitar oírle: Voy a pedir tu mano.

No, no lo hará. En la voz de Martha había más desprecio que miedo.

Claro que lo haré, respondió el invitado. Después se apresuró a bajar las escaleras hacia la salida.

Martha y Helene asearon a su padre. Martha mostró a Helene cómo cambiar las compresas que cubrían el muñón y la cantidad de morfina que era preciso inyectar. Se imponía la precaución, pues no había pasado mucho tiempo desde la última dosis. Helene puso su primera inyección al padre bajo la supervisora mirada de Martha. Le gustó la sonrisa de alivio que descubrió al instante en el rostro del enfermo, una sonrisa que, sin duda, era para ella.

Ya al día siguiente, cerca de las doce, Grumbach volvió a llamar a la puerta de su amigo. Mariechen le abrió. Durante toda la noche había nevado en las montañas de Lausitz, de modo que, al abrir la puerta, la criada parpadeó una y otra vez por lo mucho que deslumbraba la luz de la calle. Los copos decoraban el cabello del invitado, que vestía su mejor traje. En la mano, junto con el bastón, sujetaba una pequeña cesta llena de nueces, también tocadas de nieve.

¡Ah!, siempre que vengo a esta casa huele a gloria, dijo aquel invitado no invitado. Después pateó un par de veces para quitarse la nieve de los zapatos. Mariechen permaneció en la entrada, como si no supiese hasta dónde debía permitirle el paso a aquella visita. La mirada de Grumbach atravesó la puerta abierta hasta llegar a la mesa del comedor, sobre la que había tres platos llenos. Sorteando a Mariechen, el invitado avanzó hacia el interior de la casa. Olía a remolacha. Los platos humeaban con las cucharas dentro, como si los comensales hubiesen tenido que levantarse y abandonar la mesa a toda prisa. Las sillas vacías estaban un poco retiradas. Mientras el invitado se esforzaba en descalzarse las botas se atrevió a echar otro vistazo curioso hacia al comedor. Mariechen bajó la mirada, pues del piso superior provenían golpes y sacudidas. De repente, la voz de Selma Würsich se oyó alta y clara.

¿Así que tu padre necesita que lo cuiden? A continuación

soltó una risa sarcástica y repetitiva. ¿Acaso sabes tú lo que eso significa, cuidar a alguien? Vas de buena por la vida y ni siquiera tienes un vaso de agua para tu madre. Se oyó un estrépito. ¡Tu madre! ¿Me oyes? Espera y verás, llegará el día en el que tú tendrás que cuidarme a mí. ¡Ja! A mí, ¿me oyes? Hasta que me muera. Y recogerás mis excrementos con las manos.

La risa sarcástica y repetitiva fue remitiendo y se transformó en sollozos.

Pongamos un poco de orden, dijo el invitado con tono decidido y subió la escalera por delante de Mariechen.

Justo cuando alcanzó el último peldaño, una bota voló por el aire, muy cerca de su rostro, y se estampó contra la pared. Helene se había agachado en el preciso instante en que su madre agarraba la otra bota y la lanzaba con todas sus fuerzas contra su hija pequeña.

¡Maldita granuja, pequeña garrapata, vas a acabar conmigo!

Helene se protegía cubriéndose la cabeza con los brazos.

Ni hablar, no te daré ese gusto. La voz de Helene sonó baja y clara.

Nadie quiso reparar en la presencia del invitado. Él no daba crédito a lo que veía. Si Mariechen no le hubiese seguido tan de cerca escaleras arriba y no se encontrase en ese momento detrás de él, bloqueándole el camino hacia la puerta, Grumbach se habría dado media vuelta y habría procurado salir disimuladamente. Allí estaba la señora Selma Würsich, de pie, en camisón, con un escote que dejaba ver sus pechos más de lo que a ella le hubiese parecido adecuado. Unas margaritas bordadas se enredaban a lo largo del encaje, pero el pelo suelto formaba remolinos y se le ensortijaba sobre los hombros desnudos como si estuviera vivo. Los hilos plateados de su cabello brillaban. Unos luciones serpenteaban sobre su pecho. Era obvio que no esperaba ninguna visita y que tampoco se percataba de su presencia ahora que el invitado estaba allí, quieto en el penúltimo escalón, buscando indeciso una vía de escape.

110

¡Eres una descarada y una malcriada!

¿Y quién es la que me ha criado, madre?

Y que yo tenga que alimentar a una cosa así en mi casa... La madre resopló. ¿No te da vergüenza?

Es Martha la que nos alimenta, madre, ¿no te has dado cuenta? La voz de Helene transmitía una calma desafiante. Tal vez yo te escriba números rojos y negros en los libros de la imprenta, pero es Martha quien nos da de comer. ¿De dónde crees que sale el dinero para comprar los domingos en el mercado? ¿De ti? ¿Acaso existe tal cosa, tu dinero?

¡Ahhh! ¡Pequeño demonio! ¡Vete de aquí ahora mismo, desaparece de mi vista! La madre agarró un libro de la estantería y lo lanzó contra Helene.

La virtud del arrepentimiento. Helene prosiguió en voz baja. ¿Por qué me trajiste al mundo, madre? ¿Por qué? ¿Por qué no me enviaste con los ángeles?

Antes de que el invitado pudiese esquivarlo, el libro rebotó en su hombro.

No me digas que no sabías cómo hacerlo.

Fue en ese momento cuando Selma reparó en la visita. Los ojos se le inundaron de lágrimas, cayó de rodillas y suplicó al invitado: ¿Lo ha oído usted, caballero? ¡Ayúdeme! Que eso diga ser mi hija... La madre rompió a sollozar sin freno.

Disculpe. El invitado balbució. Seguía de pie en la escalera, indeciso y apoyado con una mano en su bastón, Weimar, Cassel, Bad Wildungen, ¿dónde estáis?, mientras con la otra se agarraba fuertemente a la barandilla, tembloroso.

¡Que eso diga ser mi hija! Esa vez la madre bramó, toda la ciudad debía ser partícipe de su desgracia, la humanidad entera. Fue su alma la que vino a mí, fue ella quien me eligió.

Helene ni siquiera se dignó mirar al invitado, tan sólo murmuró en voz baja: No es que tuviese mucha elección.

Después se incorporó, se atusó el pelo y subió decidida la escalera hasta donde se hallaba su padre, quien, tumbado en el lado derecho de la cama, seguro que precisaría de su ayuda y cuidados. Pero antes de que el invitado pudiera seguir a Helene hasta el lugar donde suponía que se encontraría Martha, la esposa de su viejo amigo le cerró el paso arrastrándose hasta él. Lo agarró de la pierna, la sujetó con ambas manos, gimió y lloriqueó. El invitado se dio la vuelta buscando a Mariechen con la mirada, pero la criada había desaparecido. Estaba a solas con aquella extraña.

Arriba, Helene trató de abrir la puerta, pero su intento fue en vano. Era imposible, así que se sentó en la penumbra del último escalón y se puso a mirar a su madre a escondidas por los balaustres de la barandilla. Selma seguía aferrada a la pierna de Grumbach y se arrastraba por el suelo mientras el invitado trataba de zafarse sin éxito.

¿Ha visto usted eso? Clavó las uñas en los tobillos de Grumbach.

Disculpe, repetía el invitado. ¡Ay!, perdóneme. ¿Me permite que la ayude a levantarse?

Menos mal que hay alguien con corazón en esta casa. La madre de Helene tendió la mano al invitado, se levantó con esfuerzo tirando de él, y, una vez arriba, apoyó sus brazos desnudos sobre el cuerpo de Grumbach y su bastón, lo que provocó que el invitado se tambaleara. La mirada de Grumbach recayó en los pechos de Selma, desde ahí continuó hacia el primoroso bordado de margaritas y regresó a sus pechos, donde serpenteaban los rizos de plata oscura. Finalmente arrancó los ojos y miró hacia el suelo con denuedo.

En cuanto volvió a estar erguida, Selma miró desde lo alto a aquel hombre jorobado.

¿Quién es usted?, preguntó sorprendida.

Después se retiró el cabello del rostro, aún sin prestar atención a su desbocado escote. Miró a aquel hombre con recelo. ¿Le conozco? ¿Qué está haciendo en nuestra casa?

Me llamo Grumbach, Gustav Grumbach. Su esposo editó

mis poemas: *A mi amada*. Grumbach carraspeó intentando transformar su nerviosismo en una sonrisa confiada.

¿*A mi amada*? La madre estalló en sonoras carcajadas. El paso de un llanto que partía el corazón a una risa atronadora fue tan repentino que al invitado debió de recorrerle un escalofrío por la espalda, tal vez su corazón palpitase con fuerza; en cualquier caso, no se atrevió a mirar a aquella mujer a los ojos. En realidad no sabía dónde mirar, puesto que tampoco el escote de su camisón, con aquellos pechos diminutos, le parecía el lugar más adecuado para detenerse. Hacía algo más de veinte años que conocía a Selma Würsich de vista. Antiguamente ella solía estar de pie tras el mostrador de madera de la imprenta, era probable que hubiesen conversado en alguna ocasión, pero él en ese momento no se acordaba. Con el paso de los años, Selma había desaparecido del paisaje de Bautzen. La habían olvidado, era imposible no hacerlo.

Desde su regreso de Verdún, Grumbach sólo la había visto una vez de lejos, si es que había sido ella. Los habitantes de la ciudad comentaban que había algo extraño en aquella mujer, así que tanto más alivio debió de sentir Gustav Grumbach al no haberse topado ni una sola vez con aquella extraña desde que había reanudado sus visitas a casa de los Würsich.

¿*A mi amada*? Selma Würsich se puso seria y formuló la pregunta sin soltar los hombros del invitado. ¿Y quién es esa amada? ¿A quién se refiere? Mientras le interrogaba parecía estar buscando algo, se palpaba la enagua y miraba inquieta por encima de los hombros del invitado. ¿Un cigarrillo?, preguntó mientras estiraba la mano para alcanzar una cajetilla que se hallaba sobre la estantería más estrecha.

No, gracias.

Selma Würsich se encendió uno de los finos cigarrillos y respiró hondo. ¿Y sabe usted quién es esa amada? Supongo que será una amada concreta la que ocupe su corazón, ¿no? Seguro que conoce a Daumer, el poeta. Sopla la brisa, suave y deleitosa... La voz de la madre era ronca. ¡Ni se le ocurra!, dijo en voz baja y amenazante. ¡Ni se le ocurra!, rió y su graznido hizo daño a Helene, que se tapó los oídos con ambas manos.

Selma Würsich inhaló el humo de su cigarrillo con mirada escrutadora para luego dejarlo escapar por la nariz en forma de pequeñas nubecillas.

Las palabras salían a presión de los labios de Grumbach: Sí, claro que lo sé...

Aquello pretendía ser una afirmación, o así interpretó Helene, al menos, la fuerza que impelía cada sonido y la mirada intranquila del invitado.

Si tu corazón me quieres obsequiar, empieza..., comenzó a declamar la madre con voz engolada.

... a hacerlo en secreto. Que nadie pueda adivinar nuestros pensamientos.

Sí, claro, eso también, se apresuró a decir Grumbach, que no terminaba de sentir auténtica alegría ante aquella coincidencia de gustos.

Ahora bien, ¿ha pensado alguna vez en la insidia que se esconde tras ese juramento de amor? ¿No? ¿Sí? Qué gran polémica. Yo se lo explicaré: él le ordena a ella que calle para que él pueda adueñarse de la voz que expresa lo que ambos comparten. Y esa voz no es feliz. ¿Comprende? Es tremendo. Ante semejante oprobio de sus palabras y el desgraciado abandono de sí misma, al lector no le queda más remedio que llorar. Al menos a una lectora, susurró Selma con voz casi inaudible, luego dijo en voz alta: Pero usted no llora. Usted quiere triunfar. *¡A mi amada!*

Helene volvió a oír la risa sarcástica de su madre, cuyo abismo un invitado como aquél sólo podía entrever con dificultad. Pero usted no debe leer al tal Heine, ¿me oye? Lo traicionará antes de haberlo entendido siquiera. ¿Cómo? Conque sí que lo lee, ¿eh? ¿Está usted en su sano juicio?

¿No debo leerlo?

Usted no. Es capaz de convertir su mala interpretación en todo un volumen. *A mi amada.* Escuche, no puede hacerlo. No es sólo que sea malo, es terrible, terrible.

Perdóneme, señora. Tartamudeó el invitado.

Pero la madre de Helene parecía tener sus dificultades con aquello de perdonar.

El perdón no existe entre los hombres. No nos compete.

Disculpe, señora mía. Tal vez tenga razón y no he hecho más que escribir a tontas y a locas. Borrón y cuenta nueva, estimada señora Würsich. No se hable más.

¿A tontas y a locas? Escuche, Grumbach, escriba usted todo lo que quiera, pero no moleste al prójimo con su presencia ni con sus borrones. Es a su Dios a quien debe pedir auténtico perdón, señor mío. La madre de Helene mantuvo el control sobre sus últimas palabras, hablando en tono claro y severo.

Si Grumbach fuera inteligente, pensó Helene, ahora debería marcharse, en el mejor de los casos sin mediar palabra. Pero evidentemente entre las capacidades de Grumbach no figuraba la de permitir que otro tuviese la última palabra.

Por favor, se lo pido, comenzó Grumbach otra vez.

¡A mi amada! Y de nuevo oyó Helene la risa de su madre, cuyo abismo un invitado como aquél ni siquiera podía intuir y aún menos calibrar; lo cual no era sino bueno.

La madre de Helene tendió al invitado lo que quedaba de su cigarrillo.

Y ahora, señor mío, llévese esto con usted hasta la salida. ¿Que me quiere pedir algo? Pues ya sabe, prohibido mendigar, vender a domicilio y tocar música... Le ruego me disculpe.

Inmersa en la seguridad de la penumbra, Helene vio desde lo alto cómo el invitado asentía. Grumbach tomó el cigarro por el extremo incandescente, que debió de quemarle los dedos. Aun cuando la madre hubo desaparecido entre toses y entrado en su alcoba, el invitado seguía asintiendo. Bajó la empinada escalera con cuidado, llevando en una mano el bastón y el cigarrillo que iba consumiéndose. Cuando llegó a la puerta de la calle y pisó la Tuchmacherstrasse, Grumbach aún asentía. Se oyó el cerrojo de la puerta.

Helene se levantó y fue a abrir la puerta de la habitación de su padre. La sacudió.

Déjame pasar, soy yo.

Primero se oyó un silencio tras la puerta, pero luego Helene escuchó los pasos ligeros de Martha.

¿Por qué no me has abierto?

No quería que él la oyera.

¿Por qué no?

La ha olvidado. ¿No te has dado cuenta de que en las últimas semanas ya no pregunta por ella? No podía decirle que vive una planta más abajo y que simplemente no quiere verle.

Martha tomó a Helene de la mano y ambas se acercaron a la cama del padre.

Parece sentirse muy aliviado, dijo Helene.

Martha permaneció en silencio.

¿No crees que parece aliviado?

Martha no contestó, y Helene pensó que su padre debería alegrarse de tener una hija que, como piadosa enfermera, no sólo se ocupaba a diario de la inflamación que sufría en el muñón de la pierna, sino que también le inyectaba un medicamento contra los dolores y, día tras día, se esforzaba por ahuyentar de él y de ella misma el miedo a que desarrollara el tifus que había traído del frente. El padre ya no era capaz de retener líquidos, pero aquello tenía una explicación a la que Martha aludió enseguida mientras Helene leía manuales de medicina, en apariencia como preparación para su labor de enfermera, pero en realidad para no perder totalmente de vista su deseo de ir a la universidad.

Helene se sentó en la silla y, mientras Martha se disponía a limpiar el pie amarillento de su padre, alcanzó el primer libro del montón que estaba junto a ella. Helene sólo alzaba la vista de vez en cuando. Dijo dudar de que el aumento escalonado de la fiebre no se tratara de un síntoma de tifus, una variedad que se desarrollase con retraso.

Martha no comentó nada al respecto. En modo alguno se le había pasado por alto que el estado del padre había empeorado notablemente desde su regreso. Lo que dijo fue: Pero si tú no tienes ni idea.

Durante las últimas semanas Martha había enseñado a Helene todas las prácticas necesarias. Las hermanas se alternaban para palpar el cuerpo del padre, que permanecía allí tendido, indefenso del todo, o eso le parecía a Helene. No le quedaba más remedio que aceptar que las manos de sus hijas recorriesen su cuerpo. No eran caricias de amor, las niñas presionaban como queriendo llegar a una conclusión que les sirviera de ayuda. Martha explicó a Helene dónde se encontraba cada órgano, aunque ella lo sabía desde hacía tiempo. Martha tenía que darse cuenta de que el bazo estaba cada día más hinchado, debía de saber lo que eso significaba.

Desde hacía bastante tiempo Martha ya no podía ir al hospital por las mañanas. Se quedaba en casa para velar por la vida de su padre y aliviarle el sufrimiento. Helene notó que Martha cada día se rascaba más. Tras acercarse a la cama del padre, siempre se restregaba las manos a conciencia, hasta los codos, se ayudaba del cepillo de pelo y se frotaba la espalda sin pudor.

Primero con disimulo y después con toda naturalidad pedía a Helene que sacase de la habitación las chatas llenas de líquidos, las lavase con agua hirviendo y limpiase el termómetro. Helene se lavaba las manos frotándose hasta los codos, se restregaba el cepillo de uñas por los dedos, las palmas y el dorso de las manos. No podía picarle, no debía picarle. Agua fría sobre las muñecas, jabón, mucho jabón. Tenía que salir espuma. No picaba, sólo debía lavarse. Helene iba apuntando exactamente lo que marcaba el termómetro en la curva de temperatura. Mientras, Martha la observaba.

Ya sabes lo que significa la inflamación del bazo, dijo Helene. Martha no la miró. Helene quiso ayudar a su hermana, quiso al menos tomar el pulso a su padre, pero Martha la apartó con brusquedad de la cama y del enfermo.

Una tarde, Helene subió la escalera siguiendo el rastro de un olor dulce. La putridez casi le dejó sin aliento. Abrió la ventana, el olor a hojarasca húmeda trepó hasta su nariz. Un fresco día de octubre tocaba a su fin. El viento atravesaba los olmos y el ojo de su padre ya no se abría; él respiraba por la boca, muy abierta.

Sin ella no. Martha estaba de pie junto a Helene, agarró la mano de su hermana pequeña y la apretó con tanta fuerza que tuvo que dolerles a las dos, luego repitió sus propias palabras: Sin ella no.

Martha salió de la habitación. Estaba decidida a abrir la puerta de la alcoba de su madre aunque fuese por la fuerza.

Desde hacía días, aquél fue el único momento en que Helene estuvo a solas con su padre. Helene sólo podía respirar débilmente. Se acercó a la cama. La mano de su padre era pesada; la piel, áspera. Cuando Helene la pellizcó con dos dedos para levantarla, el tejido no se movió. Bajo la luz de la lámpara, Helene no se sorprendió al descubrir en el torso de su padre una erupción rojiza que asomaba por el camisón abierto. Tenía la mano caliente, la fiebre había aumentado por décimas día tras día hasta alcanzar los cuarenta.

Helene oyó el estrépito y los gritos iracundos que provenían de abajo. Nadie debía molestar a su madre. Helene cambió la sábana que, en esos días de extremo calor corporal, para su padre hacía las veces de manta. Sin querer, sus ojos se posaron en el muñón purulento, cuyo dulce olor había atraído a las larvas. No quiso mantener la mirada; era como si aquella herida estuviese viva, como si la muerte se alimentara de ella. Helene tragó saliva cuando descubrió su miembro; le pareció pequeño y reseco, como si se hubiese marchitado y estuviese allí sólo por casualidad. El instrumento con el que ella había sido concebida. Helene puso la mano en la frente de su padre y se inclinó sobre él.

Ni siquiera llegó a susurrar las palabras «Le quiero». Sólo las dibujó con los labios mientras le besaba la frente.

Una fina escarcha, pequeña, pequeña. Paloma mía. Ya no pasaremos más frío, era lo que su padre balbucía. Llevaba semanas sin hablar. Helene apenas reconocía su voz, pero tenía que ser él. La pequeña permaneció allí, con los labios sobre su frente. De pronto la cabeza le pesó tanto que quiso apoyar su rostro en el de su padre. Sabía que él siempre llamaba a su madre «paloma mía».

Este cuerpo no es más que un disfraz, susurró el padre. Nada más, algo invisible. Mi celda es cálida, paloma mía, ven y entra, nadie nos descubrirá, nadie nos asustará. El padre se tapó los oídos con las manos. Quedaos aquí, palabras mías, no salgáis corriendo. Viene la paloma, mi paloma.

Por un instante Helene se avergonzó de ser la receptora de aquellas palabras pensadas para su madre, o al menos dirigidas a ella, y de guardárselas para sí.

Sólo cuando su padre empezó a temblar, Helene se incorporó mientras le acariciaba la cabeza. En su mano se quedaron pegados innumerables cabellos muy crecidos. Realmente eran muchísimos. Llena de asombro, Helene se preguntó cómo era posible que aún le quedase alguno en la cabeza. Lo que había comenzado como un temblor se intensificó, una sacudida atravesó el cuerpo del padre, la baba le corría por la comisura del labio. Helene esperaba que se pusiese azul, como había ocurrido unos días antes. Dijo: Soy yo, Helene.

Mas en mitad de aquel temblor las palabras del padre sonaron con una claridad artificial: Qué dulce sonrisa. Confía en nosotros dos. Sólo llegan las granadas, y nos delatan, porque hacen mucho ruido y nosotros somos demasiado débiles. Demasiado débiles. ¡Metralla, cuidado!

Helene dio un paso atrás para que no le alcanzara el puñetazo de su padre.

Padre, ¿quieres beber algo?

Una pierna saltarina camina sola. El padre se rió y su risa mitigó el temblor. Ondas que se desprenden de su origen. Helene no sabía si estaba hablando de su pierna.

¿Beber?

De pronto, la mano del padre agarró a Helene con una fuerza inesperada, sujetándola por la muñeca.

Helene se asustó y se dio la vuelta, pero no había ni rastro de Martha. Sólo los ruidos difusos que procedían de abajo atestiguaban que Martha había logrado abrirse paso con ayuda de Mariechen. Helene se soltó de la mano de su padre, que al instante pareció estar dormido. Tomó la jarra de agua de la mesilla y vertió un poco en la botellita que Martha llevaba usando unos días para introducir el líquido en la boca de su padre.

Apenas hubo apoyado la botella en los labios del enfermo, éste rompió su aparente estado de somnolencia y dijo: Mujeres borrachas en mi boca.

No podía beber, no podía ingerir agua. Helene humedeció los labios de su padre con los dedos.

Ayudándose de la jeringuilla, quitó la aguja e instiló unas gotas de agua en la boca del enfermo.

Después volvió a colocar la aguja, llenó la jeringa con la dosis máxima de morfina y la sostuvo en lo alto para dejar salir el aire. Como el padre tenía los brazos repletos de pinchazos, Helene decidió ponerle la inyección en el cuello. Se había formado un absceso, pero justo al lado encontró un buen sitio para pinchar. Apretó lentamente el émbolo.

Más tarde debió de quedarse dormida junto a la cama de su padre, de puro agotamiento. Estaba oscureciendo cuando levantó la cabeza y oyó cómo su madre se acercaba maldiciendo. Parecía que la empujaban a la fuerza escaleras arriba. Helene distinguió la voz de Martha, alta y firme: Ve y míralo, madre.

La puerta se abrió, la madre se resistía, no quería pisar aquella habitación.

No quiero entrar, repetía la madre una y otra vez, no quiero. Daba manotazos a su alrededor, pero Martha y Mariechen no mostraron ninguna consideración, empujaron a la madre hacia dentro y, mientras ella se aferraba a las dos mujeres, éstas la arrastraron con todas sus fuerzas hasta la cama del padre.

Por unos instantes se hizo el silencio. La madre se recompuso. Descubrió a su marido, a quien no veía desde hacía seis años. Cerró los ojos.

¿Qué te ha hecho? Martha rompió el silencio sin poder ocultar su indignación. Por primera vez en su vida, Helene escuchó cantar a Mariechen en su lengua materna, era una suave melodía que le sonaba del mercado. Mariechen juntó las manos, estaba rezando.

Sin prestarle atención, la madre fue avanzando a tientas hasta la cama como un perrillo ciego, como un cachorro que desconoce el camino, pero lo recorre. Sujetó la sábana del padre y se inclinó sobre él. Cuando éste abrió su ojo sano, ella le susurró con una ternura que a Helene le resultó escalofriante: Tan sólo dime que aún estás vivo.

Su cabeza se desplomó sobre el pecho del padre, Helene estaba segura de que rompería a llorar, pero la madre permaneció inmóvil y en silencio.

Paloma mía, dijo el padre tratando de juntar las palabras con mucho esfuerzo. No te he dado una habitación en mi casa para que te encierres en ella.

La madre se apartó.

Claro que sí, dijo en voz baja. Con todas las cosas que tengo en mi alcoba, las montañas y valles que forman, es allí donde me siento en casa. En ningún otro lugar. Ésa soy yo. ¿Acaso alguien valora el cuidado con el que están trazados los senderos? Los claros del bosque. Tus hijas quisieron ir y tirarme los ejemplares del *Bautzener Nachrichten*, poner orden, así lo llamaron. Me han arrancado el *chiffon*, como si no sirviese para guardar nada, han desbaratado los ejemplares del pasado diciembre, tardé días en volver a apilarlos. Temáticamente. Por temas: tema, objeto y materia, *tithénai*, disponer, ordenar, archivar, no por fecha. Soy un ave nocturna. Para mí siempre está oscuro y la oscuridad nunca es suficiente.

Helene miró por encima de la cama y más allá de donde se hallaban sus padres hacia donde estaba Martha. Su madre y su padre estaban tan pendientes el uno del otro que Helene se sentía como si se encontrara en el teatro. Tal vez a Martha le ocurriese lo mismo. Nuestra madre sufre una ceguera de corazón, era lo que había respondido Martha cuando Helene le preguntó una vez por la enfermedad que padecía su madre. Ya sólo podía percibir cosas, no personas, y por eso coleccionaba viejas cazuelas, pañuelos agujereados y huesos de fruta de lo más vulgar. Quién sabía si, llegado el momento, esto o aquello podría servir para algo. No hacía mucho se había cosido un hueso de melocotón en su capa de lana a modo de botón. En una raíz de árbol retorcida había creído reconocer un caballo y, en el lugar de la cola, decidió trenzar unos cabellos cortados recientemente a una de sus hijas. Por el agujero de una jabonera de esmalte en la que ponía «jabón» en mayúsculas metió un hilo de lana al que había anudado distintos botones y piedrecillas acumulados durante años. Luego colgó la jabonera de la puerta de su alcoba a modo de campana, de manera que aun en la oscuridad pudiera oírse si alguien entraba en la habitación. A Helene le vino a la cabeza aquel paseo que habían dado hacía muchos años, tal vez lo último que habían hecho todos juntos antes de que su padre marchase a la guerra. Fue un paseo en familia al que la madre sólo había accedido a regañadientes y después de mucho insistir por parte de su marido. De pronto ella se agachó, recogió del suelo una llanta que debía de haber perdido algún coche de caballos y, llena de júbilo, exclamó: ¡Eureka! Creyó ver la tierra en aquel hierro y el fuego en su forma. Una vez recogido, elevado por los aires y llevado a casa, donde le asignó una nueva función como calzador, la madre reconoció el alma de aquel objeto. Fue ella quien se la adjudicó, quien de alguna manera se la otorgó. La madre como Dios. Todas las cosas obtenían su razón de ser únicamente a través de ella. «Eureka», Helene pensaba a menudo en el significado de aquella palabra. La hija menor era la única persona a la que la madre, víctima de aquella ceguera de corazón, tal y como lo llamaba Martha, era incapaz de reconocer; ya no podía ver a nadie más, sólo soportaba a quienes hubiese visto antes de que muriesen sus cuatro hijos.

Helene observó a su madre mientras hablaba de sí misma como de un ave nocturna y daba conocimiento de su preocupación por los senderos, los claros y su existencia; mientras hacía todas aquellas confesiones le pareció una espléndida actriz. Había incorporado la maldad a su persona, lo primordial era conseguir el efecto deseado. Helene podía estar equivocada. Aquella apariencia malévola era su única defensa posible y la palabra vil su única arma para vencer a lo que una vez les unió en forma de marido y mujer. Había algo en aquella mujer que a Helene le pareció tan desmesuradamente falso, tan despiadadamente egocéntrico y carente del más mínimo atisbo de amor o siquiera de una mirada dirigida a su padre que Helene no pudo evitar odiar a su madre.

El padre movió los labios, luchaba contra una mandíbula que no quería obedecer. Después dijo con voz clara: Quería verte, paloma mía. Por eso estoy aquí.

No debiste marcharte.

En las palabras de la madre ya no había sufrimiento, todo su padecimiento se había petrificado en forma de certeza. Tus hijas quisieron tirarme los libros, pero pude salvarte una frase, una frase de mi amante, que me consoló durante tu ausencia.

Me alegra que encontrases consuelo. La voz del padre sonó débil y exenta de toda burla.

Su nombre es Maquiavelo, ¿recuerdas? Escucha, la primera ley a la que obedece todo ser es: ¡Consérvate! ¡Vive! ¡Vosotros sembráis cicuta y pretendéis ver madurar las espigas!

Ya no tengo pierna, mira, esta vez me quedo. El padre se esforzó en dibujar una sonrisa, una sonrisa bondadosa. Conciliadora, piadosa. Una sonrisa que antaño habría apaciguado cualquier desavenencia entre ambos.

Aquí nunca la habrías perdido, aquí, a mi lado.

El padre guardó silencio. Helene sintió la necesidad imperiosa de defenderlo, quiso decir algo que justificase su marcha seis años atrás, pero no se le ocurrió nada. Por eso dijo: Madre, fue a la guerra por todos nosotros, perdió la pierna por todos nosotros.

No, dijo la madre negando con la cabeza. Por mí no.

Después se levantó.

Salió de la habitación y, dándose la vuelta sin dignarse mirar a Helene, dijo: Y tú no te metas donde no te llaman, niña. ¿Qué sabrás tú de mí o de él?

Martha siguió a su madre hacia la escalera, ella permaneció impávida, no se dejaba amedrentar.

Pero entonces aquella madre ciega de corazón, a quien Helene sólo relacionaba con órdenes y pensamientos que la exoneraban del mundo, regresó junto a la cama de su esposo agonizante y, aun sabiendo que sus hijas se hallaban presentes tras ella, dijo: No es la primera vez que yo me muero.

Helene agarró la mano de Martha, tenía ganas de echarse a reír. Cuántas veces había oído a su madre pronunciar aquella frase, casi siempre como preludio de la exigencia de que fuesen más hacendosas, tuviesen más respeto o le hiciesen algún recado; en ocasiones era una simple declaración sin un objetivo claramente identificable, sobre el que las niñas llegaban a especular durante horas. Sin embargo allí, junto al lecho de muerte de su marido, a su madre no le importaba otra cosa que no fuera su propia turbación y la bajeza de un sentimiento que sólo le afectaba a ella.

Martha soltó la mano de Helene y agarró a su madre por el hombro. ¿No te das cuenta de que es él quien se está muriendo? Es nuestro padre quien se muere, no tú, aquí no estamos hablando de ti, entérate de una vez.

Ah, ¿no? La madre miró sorprendida a Martha.

No. Martha negó con la cabeza, como si tuviese que convencer a su madre.

La mirada confundida de Selma recayó de pronto en Helene. Una sonrisa ocupó su rostro, al parecer acababa de descubrir a una persona a la que no veía hacía tiempo. Ven, hija mía, dijo.

Helene no se atrevió a hacer el más mínimo movimiento, no quería acercarse ni un solo centímetro a su madre, ni siquiera un milímetro. Hubiera preferido abandonar la habitación. No temía tanto la amenaza del inminente rechazo de su madre como un roce, un mínimo roce que pudiese traer consigo algún tipo de contagio. Helene notó cómo le asaltaba aquel viejo miedo de que algún día también su corazón llegara a cegarse, como el de su madre. La sonrisa de Selma, hasta hacía un instante confiada, se congeló. Helene sólo tenía una pesadilla recurrente desde hacía años: eran dos dioses con el aspecto del Apolo reproducido en el grabado que colgaba sobre la estantería del papel, en la parte de la imprenta destinada a los clientes. Ambos dioses peleaban por su derecho exclusivo a existir, gritando cada uno a voz en cuello: ¡Yo! Al unísono gritaban: Yo soy el Señor, tu Dios. Y alrededor de Helene se hacía la oscuridad, una oscuridad tan densa que no veía nada. En aquellas pesadillas Helene avanzaba a tientas, sentía el tacto de algo escurridizo y caracoles, algo caliente y fuego y al final la nada, en la que caía. Siempre se despertaba con el corazón desbocado antes de que se produjera el impacto, apretaba la nariz contra la espalda de Martha, que respiraba acompasadamente y, mientras notaba el frío húmedo del camisón pegado a su espalda, rogaba a Dios que la liberase de aquella pesadilla. Pero la cólera de Dios era palmaria, pues aquel mal sueño regresaba una y otra vez. Pudiera ser que sólo estuviese ofendido. Helene sabía el porqué: Dios intuía que ella le estaba atribuyendo un aspecto físico, el de un Apolo imponente, y no sólo eso, sino que además lo veía por partida doble, veía a su hermano y, mientras rogaba a uno daba la espalda al otro de manera que, al final, su plegaria no dejaba a Dios más opción que la cólera.

Un instante después, cuando se quedó allí de pie, paralizada, y no cupo duda de que no podía ni quería obedecer la orden materna, recordó el momento en el que su madre, hacía años, en la colina de Protschenberg, había hablado de su Dios y del de su padre, como si la fe de cada uno rivalizara con la del otro. El hecho de que su madre llamase a los hombres «gusanos» le pareció a Helene un reflejo del odio que ella desde siempre le había querido transmitir y que daba sus frutos cuando Helene soñaba con aquellos caracoles desnudos y terminaba cayendo en una nada semejante al regazo materno.

Helene quiso lavarse, lavarse las manos hasta los codos, el cuello, el pelo. Había que lavarlo todo. Sus pensamientos se movían en círculo. Se dio la vuelta y corrió a trompicones escaleras abajo. Oyó cómo Mariechen le gritaba, oyó cómo Martha la llamaba por su nombre, pero era incapaz de pensar u obedecer, sentía la necesidad de correr. Abrió la puerta de la casa y subió a toda prisa por la Tuchmacherstrasse atravesando la calle Lauengraben hasta llegar al puente Kronprinzen. Una vez allí, en mitad de la oscuridad, fue bajando a tientas y de puntillas por la pendiente que quedaba bajo el edificio del Bürgergarten y conducía al Spree; unas veces lograba agarrarse a los gruesos cimientos del puente, otras se sujetaba a los arbustos y a los árboles. En cuanto estuvo abajo recorrió la calle a lo largo de la valla de madera, pasó junto al restaurante Zur Hopfenblüte, donde aún había mucha animación, la música de baile resonaba muy alta, la gente quería romper de una vez por todas con la guerra, su silencio y la derrota; sólo cuando hubo llegado al dique y, en mitad de la oscuridad, no oyó más que el gorgoteo y el murmullo del río, Helene logró detenerse. Se puso en cuclillas y metió las manos en el agua helada. La niebla flotaba sobre el lecho del río y Helene escuchó atentamente su propia respiración, que fue calmándose poco a poco.

Más tarde, cuando la música del restaurante enmudeció y tenía la ropa húmeda y fría a causa de la noche y del río, Helene regresó a casa. Subió de puntillas hasta su habitación, que estaba a oscuras, buscó a Martha a tientas y se deslizó junto a ella bajo la manta. Martha la rodeó con un brazo y una pierna, su pierna larga y pesada, bajo la cual Helene se sintió a salvo.

Helene se hallaba junto a la ventana rascando con una uña las flores de hielo que se habían formado sobre el cristal. Una fina capa helada, aún lisa; los pétalos raspados, ya blancos. Pequeños montones, cristales diminutos. Nuestro padre está muerto. Martha se lo había dicho aquella mañana. Helene había analizado cada palabra en busca de su significado. ¿Acaso «está» y «muerto» no se contradecían, ser y tener? Él ya no tenía vida, y tampoco existía aquel al que pudiera denominar algo como suyo. ¿Cómo iba a poseerse una vida como aquélla? Helene se preguntó por qué Martha no la había despertado durante la noche para que también ella hubiese tomado a su padre de la mano. Martha había estado a solas junto a él.

¿Y cómo ha sido?

¿El qué?

¿Cómo ha muerto?

Pues ya lo has visto, ángel mío.

Pero... el último aliento y después, ¿qué ocurrió?

Nada. Martha miró a Helene con los ojos abiertos, unos ojos que no pestañeaban y querían declararse incapaces de mentir. Helene sabía que Martha no le diría nada más sobre el asunto aunque lo supiera. Se lo guardaría para sí. O sea, que después no ocurría nada. Helene exhaló sobre los pétalos helados, rozó con los labios las flores puntiagudas. Sus labios se pegaron al hielo y el frío le dolió. Piel arrancada, la fina piel de los labios. Martha habría juntado las manos de su padre, habría cubierto el rostro con la sábana y vuelto la cama hacia la ventana para que su alma mirase a Dios. Labios en carne viva.

A Helene le habría gustado que la despertaran. Tal vez su padre no habría muerto si ella le hubiese dado la mano. Al menos no así, así de fácil, sin ella no.

En todas las habitaciones de la casa había velas encendidas, el día no terminaba de despuntar. Las nubes flotaban bajas y pesadas sobre los tejados, colgaban entre los muros meciendo aún la noche.

Esperaremos al pastor, dijo Martha y se sentó en la escalera.

Esperarás tú, yo voy a leer mi libro, respondió Helene. La pequeña subió las escaleras, pero no hasta su habitación, donde la esperaban sus íntimos, Werther y la Marquesa, cuyo desvanecimiento aún le parecía a Helene extraño e increíble, sino que continuó un tramo más arriba. Durante la noche el ambiente se había enfriado. Aquella mañana ya nadie había prendido la pequeña estufa. Helene se acercó a la cama y vio cómo la nariz sobresalía bajo la sábana. Se preguntó qué aspecto tendría, pero no lograba formarse una imagen concreta. Le faltaba incluso el recuerdo de la apariencia que había tenido su padre en vida; el día anterior había tratado de darle un poco de agua, pero él ya no había abierto la boca, ni siquiera una fisura; Helene no recordaba el más mínimo rasgo del aspecto que había tenido su padre un día antes. Había pelos pegados por toda la almohada, cabellos largos, cenicientos y últimamente amarillentos, de eso sí que se acordaba. Los fue quitando y los mantuvo en su mano un buen rato, sin saber qué hacer con ellos. ¿Podía tirar a la basura el cabello de su padre agonizante? Sí que pudo. Lo llevó al cobertizo que había en el patio para arrojarlo al pozo congelado. Los pelos no cayeron fácilmente, era como si no quisieran desprenderse de su mano. También en el cobertizo, Helene había tenido que quitarlos uno a uno. Y no habían caído, sino que habían descendido flotando tan despacio que Helene sintió asco y no quiso mirar. De eso sí que se acordó, de su pelo el día anterior, pero no de su aspecto. La sábana era blanca, nada más. Helene la levantó, con cuidado primero, luego por completo, y observó a su padre. La piel que le cubría las cuencas de los ojos resplandecía inmaculada, lisa. Él llevaba una venda alrededor de la cabeza para sujetar la mandíbula antes de que se produjera el rígor mortis. Helene se admiró de que su tez aún brillara y el rostro aún se iluminase. Rozó su mejilla con el dorso de la mano. La nada sólo estaba un poco fría.

Volvió a cubrirlo con la sábana y salió de la habitación de puntillas, no quería que la madre oyese sus pasos desde abajo; no debía enterarse de que había estado con él. Helene bajó la escalera y se colocó junto a la ventana. Respiró profundamente y, con la exhalación, agujereó las flores de hielo. Por la abertura pudo ver cómo el pastor bajaba a paso ligero desde el Kornmarkt, caminaba muy pegado a los muros ennegrecidos, cambió de acera y se acercó a la casa. Se detuvo. Buscó algo entre los pliegues de su largo abrigo, encontró un pañuelo y se sonó. Después se oyó la campanilla.

Martha ofreció té al pastor. Hablaban en voz baja y Helene apenas les prestaba atención. Más tarde llamaron a la puerta y Mariechen abrió a seis señores vestidos de negro. Helene reconoció a uno de ellos, el alcalde Koban, quien ni siquiera había hecho acto de presencia ante el lecho del enfermo; otro era Grumbach, pero éste rehuyó alzar la mirada y encontrarse con la de Helene. Delante de la puerta esperaba un coche tirado por dos caballos cubiertos con mantas para combatir el frío. Los animales bufaron y su aliento se asemejó al humo de una pequeña locomotora de vapor. Los seis caballeros subieron el ataúd por las escaleras y, poco después, volvieron a bajarlo.

Debemos irnos, la gente está esperando en el cementerio, se van a congelar, la banda no sólo perdió la campana en el frente, que se fundió para hacer cañones, sino también la estufa, dijo el pastor y preguntó:

¿Está su señora madre dispuesta?

Sólo entonces Helene aguzó el oído.

No, dijo Martha, ella no va a venir.

¿Que no...? El pastor miró atónito a Martha, luego a Helene y por último a Mariechen, que bajó la mirada.

No, dijo Helene, no quiere ir.

Dice que está cansada, explicó Martha. Su voz sonó especialmente débil.

¿Cansada? El pastor se quedó boquiabierto. A Helene le gustó la suavidad con la que pronunció la «d». No era de la zona, procedía de Renania y sólo llevaba dos años a cargo de la parroquia. A Helene le agradaban sus sermones, por su forma de hablar creía percibir algo del inmenso mundo, algo que se extendía mucho más allá del mundo del Dios concreto del que hablaba el pastor.

Martha tomó su abrigo con determinación. El pastor se quedó sentado, el paseo hasta la última morada, comenzó a decir y luego enmudeció. Acentuada la «u» y suave la «a». ¿Acaso no tenía respuesta para la desobediencia?

Vayámonos y dejemos que obre a voluntad, espetó Martha al pastor, ya en tono severo.

No, balbució él. No podemos irnos sin ella, sin su esposa, sin su señora madre..., no podemos. Hablaré con ella. ¿Me lo permite? El pastor se levantó con la esperanza de que Martha lo llevase ante la señora de la casa, pero la hija mayor se interpuso en su camino.

No tiene sentido, créame. Martha, lista para marchar, se atusó el cabello.

Por favor. El pastor no se rendía. Daba claras muestras de no querer ceder.

Como quiera, pero es usted quien dice que la gente está esperando en el cementerio.

Martha asintió indicando a Mariechen que condujese al pastor hasta la habitación de la madre.

¿Va a venir Leontine? Helene se puso el abrigo y vio cómo Martha se sonrojaba.

Las muchachas oyeron el tintineo de las piedrecillas y botones que colgaban del timbre de su madre. Después se hizo un silencio inusual, ni un grito, ni un estrépito. El rubor de Martha se extendía hasta su cuello, parecía disgustada.

¿Qué ocurre? ¿Habéis discutido?

¿Cómo se te ocurre algo así? Martha se puso furiosa. En voz baja añadió: Leontine está ocupada.

El pastor y Mariechen bajaron las escaleras. Mariechen se puso el abrigo y abrió la puerta.

Nuestra madre no ha querido venir, ¿verdad? Helene escrutó al pastor con la mirada.

No vamos a obligarla. Cada uno ha de encontrar su propio camino hacia Dios.

Ella no. ¿No sabe usted que es judía?

Llegará el día en que también los judíos estarán ante Dios. El pastor habló despacio, siendo muy consciente de sus palabras e irradiando una bondad firme, insoslayable, con una «d» suave y una «s» sonora. Parecía estar convencido, un convencimiento de fe que a Helene le hizo sentir pavor.

Martha había reservado una mesa en la planta baja del ayuntamiento para celebrar el convite después del entierro. Ninguno de los señores vestidos de negro dijo palabra. Callaron y bebieron. Mariechen lloraba en voz baja. Y mientras el pastor no dejaba de citar el libro de Job, Helene quiso taparse los oídos a pesar de su agradable voz. Helene estiró la pierna bajo la mesa en busca de Martha, rozó suavemente su pantorrilla, pero Martha ni le respondió siquiera con el más mínimo gesto de reconocimiento.

Y tenga en cuenta, señorita Martha, que Dios se lleva consigo a los que más quiere. Y da amor y alegría a todos los que aún están en el camino. Fijémonos en nuestra parroquia. ¿Acaso la señorita Leontine no es una buena amiga suya? ¿Lo ve?, su compromiso matrimonial es el comienzo de un nuevo camino, la cuna de sus hijos y de su felicidad. Entonces resonó el familiar acorde en *la* mayor procedente de la catedral de San Pedro, cuya campanada pareció rubricar las palabras del pastor.

¿Compromiso? Helene se mostró sorprendida. Su pregunta pareció perderse bajo el tañido de las campanas...

Entonces Martha se echó a llorar, desconsolada.

La señorita Leontine se casa y se marcha a Berlín, Mariechen sonrió mostrando cierto orgullo a los caballeros que las acompañaban, tal vez no fuese más que alegría; después se secó las lágrimas y dio unos golpecitos cariñosos en el brazo de Helene. Seguramente sentiría alivio por el hecho de que aquella joven tan difícil de casar terminase por fin encontrando marido. Al parecer, Helene era la única en la mesa que no sabía nada del compromiso de Leontine.

¿Tú lo sabías? Helene se inclinó hacia delante con la esperanza de que Martha la mirara, pero Martha no miraba a nadie, sólo asentía de forma casi imperceptible.

Aunque en este momento no quiera pensar en ello, señorita Martha, también usted será obsequiada por el Padre. Se casará y traerá hijos al mundo. La vida, querida niña, nos depara tantas cosas buenas...

¿Tantas cosas buenas? Martha se sonó la nariz. ¿Acaso usted entiende a Dios, entiende por qué él permite tanto sufrimiento?

El pastor sonrió con suavidad, como si justamente hubiese estado esperando esa pregunta de Martha. La muerte de su padre es una prueba. Dios sólo quiere lo mejor para usted, Martha, y lo sabe. No se trata de entender, querida niña, lo importante es resistir. Cuando el pastor estiró el brazo por encima de la mesa para poner su reconfortante mano sobre la de Martha, ésta se levantó con brusquedad.

Le ruego me disculpe. Debo ir a ver cómo está mi madre. Martha subió la escalera a trompicones y abandonó la estancia.

A Helene no le quedó más remedio que permanecer allí sentada, aunque intuía que Martha simplemente había dado con la excusa perfecta para salir corriendo.

Quería mucho a su padre, dijo Grumbach tomando por primera vez la palabra. Los demás hombres asintieron y, en mitad del consenso general, Grumbach añadió con encono: Demasiado.

El amor de Dios es grande. Una hija nunca puede amar demasiado a su padre. De Dios sólo puede aprender a amar y a dar. Martha superará esta prueba, no lo dudemos ni un momento. El pastor creía en lo que decía y era consciente del efecto de sus palabras. Los señores asintieron.

Las dos niñas lo querían, las dos. Mariechen no dejaba de acariciar el brazo de Helene.

Una vez finalizado el convite, Helene encargó a Mariechen que fuera donde sus amigas y trajera hilo para hacer encajes, pero lo que en realidad deseaba era volver sola a la Tuchmacherstrasse. La casa se hallaba en silencio. Helene llamó a la puerta de su madre una vez, dos veces, y, al no obtener respuesta, entró.

¿Ha estado aquí Martha?

La madre estaba tumbada en la cama con los ojos abiertos, mirando fijamente a Helene. Os pasáis todo el día buscándoos. ¿No tenéis nada mejor que hacer?

Hemos enterrado a nuestro padre.

La madre no dijo nada, así que Helene repitió:

Hemos enterrado a nuestro padre.

Ah.

Helene aguardó, tenía la esperanza de que a su madre se le ocurriese otra palabra, o acaso una frase completa.

¿Qué ocurre? ¿Qué haces ahí plantada en la puerta? Martha no está aquí, ya lo ves.

Helene bajó corriendo las escaleras y salió por la puerta de atrás. Sobre los negros árboles y la hojarasca aún había escarcha. Era como si el día no pudiese avanzar, como si fuese siempre por la mañana, una mañana de noviembre pasado el mediodía. Helene entró en el jardín y se dirigió al cobertizo con pasos largos y pesados, la hojarasca crujía bajo sus pies. La puerta estaba atrancada.

¿Estás ahí? Helene, titubeante, llamó a la puerta. Oyó un susurro que procedía del interior y, finalmente, Martha le abrió.

Todo está bien. Martha se retiró el cabello de la cara y, de pronto, resplandeció.

¿De verdad? Helene observó los ojos vidriosos de Martha, no quería que le mintieran.

Sí, todo está perfecto. Martha respiró hondo y abrió los brazos. Helene se abrazó a su cintura. ¡No tan fuerte, pequeña! Martha soltó una carcajada. No olvides que estamos al aire libre, cualquiera puede vernos.

Eres terrible, Martha. Helene sonrió y sintió vergüenza, no pensaba más que en el consuelo. Quería consolar a Martha, quería saberlo todo sobre ella y Leontine, pero al mismo tiempo se había propuesto firmemente no hacer preguntas.

¿Subimos?, Martha miró a Helene con ojos de deseo.

Helene fue incapaz de decir «no», pero sí dijo: Sólo quería consolarte.

¡Sí, consuélame! Marta volvió a inhalar y exhalar de forma profunda y perceptible. Bajo el grueso abrigo llevaba su nuevo vestido negro de cuello alto, Mariechen se lo había hecho expresamente para el entierro. El negro ofrecía un atractivo contraste con la tez blanca de Martha. Tenía las mejillas y la nariz, grande y fina, enrojecidas por el frío. Los ojos vidriosos parecían más claros que de costumbre. ¡Consuélame!

Helene quiso agarrar a Martha de la mano, pero Martha la alejó. Guardaba algo en aquella mano que hizo desaparecer de inmediato en el bolsillo del abrigo.

Las hermanas subieron las escaleras y cerraron con llave su habitación. Se dejaron caer en la cama que compartían y se desnudaron. Helene respondió a los besos de Martha, acogió cada uno de ellos como si fuesen sólo para ella y ninguna de las dos estuviese pensando en Leontine.

Mis pechos ya no crecen, susurró Helene más tarde bajo la luz azul del anochecer.

No pasa nada, dijo Martha, se vuelven más hermosos, ¿te parece poco?

Helene se mordió la lengua. Martha podría haberle dicho que debía tener paciencia y esperar un año o dos, al fin y al cabo el paso del tiempo permitía albergar ese tipo de esperanzas, pero por la amable respuesta de su hermana Helene se dio cuenta de lo difícil que le estaba resultando ese día prestar atención a su hermana pequeña. Al mismo tiempo pensó sobre todo en Leontine, en su compromiso y su marcha a Berlín. Tal vez Leontine le había escrito una carta a Martha que ésta había leído a escondidas en el cobertizo y ocultado en el bolsillo del abrigo antes de darle la mano a Helene. Una carta de despedida, una carta que pretendía explicar el porqué de aquel compromiso tan repentino y la razón de su marcha a pesar de las promesas hechas hasta entonces. Helene se preguntó qué sería de Martha a partir de aquel momento, pero era evidente que su hermana no quería hablar de Leontine.

Tengo sed, dijo Martha.

Helene se levantó. Tomó la jarra de agua del lavabo, echó un poco en un vaso y se lo alcanzó a Martha.

Túmbate encima de mí, ángel mío, ven.

Helene negó con la cabeza, se sentó en el borde de la cama y acarició el brazo de Martha.

Por favor.

Helene volvió a negarse.

Entonces bajaré. Antes me ha parecido oír a Mariechen. La ayudaré a preparar la cena. Martha se levantó, se ajustó las medias de lana y se puso el vestido negro.

En cuanto salió y se perdió el ruido de sus pasos escaleras

abajo, Helene estiró el brazo y se hizo con el abrigo que estaba tirado en el suelo. No encontró una carta ni papel alguno en el bolsillo, sino un pañuelo con una jeringuilla dentro. ¿Un recuerdo de su padre? Los pensamientos se agolpaban en la cabeza de Helene. ¿Por qué iba Martha a esconder la jeringuilla de su padre? Helene descubrió pequeñas gotas de sangre en el pañuelo, volvió a envolver presurosa la jeringuilla, el pañuelo se abrió, Helene lo enrolló, lo plegó y devolvió el pequeño rebujo de tela a su lugar. ¿Por qué en el bolsillo del abrigo? ¿Por qué en el cobertizo con una jeringuilla y no con una carta de Leontine?

No hay momento más bello

Durante el invierno que sucedió a la muerte de su padre, el Spree fue helándose desde la orilla hasta que, en enero, los témpanos estuvieron tan próximos entre sí que para los chicos de la ciudad era una prueba de valentía cruzar el río subidos a uno de ellos. Para Helene aquel espectáculo no era más que un indicio de la verdad que encerraba la Biblia. ¿Acaso no podía helarse también el agua del desierto? ¿Y acaso el hecho de que Jesús caminase sobre las aguas no era más que una referencia temporal? De madrugada las chimeneas humeaban, sus bocanadas envolvían la ciudad erigida sobre una roca de granito. Sólo los picos del Lauenturm, la catedral de San Pedro y la torre inclinada del Reichenturm asomaban a primera hora de la mañana entre la niebla de Bautzen, visible desde muy lejos. Incluso los altos muros de Ortenburg y Alte Wasserkunst estaban inmersos en la bruma. En la mayoría de las casas, la leña se agotaba a finales de enero, y allí donde escaseaban los recursos y el suministro de carbón se hacía esperar, la gente desarmaba pequeños muebles, taburetes, bancos, mobiliario de verano y todo aquello que les resultase inútil en pleno invierno. Martha y Helene veían cómo iba desapareciendo su efectivo. En cuanto lograban vender un calendario o una postal había que gastar lo recaudado de inmediato. El pan nunca era tan caro como lo sería al día siguiente. Trataron de arrendar la imprenta, pero tanto la publicidad que le dieron como la búsqueda de un interesado resultaron infructuosas. Las fábricas que había junto al río despedían a sus trabajadores; todo el que podía huía a Breslau, Dresde o Leipzig; cualquier ciudad más grande prometía mayor número de posibilidades de conseguir algún tipo de alimento y un techo bajo el que calentarse.

Helene ordenó el almacén y las estanterías que estaban en el taller. En las baldas de arriba había una gruesa capa de polvo y un montón de pequeñas muestras de imprenta que ya nadie iba a necesitar. Durante los últimos años Helene había ido amontonando en los cajones inferiores diversos papeles, muchos de los cuales habían terminado en las estufas durante las últimas semanas. Una combustión rápida era mejor que ninguna. Los largos tablones de la estantería más alta tenían pinta de arder bien. No había por qué desmontar el mueble entero de golpe. Helene sólo quería utilizar la madera de los dos estantes superiores. Los tablones estaban fuertemente clavados a los pilares de la estantería, que se extendía a lo largo de la pared desde el suelo hasta el techo y desde la esquina trasera hasta la puerta delantera y más allá. El mueble seguiría siendo lo bastante grande aunque faltasen las baldas superiores. Martillo en mano, Helene se subió a la escalera. Un cartón se había deslizado por detrás de la estantería y estaba atascado entre una balda, la pared y el pilar de sujeción. Helene se inclinó hacia delante y se aferró a la estantería con una mano para sacar el cartón. Después reventaría la sujeción del estante superior con el martillo. El cartón no se movía. Helene fue palpando la pared para tratar de despegar la esquina que asomaba tras el pilar cuando, de pronto, notó algo metálico y movible. En la parte trasera del pilar exterior distinguió un objeto, lo desprendió y halló en su mano una llave. Estaba algo oxidada, pero Helene supo enseguida de qué llave se trataba. La forma y el curioso adorno que tenía en el ojo le resultaron familiares. Hasta el peso le era conocido, y eso que nunca la había tenido en la mano. Parecía un poco más pequeña, como si hubiese encogido. Helene recordaba muy bien cómo, antes de la guerra y al final de la jornada, su padre vaciaba la caja registradora y, con aquella llave y las manos repletas de dinero, se dirigía al cuarto de atrás para abrir el armario grande. Aunque Helene ya se volvía hacia la puerta nada más abrirse la caja, su padre todas las tardes le guiñaba el ojo que más adelante perdería y le decía: ¿Vigilas la puerta? Y si viene alguien, silba. Helene a veces respondía: Las señoritas no silban. Entonces él le preguntaba sonriente: ¿Ah, no, y tú eres una señorita? Y en una ocasión, tras la puerta abierta del armario, su padre le recitó los versos que ya le había escrito en su álbum de poesía: Violeta en el musgo has de ser, casta, humilde y pura, y no la rosa orgullosa, atenta a su sola hermosura. Luego cambió de registro y en tono amenazador, casi funesto, susurró: Pero todas las señoritas deben saber silbar, no lo olvides.

Helene sabía que en el fondo del armario estaba la puerta de la caja fuerte. Durante los años que su padre había estado ausente, la llave no había aparecido y, a su regreso, no hubo ocasión de preguntar por su paradero. Helene quería a su padre; cuando él le acariciaba el pelo y acercaba la cabeza de ella hacia sí como si fuera su enorme perro, Helene en modo alguno quería interrumpir aquella sensación de seguridad; permanecía quieta y en silencio hasta que su padre la mandaba a la cocina o a la calle con un cariñoso cachete. Sin embargo, a Helene no le gustaba el poema de la violeta. Bien es cierto que le gustaba el dulce aroma de esa flor y también su aspecto delicado, pero le agradaba igualmente el tallo enhiesto de las rosas, las espinas con las que se protegían, su luminoso colorido, el rosa incipiente, un amarillo como la luz del tardío sol de octubre y, en especial, le gustaba la canción que hablaba de la Virgen María en el bosque de espinos. Leontine se la había enseñado antes de partir hacia Berlín. Cuando los espinos florecían al paso de la Virgen, ¿no le estaban mostrando la más profunda veneración, devoción si cabe? A Helene todas las cualidades de la rosa le parecían, si no envidiables, al menos dignas de admiración.

Sólo por respeto a su padre trataba de sacar algo en claro del símil entre las flores y las señoritas, pero todo se quedaba en el intento. Hacía un año que en el jardín delantero de la casa Helene cultivaba rosas, no violetas. No lo hacía de forma ortodoxa, sino que cuidaba de unos vástagos que había encontrado escarbando en la ladera del Schafberg.

Cuando Helene abrió por primera vez la caja fuerte en presencia de Martha, las dos encontraron viejos billetes ordenados en varios fajos que sumaban algo más de dos mil marcos; aquel hallazgo les hizo sonreír. ¿Cuántas cosas habrían podido comprar con aquello años atrás? Un pan entero tal vez, o puede que medio. Un cuarto de kilo como mínimo. Dos mil panes, dijo Martha. También encontraron una agenda de direcciones con las tapas de cuero y los filos de las hojas dorados y una carpeta con litografías desordenadas de distintos tamaños y las más diversas procedencias, a tenor de los motivos impresos en ellas. Las litografías mostraban mujeres desnudas. Eran mujeres rellenas, muy distintas a las dos muchachas y a su madre; unas llevaban medias, otras velos y corsés, pero también había algunas que no llevaban nada puesto.

Las dos hermanas se pusieron a copiar en varios sobres los nombres y direcciones que contenía la agenda de cuero. En cada sobre introdujeron una esquela. Bajo la letra S encontraron el nombre de una tía segunda de la que jamás habían oído hablar: Fanny Steinitz. Después del nombre, su padre había anotado entre paréntesis, con la primorosa caligrafía de un aplicado contable, prima de Selma, hija del difunto hermano de Hugo Steinitz, Gleiwitz. La dirección rezaba Achenbachstrasse 21, W 50, Berlín-Wilmersdorf.

Antes de esperar a que su madre tuviese un momento de lucidez durante la semana siguiente para preguntarle por aquella prima que vivía en Berlín, Helene decidió escribirle por su cuenta una breve carta. Estimada tía —así empezaba la carta—: Sentimos mucho dirigirnos a usted con motivo de una triste noticia: nuestro padre y esposo de su prima, Selma Würsich, falleció el 11 de noviembre del pasado año víctima de sus heridas de guerra. Adjunta encontrará la esquela. Helene dudó si debía aludir al estado de su madre y, en tal caso, cómo hacerlo, cómo explicarlo. Al fin y al cabo, a aquella prima le extrañaría recibir una carta de sus sobrinas y no de su propia prima. Tenga por seguro que a nuestra madre le habría encantado enviarle sus mejores deseos personalmente, pero por desgracia en los últimos años no goza de muy buena salud. Un saludo afectuoso, sus sobrinas Martha y Helene.

Helene se preguntó si aquella tía seguiría viviendo en la misma dirección. En los últimos años podría haberse casado y cambiado de apellido. Seguro que se sorprendería de que retomasen el contacto tantos años después, sobre todo teniendo en cuenta que debía de haber una razón para haber ocultado la existencia de aquella prima materna en los relatos familiares. Sin embargo, las ganas que tenía Helene de escribir esa carta, la curiosidad y la esperanza de obtener una respuesta de Berlín le hicieron desechar de inmediato todo tipo de reparos.

Llegó Pascua antes de que el cartero trajese un sobre doblado e inusualmente estrecho que venía a su nombre: Señorita Helene Würsich. La tía tenía una letra elegante que casi se apoyaba sobre el lado derecho; el rabillo superior de la hache mayúscula descansaba sobre una «e» de trazo fino. ¡Qué grata sorpresa! La tía había dejado dos renglones en blanco tras cerrar la exclamación. Llevaba mucho tiempo sin saber nada de la locuela de su prima. De veras le alegraba saber que con el paso de los años había dos hijas, pues el contacto se interrumpió tras el nacimiento de Martha, la primera niña. En ocasiones se había preguntado si su prima habría roto relaciones debido a viejas rencillas o si habría fallecido por fiebre puerperal. En la posdata la tía preguntaba a sus sobrinas si su madre estaba enferma de gravedad.

Las dos familias comenzaron a mantener correspondencia.

De su madre había poco que referir, pues llevaba años sin encontrarse bien y ningún médico parecía poder ayudarla. Helene y Martha reflexionaron sobre cómo describir el estado de su madre. Una mala condición física decía muy poco, habida cuenta de que su madre no padecía de ningún mal fisiológico. Entonces se acordaron de la «mujer del mediodía», de la que Mariechen les hablaba de cuando en cuando. Con una extraña sonrisa, Mariechen les explicaba que su señora, como ella llamaba a la madre, simplemente se negaba a hablar con la mujer del mediodía. Y ahí sí que no hay nada que hacer, decía Mariechen encogiéndose de hombros. Y eso que la señora lo único que debía hacer era hablarle a la mujer del mediodía durante toda una hora acerca de cómo trabajar el lino, nada más. Mariechen parpadeó. Sólo debía transmitir un poco de conocimiento. Martha y Helene conocían la leyenda de la mujer del mediodía desde que tenían uso de razón, y lo cierto es que les proporcionaba algo de consuelo, pues daba a entender que el estado de ofuscación de su madre no se debía más que a una maldición fácilmente subsanable. Ahí sí que no hay nada que hacer, volvía a repetir Mariechen encogiéndose de hombros, y su sonrisa delataba que ella estaba segura de la existencia de la mujer del mediodía y que no sentía más que una pizca de compasión ante la incredulidad de su señora. Por otro lado, atendiendo a esta teoría, su señora era algo suyo, parte inevitable de su mundo y de su fe. No obstante, Martha y Helene prefirieron no mencionar a la mujer del mediodía en las cartas que enviaban a Berlín, pues querían evitar que su tía las relacionase con tales creencias populares y las tuviese por necias. Por lo tanto, optaron por una descripción neutra: se trataba de un mal inexplicable, una desazón del alma cuya causa era difícil de determinar y para la cual parecía no haber tratamiento.

Bueno, respondió la tía Fanny a vuelta de correo, tal cosa no le sorprendía, ese tipo de enfermedades eran frecuentes en la familia; al mismo tiempo les preguntaba quién se estaba encargando de ellas.

Nosotras mismas, dijo Martha llena de orgullo y pidió a Helene que lo escribiera. Las dos. Helene sólo debía contar a la tía que en septiembre, justo dentro de dos años, aprobaría el examen final de la Escuela de Enfermería siendo la alumna más joven. Mientras tanto ya estaba echando una mano en la lavandería del hospital, donde ganaba algo de dinero que les bastaba para mantenerse las dos sin grandes lujos. Lo que quedaba del patrimonio familiar daba justo para cubrir los gastos de su madre, la casa y su fiel Mariechen.

Helene dudó. ¿No sería mejor hablar de un patrimonio escaso?

¿Por qué? Un patrimonio no puede ser escaso. Era cuantioso, ángel mío.

Pero ahora no queda nada.

¿Y por qué tiene que saberlo la tía? No somos unas pedigüeñas.

Helene no quiso replicar a Martha. El orgullo que manifestaba su hermana tenía algo de indómito que a Helene le gustaba. Continuó escribiendo. No hemos logrado alquilar la imprenta, pero sí vender algunas de las máquinas. También tendremos que vender la Monopol, ya que se nos está acabando el efectivo, cada día más devaluado, y no tenemos noticia de la herencia de Breslau. Preguntaron a la tía Fanny si sabía algo de su difunto tío, el sombrerero Herbert Steinitz, y de la gran tienda que, según les habían contado, regentaba en la plaza del mercado de Breslau.

Caray con el sombrerero, respondió la tía Fanny. Su acaudalado tío sólo amaba a una persona en este mundo, y ésa era su extraordinaria prima Selma. Seguro que le había dejado a ella toda su herencia. Sin embargo, ella por su parte nunca había mantenido en verdad contacto con aquel pariente. Tal vez fuese posible retomar la relación a posteriori. Al fin y al cabo, el prestigio del que gozaba aquel tío se debía exclusivamente a su patrimonio. Preguntaría a sus hermanos por él, ya que uno de ellos seguía viviendo en Gleiwitz y el otro en Breslau.

Y el otoño llegó antes de que Martha y Helene recibiesen el legado que había heredado su madre. Se trataba de las rentas fijas de un edificio comercial y de viviendas que su tío había construido en Breslau, algunos títulos sin apenas valor y, por último, un enorme y flamante armario baúl que les trajeron en un carruaje uno de los primeros días frescos de finales de septiembre.

El cochero les dijo que el baúl pesaba tan poco que él mismo se ofrecía a subirlo por las escaleras.

Fue una suerte que la madre, desde su alcoba, no se percatase de la llegada de aquel bulto. Martha y Helene esperaron hasta que Mariechen se hubo retirado a su cuarto aquella noche. Con un martillo y un cuchillo forzaron los precintos y los cierres. Un aroma a tomillo y madera de pino meridional les dio de frente. En el baúl, entre papeles de seda y un montón de extravagantes sombreros con ricos adornos de piedras y plumas, había unos pequeños tacos cuadrados de madera que expelían un olor resinoso y que, a pesar de estar lijados, tenían los laterales pegajosos. Encima de cada sombrero había un saquito plano hecho de cáñamo amarillo y relleno de hierbas secas, probablemente para repeler a las polillas. Debajo de los sombreros había otros dos tocados muy extraños, pequeños y redondos, que parecían dos cazos y se ajustaban perfectos a las cabezas de Martha y Helene. En la base del baúl, envueltos en un pesado terciopelo de color verde musgo, había una *menorah* y un extraño pez. El pez estaba formado por dos cuernos tallados de distinto color que encajaban perfectamente entre sí. Pudiera ser que las cuencas de los ojos del pez, de cuerno claro taraceado en otro más oscuro, hubiesen llevado engastadas piedras preciosas, al menos así lo creía Martha. Dentro del cuerpo del pez, en el hueco del cuerno, Helene encontró un papel enrollado.

Testamento. Por la presente lego todos mis bienes a mi querida sobrina Selma Steinitz, de casada Würsich, residente en Bautzen. El documento estaba firmado por el tío Herbert. Aún más adentro, en el vientre del pez, se encontraba escondida una fina cadena de oro con diminutas piedras transparentes de color rojo azulado. Rubíes, supuso Martha. A Helene le sorprendió que su hermana supiese de piedras preciosas. Sin querer, Helene dejó que las piedras resbalaran por su mano y las contó, había veintidós.

Guardaremos el pez en la vitrina, dijo Martha. Después se lo quitó a Helene de las manos y abrió el mueble. Metió el pez en uno de los cajones inferiores que no se veían desde fuera. De resultas de un pacto tácito, ni Helene ni Martha preguntaron a su madre qué debían hacer con aquel pez. El verbo guardar posiblemente implicaría un periodo de tiempo igual a la vida de su madre. No le dijeron nada del pez y escondieron los dos modernos sombreros *cloche* en su ropero.

La mañana en la que Martha, con ayuda de Helene, decidió empujar primero y llevar en volandas después el baúl que contenía los demás sombreros, el testamento y la *menorah* hasta la ensombrecida alcoba de su madre, trasladándolo a paso cauteloso de claro en claro, ya que el suelo de la habitación apenas dejaba espacio libre para aquel enorme bulto, Selma levantó la vista sobresaltada. Siguió los movimientos de sus hijas como un animal asustado. Ellas transportaron el baúl sorteando una montaña de telas y vestidos, dos mesas pequeñas llenas de jarrones y ramitas, piedras y cajitas, e innumerables objetos irreconocibles a primera vista, después levantaron el mueble por los aires y, al final, lo dejaron caer a los pies de la cama de su madre. Martha abrió el baúl.

Del tío de Breslau, el sombrerero, dijo alzando ante los ojos de su madre dos grandes sombreros ricamente adornados con botonería de strass, piedras y perlas.

Del tío Herbert, de Breslau, insistió Helene.

La madre asintió con vehemencia y se apresuró a mirar hacia la puerta, luego hacia la ventana y de nuevo a Helene, de modo que las niñas no supieron con certeza si su madre las había entendido.

No abráis las cortinas, espetó Selma a Helene.

Cuando Helene puso la *menorah* sobre el alféizar, junto al otro candelabro más pequeño, la madre resopló con desdén. Su *menorah* había estado prendida por última vez el día que murió su marido; en aquella ocasión sólo había encendido seis brazos, y cuando Helene le preguntó por qué había dejado apagada justo la vela del medio, la madre le había susurrado con voz átona que el aquí ya no existía, ¿o es que la niña no se había dado cuenta? Helene abrió la ventana y, de repente, oyó una risita a sus espaldas. Su madre estaba aspirando aire, algo debía de parecerle tremendamente divertido.

¿Madre? Helene lo intentó primero dirigiéndose a ella, había días en los que cualquier pregunta que se formulara era del todo en vano. Selma soltó una risita. ¿Madre?

De pronto, la madre enmudeció. ¿Y quién si no?, preguntó mientras soltaba otra risita.

Martha, que ya estaba bajando las escaleras, llamó a Helene, pero cuando ésta hubo alcanzado la puerta, la madre empezó de nuevo.

¿Acaso crees que ignoro por qué abres la ventana? Siempre que entras en mi habitación la abres sin preguntar.

Sólo quería...

Tú es que no piensas, niña. ¿Crees que mi cuarto apesta? Ah, sí, ¿es eso lo que quieres demostrarme, que apesto? ¿Quieres que te cuente un secreto, tontaina? La edad es algo que llega, también a ti se te echará encima, y hace que los seres se descompongan. Sí, basta con mirar atentamente, también tú te pudrirás algún día. ¡Buhh! La madre se puso de rodillas sobre la cama y empezó a balancearse, a punto de caerse de cabeza. Mientras tanto se reía, era una risa gutural que hacía daño a

Helene. Y te revelaré otro secreto: si no entras en la habitación, no apestará. Así de fácil, ija! La madre continuó riéndose, ya no con maldad, sino despreocupada, aliviada. Helene se quedó de pie dubitativa. Trató de reflexionar sobre el sentido de aquellas palabras. ¿Qué ocurre? ¡Lárgate! ¿O es que quieres que siga apestando?

Helene se marchó.

¡Y cierra la puerta cuando salgas!, oyó decir a su madre.

Helene cerró la puerta. Al bajar la escalera puso la mano sobre la barandilla y ésta le resultó algo íntimo; el hecho de que aquella barandilla la condujese con seguridad a la planta baja le produjo una sensación que rayaba en la felicidad.

Una vez abajo, Helene se encontró a Martha sentada en la butaca de su padre mientras ayudaba a Mariechen a remendar la ropa de cama.

Helene y Martha agradecieron a la tía Fanny su labor mediadora en una larga carta llena de prolijas descripciones meteorológicas y relatos de la vida cotidiana en aquella ciudad de provincias. Le contaron que en el jardín trasero habían sembrado una segunda tanda de canónigos, al día siguiente les tocaba proteger las coles para que resistieran el paso del invierno. En los tiempos que corrían, nadie consideraba obligatorio ocuparse además de mantener un jardín de flores, pero para ellas era algo verdaderamente importante. Por más que hubiese aumentado de forma terrible la tasa del agua, durante el verano habían logrado que no se agostara el arriate que se encontraba delante de la casa. El final del estío exigía mucho trabajo al aire libre. Helene ya había cortado y quemado todos los restos de pétalos de rosa. Además habían preparado una mezcla de cobre para combatir el óxido y otra de cal y azufre para rociarla contra el mildiu. El aster florecía esplendoroso. Sólo albergaban ciertas dudas respecto a los bulbos. Mariechen les aconsejaba plantar ya los de las escilas y los narcisos, los tulipanes y los jacintos, pero el año anterior muchos de aquellos bulbos plantados tan temprano se habían helado durante el invierno. Los canónigos y las espinacas les gustaban mucho, así que habían sembrado grandes cantidades para el invierno, si bien no podían prever cuándo mejoraría la situación general. Por último le contaron que habían utilizado una pequeña prensa que estaba en el taller cubierta con una funda, pero que aún funcionaba perfectamente, a fin de imprimir pequeños calendarios para el año próximo que coloreaban a mano cada tarde. Tenían puestas muchas esperanzas en sacar algún rendimiento de ellos en las distintas ferias, o a más tardar en invierno, en el mercadillo navideño. Por fortuna este último mercado estaba reservado a los comerciantes locales, pues los campesinos llegados de las montañas solían reventar los precios. Cada cual tenía que buscarse la vida. El día anterior acababan de diseñar un pequeño almanaque con proverbios rurales y máximas ingeniosas. A la gente de provincias le gustaba que le recordasen sus virtudes y sus obligaciones ante Dios; en opinión de Helene, el consenso reinante en torno a estas cuestiones era lo que engendraba allí, en la región de Lausitz, un sentimiento de pertenencia, consuelo y entereza. ¿Y acaso había algo más importante en los tiempos que corrían que el optimismo y la esperanza? Preguntaban a su tía qué opinaba de las siguientes recomendaciones: El trabajo y la mesura son la mejor medicina; el trabajo despierta el apetito y la mesura impide satisfacerlo en demasía. Parecía mentira cuán a menudo confundían las personas la educación y las buenas costumbres con la etiqueta. Les costaba menos perdonar una chiquillada que una violación de las normas habituales de comportamiento en sociedad. La mejor manera de corromper a un joven es inducirle a tener en más estima a los que piensan como él que a los que piensan distinto. No hay mejor forma de malograr un buen propósito que hablando de él.

Con tales frases Martha y Helene creían expandir sus graciosas almas hacia el cielo berlinés, y lo que más ansiaban era que aquellas líneas acertasen de lleno en el corazón de su tía. Un espíritu cultivado sabe acompasar el tono propio al de cualquier otra persona, de modo que ambos produzcan un acorde armonioso, ¿no es cierto, estimada tía Fanny? En este sentido usted es un ejemplo sagrado para nosotras.

Línea tras línea, Helene y Martha se esforzaban en mostrarse ante su tía a gusto con su independencia al tiempo que agradecidas. ¡Qué alegría! Tal aseveración le parecía a Helene demasiado hermosa como para no escribirla. Martha, por el contrario, consideraba semejante exclamación una mentira y una humillación frente al agotamiento que se apoderaba de ella cuando pensaba en la vida que llevaban en Bautzen. La delgada línea que separaba orgullo y humildad en el tono les parecía el auténtico desafío de aquella carta.

Un ejemplo sagrado..., dijo Martha dubitativa, eso podría malinterpretarlo.

¿Por qué?

Porque puede pensar que nos estamos riendo de ella. Igual se considera de todo menos sagrada y no tiene ninguna intención de ser un ejemplo para nadie.

¿Ah, no? Helene escrutó a Martha con la mirada. Pues entonces al menos que se ría. Tenemos que escribir esta frase, de lo contrario nunca llegaremos a conocerla.

Martha negó con la cabeza, pensativa.

Sólo al cabo de unas cuantas horas lograron pasar a limpio la carta, cosa que tuvo que hacer Helene, ya que la caligrafía de Martha últimamente era temblorosa y se torcía. Ella decía que le pasaba algo en el ojo, pero Helene no la creía. Escribió la parte del ejemplo sagrado y, en la última frase, preguntó de forma educada a su tía si no tenía intención de visitar Bautzen.

Cuando al cabo de los días y de una semana y de dos seguía sin llegar respuesta, Helene comenzó a impacientarse.

Era evidente que a los ojos de Martha no les pasaba nada. Cuando salían de paseo y Helene señalaba un perro situado a lo lejos, color canela, parecido al viejo perro de su padre, aquel que había desaparecido el día en que él se había marchado al frente, o apuntaba a una flor diminuta al borde del camino, Martha no tenía dificultad alguna en distinguir claramente lo uno y lo otro. Helene intuía que tanto la letra de Martha, sólo en ocasiones descuidada, como sus repentinos despistes puntuales guardaban cierta relación con la jeringuilla que durante los últimos meses solía estar al borde del lavabo, donde Martha sin duda la había dejado olvidada. Por más que Helene estuviese acostumbrada a manipular jeringuillas ahora que trabajaba en el hospital, cuando veía aquel instrumento en el lavabo de casa se le hacía un nudo en la garganta. Toda ella se agarrotaba al ver la jeringuilla sin querer verla. Las primeras veces se asustaba y se avergonzaba tanto de Martha que quería hacer desaparecer la jeringuilla antes de que Mariechen la encontrara o la propia Martha descubriese las consecuencias de su descuido. Sin embargo, si la jeringuilla desaparecía, sí que se darían cuenta y guardar silencio sería imposible.

Con el tiempo, Helene se hizo a la idea de que Martha tenía por costumbre utilizar la jeringuilla a diario. Helene nunca le preguntó al respecto. Por otra parte, la pregunta tampoco es que estuviera justificada, pues Helene ya sabía que, desde la muerte de su padre y la marcha de Leontine, Martha solía inyectarse pequeñas cantidades de ciertas sustancias, puede que morfina, cocaína tal vez.

Desde que había fallecido su padre, eran sobre todo las cartas de la tía Fanny las que hacían que Helene albergase esperanzas de que existiese una vida aún desconocida, más allá de los límites de Bautzen. Las imágenes que Helene había visto de Berlín le bastaban para sentirse fascinada ante las múltiples caras de aquella ciudad. ¿Acaso Berlín, con sus elegantes mujeres, no era el París del Este, el Londres continental de noches interminables?

Sin embargo, la tía Fanny permaneció en silencio todo el

mes de octubre, sin responder a aquella prolija y espléndida carta que un día le dedicaran Martha y Helene. A comienzos de noviembre, Helene no pudo resistir más la espera y volvió a escribir. Esperaba que a la tía no le hubiese ocurrido nada. Sea como fuere, allí en Bautzen le estaban verdaderamente más que agradecidas por su mediación para contactar con los parientes del testador de Breslau. ¿Había recibido la última carta? La vida en Bautzen seguía su curso. Tras superar los exámenes —Helene subrayó la palabra «brillantez»— en septiembre había empezado a trabajar en la sección de cirugía del hospital. Desde entonces ganaba un poco más, pero sobre todo le ilusionaban las tareas que le iban encomendando. Martha le quitó a Helene la pluma de la mano y añadió, con su letra garabatosa, que Helene estaba ganándose el puesto de la enfermera Leontine, una amiga que se había mudado a Berlín hacía dos años. Debido a su extraordinario talento, el catedrático de cirugía cada vez requería con más frecuencia la presencia de Helene cuando, en una operación complicada, precisaba la ayuda de alguien con una capacidad de concentración excepcional y manos firmes. Helene quiso tachar las frases de Martha, había algo en ellas que le parecía jactancioso e irreverente. Pero Martha dijo que el mayor error que podía cometer Helene era ocultar sus capacidades y acabar en los brazos de un hombre mendigando como una pordiosera. Martha tendió la pluma a Helene.

No lo dirás en serio... A Helene le habría gustado que Martha dejara de provocarla de aquella manera tan suya. Helene tomó la pluma y siguió escribiendo.

Gracias a la herencia del tío, los cuidados de su madre quedaban asegurados a partir de entonces. La tía Fanny estaba cordialmente invitada y era bienvenida en cualquier momento. Con los mejores deseos y la esperanza de prontas noticias.

Helene dudó si disculparse por la profusa descripción de la economía doméstica que contenía la carta anterior. Al fin y al cabo, tales disquisiciones podían haber aburrido a la tía o haberle causado rechazo. Helene no quiso aceptar que lo del ejemplo sagrado hubiese resultado ofensivo. A lo mejor le había parecido una desfachatez que sus dos sobrinas protestantes de aquel poblacho de Lausitz la hubiesen elevado a la categoría de ejemplo...

Pasaron semanas. Hasta poco antes de Navidad no llegó la anhelada carta. Era más extensa que las anteriores y parecía haber sido escrita con más premura, la letra apretujada apenas se podía descifrar. Tenía un montón de cosas que hacer con motivo de las fiestas, los hijos de su primo estaban muy ilusionados con la celebración de la *Januká* y quería comprarles algún regalito, hasta su amante contaba con recibir algún detalle. Menuda sorpresa se iba a llevar. Esperaba visita de los primos de Viena y Amberes con toda la parentela. Precisamente ese día estaba ocupadísima, pues tenía previsto fijar con su nueva cocinera el menú de las fechas señaladas. La cocinera aún estaba un poco verde, era joven e inexperta, así que a menudo ella misma tenía que echarle una mano cuando preparaba la comida, lo cual no le disgustaba, al fin y al cabo le gustaba guisar y no le agradaba la gran cantidad de harina con la que su antigua cocinera, por fin retirada, solía engordar cualquier tipo de salsa convirtiéndola en papilla. Cuanto más vieja se hacía la cocinera, más espesas eran sus salsas; además los grumos se multiplicaban, ya fuese porque no los distinguiera debido a su escasa vista, ya porque dejara que se formasen a propósito. ¿O tal vez porque estaba harta de trabajar? O puede que por desprecio hacia su marido, que hasta el final de sus días la había obligado a trabajar a ella sola esgrimiendo como pretexto la manga que le colgaba para explotar las habilidades de su mujer. Fanny sospechaba que la vieja cocinera echaba leche o nata en la cazuela, aunque ella se lo había prohibido de forma expresa en varias ocasiones. No es que ella fuese a fingir afirmando que seguían las antiguas recetas; pero no, no le gustaban esos engrudos lechosos. Lo que más le había molestado últimamente,

más incluso que los grumos, habían sido los continuos impro-
perios sobre el holgazán de su marido, eso había sido el colmo, teniendo en cuenta que las salsas ya ni siquiera merecían
semejante apelativo. Y al final, hasta los trozos del fricasé se
quedaban tiesos en mitad de aquella papilla harinosa, sin que
fuese posible saborear una pizca de laurel ni de limón. Aquello era pudin de carne, ¡simplemente asqueroso!

A Helene y Martha no les quedó más remedio que echarse
a reír cuando tuvieron en sus manos la tan ansiada carta. Allí
estaba desplegado ante ellas todo un mundo; debieron de leer
cada frase varias veces.

Se preguntaron si aquellos primos de Viena y Amberes también serían parientes suyos; su mención y el hecho de que la
tía Fanny no aludiese a un esposo en ninguna de sus cartas daban pie a tal suposición. Martha y Helene se incorporaron levemente. Estaban sentadas en el poyete de la chimenea para calentarse la espalda. Aquella carta les parecía una telaraña que
abarcaba todo el globo terráqueo, la tía Fanny era su confidente
y la conocedora de ese mundo, por no decir que ella misma
era ese mundo. En la posdata añadía que, en un futuro próximo, era de verdad improbable que su camino la condujese hacia Lausitz, pero en la segunda posdata decía que las niñas podían ir a Berlín de visita perfectamente, incluso por un periodo
de tiempo más largo. Adjuntos encontrarían dos billetes de ferrocarril en primera clase de Dresde a Berlín. Si estaba en lo
cierto, Dresde sería la estación principal más cercana. Como no
tenía hijos, en su casa había espacio suficiente. Seguro que en
Berlín habría trabajo para las dos. Le encantaría ayudarlas a
convertirse en mujeres de provecho.

Helene y Martha se miraron. Negaron con la cabeza mientras se reían. Si desde hacía dos años, tras la muerte de su padre, habían creído que su vida a partir de entonces consistiría
en trabajar en el hospital y envejecer en Bautzen junto a su madre, cada vez más perturbada, aquella carta marcaba el inicio

de un futuro con el que merecía la pena soñar en serio. Helene tomó a Martha de la mano y le secó una lágrima del rostro. Se quedó observando a su hermana, mayor en todos los sentidos, a la que siempre había admirado por su actitud de aparente recato; la dulzura con la que alzaba la mirada era la imagen perfecta de la pureza, y sin embargo su encanto estaba impregnado de los besos que Helene había visto que compartían Martha y Leontine. Helene conocía bien la apariencia de la virtud femenina, pureza, decencia y recato, no había mejores cualidades que una muchacha pudiera ofrecer, en eso consistía ser una señorita; sin embargo, aquella carta denotaba algo distinto que, en ese momento, despertó el deseo de Helene. Besó a su hermana mayor en el lóbulo de la oreja, lo succionó con fruición, y con cuanto más desenfreno resbalaban las lágrimas calientes por las mejillas de Martha, con más ímpetu chupaba Helene, como si esa succión y los regueros de lágrimas saladas de su hermana fuesen la única manera de no ver cómo lloraba y de no tener que pensar ni decir nada. Helene y Martha permanecieron sentadas una junto a otra durante un periodo incierto, rostro contra rostro. Sólo al cabo de un rato volvieron a acosarlas los pensamientos. El llanto de Martha, el alivio del que era fruto y lo caracterizaba, permitió a Helene intuir la magnitud del sufrimiento de su hermana. ¿Acaso Martha no llevaba dos años escribiéndose románticas cartas con su amiga del lejano Berlín, quien, aunque infeliz en su matrimonio, disfrutaba de todos los teatros y clubes que había en la ciudad? Apenas hacía unos días que Helene, mientras aguardaba la carta de la tía Fanny aún llena de esperanza e incertidumbre, no había podido resistirlo y había sustraído una carta dirigida a Martha. Era de Leontine y procedía de Berlín. Helene había aprovechado que Martha tenía turno de tarde en el hospital para abrir hábilmente el sobre colocándolo sobre el hervidor humeante. Mi dulce amiga, así comenzaba Leontine. Soy incapaz de expresar cuánto te echo de menos. La universidad rara vez exige estudiar hasta bien entrada la noche. En el Departamento de Patología ya estoy impartiendo seminarios a los estudiantes más jóvenes. Pero los fines de semana son para mí. Ayer fuimos a bailar. Antonie trajo a su amiga Hedwig. Les mostré mi nuevo atuendo con toda naturalidad, se lo he quitado a Lorenz. Mis amigas se alborozaron, pero yo sólo me pongo el pantalón en casa. Me he hecho un vestido nuevo para nuestras salidas. También Antonie llevaba un modelo encantador, un vestido corto de color crema admirable que las dos elogiamos. ¡Por la rodilla! ¡Y de talle suelto! Con él puesto bailaba sencillamente de maravilla y disfrutaba haciéndonos perder la cabeza. ¿Hay algo más excitante que la insinuación de un talle y una cintura, cuando todo el corte del vestido parece indicar que no existen? En el escote florecía una peonía de seda. Nos peleábamos por bailar con ella. Mi hermosa y gran amiga, ¡no podía dejar de pensar en ti! ¿Recuerdas cuando nos pasábamos media noche bailando en el desván? Mi dulce y preciosa niña, ¡cuánto me acuerdo de ti! Me parte el corazón saber que estas navidades tampoco podré ir a verte. Lorenz no quiere ni oír hablar de ello. Dice que sería un gasto inútil; al fin y al cabo, mi padre se encuentra muy bien viviendo con la familia de mi hermana Mimi y allí nadie me echa de menos. Lorenz siempre procura tener razón. No dice nada susceptible de la más mínima duda. Créeme, debería haber sido jurista. En los tribunales habrían disfrutado con él. Es en la convivencia normal donde esa forma tan recta de ver el mundo con ojillos de reptil no gusta tanto. Te puedes imaginar cuánto me irritan sus afirmaciones; podría llevarle la contraria continuamente, pero, llegado el momento, sus palabras me son de pronto indiferentes, cada vez con más frecuencia salgo sin responderle de la habitación y, en el mejor de los casos, de casa. Le encanta tener la última palabra y cada vez más a menudo se queda solo con ella. No sé si eso le satisface. Por suerte nos vemos poco. Él duerme en la biblioteca. Todas las mañanas me quejo de que sus ronquidos se oyen por toda la casa. Nada más lejos de la verdad. A ti sí te lo puedo decir: ronca tan poco como tú o yo, pero prefiero que duerma en la otra punta de la casa y que coincidamos lo menos posible. Esta noche voy al teatro con Antonie. El cine Terra que se encontraba en la parte de arriba de la Hardenbergstrasse ha cerrado, y en su lugar abrió en octubre un teatro. El éxito de la obra *Miss Sara Sampson* resuena en toda la ciudad y Lucie Höflich en el papel de Marwood debe de estar sencillamente maravillosa. Pero qué te estoy contando, corazón mío, si tú jamás la has visto. ¡Lo que daría por ir contigo al teatro esta noche! No estés celosa, tú no, dulce amor mío. Antonie se casará en abril y dice estar ya muy enamorada. Una vez vi de lejos a su prometido, no me pareció distinguido precisamente, sino más bien un tipo rudo, ¡y esparrancado! El polo opuesto a la delicadeza de Antonie. ¿Cómo le ha ido a Helene con los exámenes? Saluda a la pequeñaja de mi parte, un abrazo y un beso para ti, siempre tuyo, Leo.

Faltaba el rabillo de la «a» en «tuya» y como mínimo todo un trazo de tinta para tener el nombre completo, pero sin duda alguna era la letra de Leontine. Helene había procurado que no se le notara que había leído la carta que había escrito Leontine a Martha, pero unos días después, en el momento en el que estuvieron sentadas ante la carta de la tía Fanny, rostro contra rostro, y Martha se puso a llorar y un instante después se echó a reír de alegría por la invitación, Helene tuvo la certeza de que lo que más deseaba su hermana era hacer la maleta enseguida y marcharse para siempre a Berlín. Con un billete de tren en primera clase, de Dresde a Berlín. Qué relevancia tendría que Bautzen sí que contase con una estación importante, a la que Helene solía ir a recoger a los colegas de su jefe, médicos y otros catedráticos procedentes de toda Alemania, una estación que en modo alguno podía considerarse de provincias. Desde allí se enviaban además a todo el mundo los coches producidos en la fábrica de vagones de Bautzen, seguro que también a Berlín. Sin embargo, a la tía Fanny no se le podía reprochar que considerase Bautzen un pueblo ante la insospechada generosidad que había mostrado con los billetes de primera clase. ¡Y eso que ni Martha ni Helene habían viajado jamás en tren!

Una tarde de enero, cuando había empezado a oscurecer, el catedrático de cirugía llamó a su despacho a la joven enfermera Helene. Allí le comunicó que en marzo iría una semana a Dresde para reunirse con colegas de la universidad y preparar un libro conjunto sobre los últimos avances en Medicina. Luego le preguntó a Helene si le gustaría acompañarle; en realidad, mal no le haría. No quería hacerle falsas promesas, le dijo a la enfermera que tan sólo tenía quince años, pero lo cierto era que había pensado en ella como futura ayudante. Su agilidad con la máquina de escribir y sus conocimientos de taquigrafía le convencían. Tenía talento y habilidad, así que sería un honor para él llevarla a la reunión de catedráticos. Seguramente no habría viajado nunca en automóvil, ¿verdad? Su mirada solemne confundió a Helene, que sintió cómo se le iba poniendo un nudo en la garganta. No debía temer nada, continuó el catedrático sonriendo, sólo tendría que redactar algún que otro informe; su antigua secretaria ya no podía viajar debido a la hinchazón de las piernas y no toleraba grandes esfuerzos. Helene notó cómo se sonrojaba. Hasta hacía bien poco aquella oferta le habría parecido el reto más hermoso, pero en ese momento tenía otros planes de los que el catedrático, obviamente, nada podía saber.

En marzo nos iremos de la ciudad, las dos, Martha y yo, soltó Helene de repente.

Y al ver que el catedrático la miraba en silencio, como si de ninguna manera entendiese el sentido de lo dicho, Helene buscó más palabras.

Queremos ir a Berlín, allí vive una tía que nos ha ofrecido alojamiento.

En ese momento, el catedrático se levantó y, con el monóculo puesto, se inclinó hacia delante sobre el enorme mapa que colgaba de la pared. ¿Berlín? Era como si no conociese esa ciudad y tuviese que esforzarse para encontrarla en el mapa.

Helene asintió y explicó que su tía les había enviado los billetes de Dresde a Berlín, sólo les faltaba el dinero para el tren de Bautzen a Dresde. Si el señor catedrático tuviese la bondad de..., bueno, de llevarlas hasta Dresde en su automóvil, ella le redactaría gustosa los informes durante la reunión con sus colegas y, una vez concluida la cita, continuarían el viaje en tren hacia Berlín. ¿Sería tan amable de decirme cuándo tendrá lugar el encuentro?

El catedrático no podía compartir del todo la alegría de Helene. No respondió a la pregunta sobre la fecha exacta de la reunión, sino que la previno de actuar precipitadamente. Y cuando Helene le aseguró que en modo alguno se estaban precipitando, más bien al contrario, que Martha y ella llevaban ya algún tiempo sin pensar en otra cosa, él se puso de mal humor.

Las señoritas no debían sobrestimar sus posibilidades, advirtió. Eran hijas de una familia burguesa y protestante, su padre había sido un prestigioso ciudadano de Bautzen. Tenía entendido que su pobre madre estaba sola y necesitada de cuidados. ¿Qué se les había pasado por la cabeza para volver la espalda al seno familiar de forma tan insensata?

Helene balanceaba inquieta los talones. Le recordó que también la enfermera Leontine vivía en Berlín, donde estudiaba Medicina, principalmente gracias a sus recomendaciones. Mas no debió decir eso. Al instante el catedrático montó en cólera y gritó: ¿Gracias a mis recomendaciones? ¡Sois un hatajo de desagradecidas, no tenéis ningún sentido de la decencia! Y de gratitud mejor ni hablar... Era más que evidente que el matrimonio de Leontine no había sido por amor. Él había oído cómo Leontine le decía textualmente a otra enfermera que aquel matrimonio era un buen partido. No una buena cosa, no, ¡un buen partido! ¡Habríase visto, ser capaz de pronunciar tal cosa! ¿Acaso pretendía ridiculizarle a él, darle celos incluso? ¡A la pequeña Leontine tal vez se le había subido demasiado a la cabeza la admiración que le profesaba! ¿Un buen partido? Mucho mejor habría sido para ella permanecer a su lado. ¡Qué esfuerzo tan inútil era permitir que las mujeres estudiaran! A ellas no se les había perdido nada en una profesión que requería tenacidad, fuerza y concentración, y en la que, más aún, el ser humano debía plegarse a grandes exigencias físicas y psíquicas. Las mujeres siempre estarían en segundo lugar, por la sencilla razón de que sólo los mejores del gremio podrían investigar y ejercer. El catedrático se quedó sin aliento. Agudeza de espíritu, de eso se trataba. Empezó a jadear. ¿Por qué entonces debía estudiar una mujer? Leontine había sido una magnífica enfermera, de verdad, excelente. Era una auténtica pena. ¿Quién lo habría dicho? Le parecía una traición absoluta que se hubiese echado al bolsillo su recomendación y se hubiese marchado a Berlín a casarse por interés.

Helene se tapó la cara con las manos. Jamás hubiera imaginado que el catedrático albergase semejante ira contra Leontine. Cada vez que se acordaba de ella ante el resto de enfermeras y médicos, hablaba de su capacidad lleno de respeto y admiración. Cuando contaba que su pequeña enfermera, como él la llamaba, estaba estudiando en Berlín, Helene había creído reconocer cierto orgullo en su voz.

¡No se esconda, Helene!, gritó el catedrático acercando sus manos a las de Helene para retirárselas de la cara, para mirarla a los ojos, pero sus manos le rozaron los pechos, con el dorso y de una forma tan brusca que a Helene le costó suponer que él no se hubiera dado cuenta. En ese instante el catedrático le agarró la cabeza con ambas manos y la levantó de la silla. Le apretaba tan fuerte los oídos que a Helene le dolían. ¿Qué se ha creído, enfermera? ¿Acaso piensa que en algún lugar podría irle mejor que a mi lado, en esta unidad? Le permito sujetarme el instrumental cuando abro cabezas, hasta en la operación de mi esposa le he dejado hacer la sutura. ¿Qué más quiere?

A Helene le hubiese gustado responder a esa pregunta, pero en su cabeza sólo había vacío y silencio.

Entonces el catedrático la soltó y empezó a caminar rápidamente de un lado a otro. Helene notaba cómo los oídos le dolían, le ardían. Desde la primera vez que había presenciado una operación y descubierto las manos del catedrático, que parecían firmes y seguras, casi suaves, como si estuviese tocando un instrumento en lugar de buscar huesos y tendones, arterias y tumores; desde esa primera vez en la que había visto sus manos y observado los movimientos delicados y precisos de cada dedo, ella lo admiraba. Al principio Helene le tenía miedo, a pesar de la admiración y de sus capacidades; más adelante aprendió a estimarlo porque jamás abusaba de ellas para humillar a ninguno de sus colaboradores, porque siempre estaba al servicio de los pacientes y de su arte, el arte de la Medicina. Helene jamás le había oído decir una palabra más alta que otra, ni mucho menos había visto un gesto rudo por su parte. Incluso la vez que tuvieron que trabajar diez horas seguidas, o cuando fueron quince, hasta bien entrada la madrugada, tras el accidente ocurrido en la fábrica de vagones, el catedrático siempre parecía estar inspirado por una serenidad divina que no sólo revelaba cierta seguridad en sí mismo, sino también bondad. En ese momento él giró la lámpara de su escritorio de tal forma que la luz cegó a Helene.

¿Osadía? El catedrático lo preguntó como si estuviese haciendo un historial. Bastante improbable, se respondió a sí mismo. Avanzó un paso hacia Helene y le puso la mano en el mentón.

¿Un acto irreflexivo? Ciertamente, dijo inclinando la cabeza; su voz se dulcificó. ¿Tal vez una estupidez?, preguntó como si estuviese reflexionando sobre la posibilidad de que aquel diagnóstico ayudase a Helene.

Ella bajó la mirada. Discúlpeme.

¿Que la disculpe? La estupidez es lo último que perdonaría. Dígame de forma clara y sincera: ¿qué espera de Berlín, criatura?

Helene miró al suelo, encerado y reluciente. Nosotras…, nosotras…, balbució en busca de palabras que pudiesen expresar más de lo que estaba pensando. La racha que estaban pasando, la inflación. Estimado profesor, la gente iba a manifestarse ante el ayuntamiento para exigir trabajo y comida. También allí, en el hospital, corrían rumores sobre posibles despidos. Ha tenido que oír hablar de ello. En Berlín, Martha y yo tendremos más oportunidades, por favor, compréndalo, oportunidades. Allí podremos trabajar, estudiar… tal vez.

¿Estudiar tal vez? Usted no tiene ni idea de lo que eso significa, criatura. ¿Es consciente de la dedicación que requiere una carrera universitaria, la fortaleza de espíritu, las exigencias? Usted no está a la altura de eso. Siento mucho tener que decírselo tan abiertamente, criatura, pero quiero prevenirla. Sí, debo prevenirla. ¿Y los gastos?, ni se imagina los gastos que ello conlleva. ¿Quién va a mantenerla si se pone a estudiar? Usted no es una presa fácil que pretenda ir por la vida como una ramera.

No, señor catedrático, claro que no. A Helene no se le ocurrió ningún otro argumento. Se sentía avergonzada.

Claro que no, murmuró el catedrático. Tenía los ojos clavados en el rostro grande y chato de Helene, que nada podía ocultar; la mirada de él parecía pesada, la presionaba, ella quiso responder algo, repelerlo, pero en los ojos del profesor distinguió cierto deseo que le hizo desviar la mirada y dar rienda suelta a sus lágrimas. Se sacó el pañuelo de la manga y se secó los ojos con pequeños toques.

Helene. La voz suave del catedrático se enroscaba en su

oído. No llore, criatura. No tiene a nadie, lo sé. Nadie que se ocupe de usted y la proteja como sólo un padre puede hacerlo.

Aquellas palabras hicieron llorar a Helene con más fuerza aún; no quería, pero rompió en sollozos y permitió que el catedrático pusiese la mano sobre su hombro y, acto seguido, la rodease con el brazo.

No llore, por favor, suplicó él. Helene, disculpe mi dureza. Entonces el catedrático la apretó con cuidado contra sí, Helene notó cómo su barba le rozaba el cabello, cómo él bajó la cabeza y apoyó la boca y la nariz sobre su pelo, como si fuesen marido y mujer y una sola carne, marido y mujer. Era la primera vez que tenía a un hombre tan cerca. Olía a tabaco y a vermú y puede que a hombre. Helene percibió la agitación de su pecho, su corazón latía desbocado. Sintió calor y frío y después náuseas. Debía de haberse olvidado de respirar. Por último sólo pudo pensar que él debía soltarla, pues de lo contrario ella tendría que empujarle con todas sus fuerzas, lejos de sí, la reacción lógica de una señorita.

Y él la soltó. De repente. Sin más. Retrocedió un paso y se dio la vuelta. Sin mirarle a la cara dijo con voz seca: Las llevaré a Dresde, Helene, a usted y a su hermana. ¿Dice que ya tienen los billetes para continuar el viaje?

Helene asintió.

El catedrático se situó tras el escritorio y puso la pila de libros de canto.

Por supuesto, le redactaré los informes en Dresde, se apresuró a decir Helene. Su voz sonó baja.

¿Cómo dice? El catedrático la miró interrogante. ¿Informes? Ah, se refiere a eso. No, enfermera Helene, no me redactará ningún informe, ya no.

Durante las semanas siguientes el catedrático rara vez requirió la presencia de Helene en la mesa de operaciones. También dejó de dictarle informes y cartas, y en cualquier cometido que le esperase fuera del quirófano estaba sometida a las estrictas órdenes de la enfermera jefe. Helene desinfectó el instrumental, aseó y dio de comer a los pacientes y vació las chatas. Quitó a los viejos la saburra de la lengua y ungió sus heridas. Como aún no le habían retirado la llave del armario de los medicamentos peligrosos, pudo apartar mínimas cantidades de morfina para Martha. A través de la puerta de dos hojas oía los gritos y gemidos procedentes del paritorio, y los días de sol contemplaba cómo las mujeres mostraban a sus recién nacidos la nieve en el jardín. La unidad de las parturientas estaba sometida al férreo control de las comadronas. Si Helene quisiera quedarse, se habría dirigido a ellas para ofrecerles su ayuda, pero si hubiera querido quedarse, todavía estaría junto a la mesa de operaciones alcanzando el instrumental al catedrático, empuñando la aguja y cosiendo vientres. Helene fregaba los suelos. La ventaja era que desde entonces trabajaba más a menudo con Martha y podían hablar de su futuro en Berlín mientras limpiaban los pasillos. A pesar de las operaciones en las que Helene dejó de participar, especialmente desde que el catedrático había buscado una nueva enfermera para ayudarle, él en ningún momento les hizo dudar del cumplimiento de su promesa. Bastaba con esperar a que llegase marzo y éste a su fin.

Con ayuda del médico adjunto, el catedrático logró sujetar la maleta de las hermanas a la parte trasera de su automóvil. Acto seguido las jóvenes pudieron montar. Durante el viaje el profesor instruyó a las muchachas a voces, obligado por el runrún del motor y el resto de ruidos que emitía el vehículo. En los tiempos que corrían era importante invertir en bienes duraderos. Un automóvil como aquél era justamente lo correcto. ¿Les gustaría probar a conducir?

Por supuesto. Martha sería la primera en ponerse al volante. Al cabo de pocos metros condujo el vehículo derecho a un sembrado. Los surcos aún negros del terreno cedieron en cuanto el automóvil penetró en la tierra. Después se quedó atascado y empezó a echar humo. Los tres tuvieron que bajar. Sobre el agua acumulada en los surcos se había formado una fina capa de hielo que crujía al pisarla. Mientras Martha se frotaba el brazo, el catedrático y Helene empujaron y se apoyaron con todas sus fuerzas contra el automóvil hasta que lograron ponerlo nuevamente en la carretera. Desde ese momento, el catedrático no quiso ni oír hablar de que una de las hermanas condujera.

Antes del mediodía atravesaron el «Milagro azul». El catedrático alabó la magnificencia y genialidad de aquel puente, pero Martha y Helene sólo lograron distinguir, tras la ventanilla, unos travesaños metálicos que se elevaban hacia el cielo y cuyo mítico color azul no era en absoluto comparable con la tonalidad de la corriente. Mucho más esplendoroso les pareció el Elba, que corría bastante crecido. El trayecto a través del barrio de las villas duró más de lo previsto, en una ocasión tuvieron que parar para reponer agua. Luego fue todo muy rápido, los coches de punto les adelantaban, comenzaba a haber tráfico. Helene quería ir a ver el puerto, pero el tiempo apremiaba. El catedrático llevó a las hermanas a la estación central, tal y como había prometido. El reloj de cada torre mostraba una hora distinta; el catedrático estaba seguro de que debían fiarse del que iba diez minutos adelantado. Martha y Helene admiraron las dimensiones del vestíbulo de la estación, tres naves sujetas por arcos de acero. Era la primera vez que veían semejantes arcos para sostener un techo abovedado de cristal. El sol centelleaba entre las nubes grises, iba a llover. Una multitud se apelotonaba ante los suntuosos escaparates de las tiendas y se dirigía hacia uno de los muchos andenes. Una cesta de limones volcó y la gente se agachó tras los frutos rodantes como si el mañana no existiera. También Helene se agachó y se guardó un limón en el bolsillo. Dos muchachos atosigaron a Martha y Helene para que les compraen un ramillete de flores de sauce. Una vieja con un bebé en brazos extendía la mano abierta. Era imposible que fuese su hijo, Helene pensó que la madre habría muerto de fiebre puerperal. Pero ¿cómo se le ocurría pensar en la muerte de una madre? Antes de que las hermanas pudieran darse cuenta, un mozo cargó su equipaje sobre un carrito y les fue abriendo camino al grito de «¡Paso! ¡Paso!». El catedrático advirtió a Marta y a Helene de que en ningún momento debían perder de vista sus bultos ni al mozo del equipaje en mitad de aquel gentío. A pesar de sus negativas, el catedrático insistió en llevar a las hermanas hasta su tren. Las acompañó hasta el andén, hasta el coche portaequipajes, hasta su vagón y, finalmente, hasta sus asientos en el compartimento de primera clase. Con una sonrisa contenida, el catedrático le entregó a Martha un paquetito que le había preparado su esposa por la mañana con algo de comida para el viaje. Salchicha cocida y huevos duros, dijo en voz baja. Como ya había ocurrido durante todo el camino, el catedrático evitó mirar a Helene, pero fue muy amable, estrechó la mano de ambas y bajó del tren. Tal vez aparecería por la ventanilla y les diría adiós desde el andén agitando un pañuelo blanco... Pero no, no volvieron a verlo.

El tren silbó. A duras penas logró salir traqueteando de la estación de Dresde. El retumbar de la locomotora era tan ensordecedor que Helene y Martha no hablaban. Los viajeros aún se agolpaban en el pasillo en busca de sus compartimentos y sus asientos. Helene y Martha llevaban un buen rato sentadas en sus asientos tapizados de terciopelo. Aunque presas de la excitación habían olvidado quitarse el abrigo y los guantes, se inclinaban hacia delante y a un lado para poder mirar por la ventana en todo momento. Tenían la sensación cierta de que con aquellos nobles asientos, aquella ventanilla y aquel tren comenzaba una nueva vida, una vida que ya nada tendría que ver con Bautzen, una vida que les haría olvidar las últimas semanas vividas junto a aquella madre maldiciente y enloquecida. A mano izquierda y a lo lejos las grúas se alzaban hacia el cielo, ciertamente pertenecían al puerto y al astillero que no alcanzaban a ver desde el tren. Seguro que Mariechen atendería muy bien a su madre, Martha y Helene habían prometido al despedirse que le mandarían dinero suficiente cada primero de mes. ¿Para qué si no estaban las rentas de Breslau? Juntas habían decidido que, de momento, Mariechen seguiría viviendo en la Tuchmacherstrasse con su madre. La criada les agradeció la propuesta, probablemente no habría sabido adónde ir a su edad y tras veintisiete años sirviendo a aquella familia.

Pasaron junto a las últimas casas del casco antiguo, el tren avanzaba tan despacio hacia el puente, el Marienbrücke, que podrían haber ido andando, los campos a orillas del Elba estaban todavía más negros que verdes. El río llenaba su lecho y allí, en la ciudad, apenas rebasaba las orillas. Una gabarra cargada de carbón se arrastraba tan lenta contra la corriente que Helene dudó si llegaría hasta Pirna. Volvieron a aparecer casas, calles, plazas, el tren atravesó una pequeña estación. Transcurrió un buen rato hasta que dejaron atrás los edificios de la ciudad y también las casitas bajas y los jardines de los suburbios. Helene creyó reconocer a lo lejos las estribaciones de las montañas de Lausitz; una alegre excitación y una sensación de alivio se apoderaron de ella cuando también esos montes desaparecieron de su vista y el tren, por fin, resolló entre un paisaje de vegas, bosques y campiña. La niebla flotaba sobre las tierras de labor que dejaban a su paso, apenas un poco de verde anunciaba la incipiente primavera, sólo el sol brillaba una y otra vez entre la alfombra de bruma.

A Helene le pareció que llevaban semanas de viaje. Abrió el paquetito de la esposa del catedrático y se lo ofreció a Martha. Se comieron los panecillos con aquello que llamaban salchicha cocida pero que sabía a morcilla y tenía además la fina consistencia de la sangre coagulada; devoraron los panecillos con aquella masa rojinegra como si llevasen años sin probar bocado y les gustase el sabor de la morcilla. La acompañaron con el té que habían traído en una botella cubierta de mimbre. Más tarde notaron el cansancio, los ojos se les cerraron antes de que el tren hiciera la siguiente parada.

Cuando se despertaron, los viajeros ya estaban apostados junto a las ventanillas y en el pasillo. La entrada a la ciudad, y poco después a la estación, la Anhalter Bahnhof, despertaban en ellos leves exclamaciones de admiración. ¿Cómo imaginar Berlín, sus dimensiones, los muchos transeúntes, las bicicletas, los coches de punto y los automóviles? Aunque tras su paso por la estación de Dresde Martha y Helene se habían creído muy bien pertrechadas para enfrentarse a la metrópoli, en ese momento se sujetaron mutuamente las manos, frías y sudorosas. Por las ventanas abiertas penetraba un ruido ensordecedor procedente del vestíbulo de la estación. Los pasajeros salían de los compartimentos apretujándose por el pasillo en dirección a las puertas; Helene oyó desde fuera las voces y silbidos de los mozos de equipaje, que ya desde el andén ofrecían a gritos sus servicios. El pánico se apoderó de las muchachas, que temieron no lograr salir a tiempo del tren. Martha tropezó al bajar y el abrigo se le enredó de tal forma que medio cayó, medio resbaló desde el último peldaño hasta el andén. Helene no pudo contener la risa y se avergonzó. Apretó la mano en un puño y se mordió el guante. Un instante después se agarró del asidero, alcanzó la mano que amablemente le ofreció un señor de avanzada edad y se apresuró a bajar del tren. Junto con el caballero ayudó a Martha a levantarse. La estación estaba llena de gente, algunos iban a recoger a sus allegados, pero también había muchos comerciantes y mujeres jóvenes que iban y venían ofreciendo todo tipo de cosas, desde un periódico hasta flores, pasando por un limpiabotas; sólo entonces Martha y Helene se dieron cuenta de lo que no tenían. Al tiempo una miró a los pies de la otra y fueron conscientes de lo sucios que tenían los zapatos. Aún llevaban pegado barro del campo sajón, de cuyos surcos habían liberado al automóvil del catedrático. Iban con las manos vacías, y eso que deberían haber pensado en un regalo para la tía Fanny hacía tiempo. ¿No había muerto hacía poco Röntgen, el físico? Helene rebuscó en su memoria a la caza de noticias importantes que hubiese oído recientemente. En el hospital rara vez había aprovechado la oportunidad de leer alguno de los periódicos que dejaban tirados. Al fin y al cabo, ¿qué sabían ellas del devenir del mundo en general y del de Berlín en particular? ¿Un ramillete de campanillas? ¿Eran tulipanes de verdad? Helene nunca había visto unos tulipanes tan grandes y estilizados.

Incapaz de atrapar y retener uno solo de sus efímeros pensamientos —tenían que haberse embarcado en su momento en la imprenta de billetes, pensó, y qué absurdo y, un momento, ¿quién era Cuno?, ¿presidente del Reich o canciller? Y después volvió a recordar aquel nombre tan sonoro: Thyssen y Francia y dinero, dinero, dinero, una imprenta de billetes, ésa habría sido la solución, legal o no–, Helene dijo a Martha, que aún estaba sacudiéndose el abrigo y recogiéndose el cabello bajo el sombrero: Vámonos. Esperaba que su maleta no hubiese desaparecido.

Las hermanas recorrieron juntas y presurosas el andén hasta llegar al vagón portaequipajes. Se había formado una cola. Una y otra vez las muchachas miraban a izquierda y derecha por encima del hombro. En su última carta la tía Fanny les había sugerido que tomaran una jardinera o el tranvía para llegar hasta su casa, en la Achenbachstrasse, pero a pesar de ese consejo, ¿no podía haber ido ella a recogerlas a la estación?

¿Crees que la tía Fanny nos reconocerá?

No le quedará otro remedio. Martha tenía preparado el resguardo del equipaje y ya estaba contando el importe exacto, aunque la cola que tenían delante aún era larga.

En tu caso no será difícil. Helene escrutó a Martha. Te pareces a nuestra madre.

Sólo falta saber si la tía Fanny podrá y querrá darse cuenta de eso. A lo mejor ya ni se acuerda del aspecto de su prima…

No tendrá ninguna fotografía de nuestra madre, ella solamente guarda una anterior a nuestro nacimiento, la de su boda.

¿Guarda? Martha sonrió. Yo diría mejor «guardaba». Al menos yo me he traído esa fotografía. Necesitamos algún recuerdo, ¿no?

¿Un recuerdo? Helene miró a Martha desconcertada. Quiso decir «Yo no», pero se abstuvo.

¿Buscan *ustés* alojamiento? ¿Un hospicio decente, señoritas? Alguien sujetó y tironeó del abrigo de Helene por detrás. ¿O una habitación *regalá*, particular, con patrona? Helene se dio la vuelta. Tras ella había un joven andrajoso.

¿Con agua corriente y luz?, preguntó un segundo muchacho mientras apartaba al otro de un empellón.

Yo tengo algo bueno *pa' ustés*, las casas de huéspedes son una cochambre y los hoteles valen un pico. Vénganse *p'acá*.

Una mujer mayor agarró a Helene del brazo.

¡Suélteme! La voz de Helene sonó de pronto chillona a consecuencia del miedo.

Gracias, muchas gracias, pero no lo necesitamos, dijo Martha en todas direcciones.

Tenemos una tía en Berlín, añadió Helene y acto seguido se cerró el primer botón del abrigo.

Seguro que no se caían bien porque la tía Fanny se creía mejor que ella, dijo Martha al oído de Helene tapándose la boca con la mano. ¡Y tenía razón!

¿Eso piensas? Yo no lo creo. A Helene solía incomodarle que Martha hablase mal de su madre. Por mucho que ella misma también la temiera y se hubiesen peleado, tanto más le asustaba y menos soportaba que Martha manifestase una mala opinión de su madre sin motivo alguno. La mención explícita de lo negativo reportaba a Martha placer, disfrutaba poniendo en evidencia a su madre, un placer que Helene sólo compartía levemente y en contadas ocasiones.

La tía Fanny robaba a nuestra madre, afirmó Helene en ese momento. Se acordaba de que su madre se lo había contado la tarde en la que le habían hablado por vez primera de la correspondencia que mantenían con la tía Fanny.

¿Ah, sí, eso crees?, respondió Martha en tono burlón. ¿Y qué es lo que iba a robarle? ¿Una seta reseca tal vez? Si quieres saber mi opinión, yo creo que se lo ha inventado. A lo mejor fue al revés. La tía Fanny no tendría necesidad de robar, eso es imposible.

Será una dama distinguida, de eso estoy segura. Helene miró hacia delante, la cola había menguado, pero las hermanas se habían distraído tanto con el fervor de la conversación que no habían oído cómo el hombre que estaba junto a la enorme puerta del vagón portaequipajes gritaba en derredor ya por cuarta vez su número, y ahora también sus nombres.

¡Rechazadas las solicitudes de los partidos democráticos! Un muchacho gritaba a voz en cuello agitando impetuosamente un periódico, el montón de ejemplares amenazaba con resbalársele por el brazo. ¡Larga vida a las tropas de asalto del partido nacionalsocialista!

Agua pasada, ironizó otro chico vendedor de periódicos para luego vocear con todas sus fuerzas: ¡Un terremoto! También él gesticulaba con grandes aspavientos, y Helene se preguntó si no se acabaría de inventar la noticia para sacar más beneficio. Lo cierto era que la gente le quitaba los periódicos de las manos. ¡Gran terremoto en China!

¡Y ahora sí, por última vez! ¡Primera clase, Würsich, número cuatrocientos treinta y siete!

¡Aquí! ¡Somos nosotras!, gritó Helene con todas sus fuerzas al tiempo que recorría presurosa los escasos metros que la separaban del hombre que, en ausencia de dueño, se disponía a empujar el armario baúl de Martha y Helene hasta el carro de los bultos no recogidos.

¡Rote Fahne!, gritaba una delgada muchacha que llevaba un carrito de mano lleno de periódicos, *¡Rote Fahne!*

¡Die Vossische!

¡Der Völkische Beobachter! Helene reconoció al muchacho de antes. ¿Cuántos años tendría? ¿Diez? ¿Doce? ¡Continúa la ocupación del Ruhr! ¡No hay carbón para Francia! ¡Terremoto en China! También él anunciaba ahora el terremoto, aunque era poco probable que su periódico se hiciera eco de esa noticia.

¡Compren *Die Weltbühne*, señoras y señores, calentito, *Die Weltbühne!* Un caballero de llamativa estatura, con sombrero, gafas y traje recorría el andén dando zancadas. Aunque hablaba con un acento extraño, por el que Helene enseguida le atribuyó un origen ruso, sus pequeños cuadernos rojos tenían gran aceptación. Al poco de haber pasado junto a Martha y Helene, una elegante dama le compró el último ejemplar.

Cuando alguien por fin gritó *¡Vorwärts!*, *¡Vorwärts!*, *¡Vorwärts!*, Helene tuvo la audacia de sacar un pequeño fajo de billetes del bolsillo del abrigo, donde seguía estando el limón. Los billetes olían a limón. Conocía ese diario y tenía la esperanza de causar una impresión culta y refinada si llegaban a casa de su tía con un periódico bajo el brazo.

Tomaron un coche de punto con muchos asientos, tal vez aquello era lo que la tía Fanny llamaba «jardinera». Los edificios y las columnas publicitarias proyectaban ya largas sombras. En la Schöneberger Ufer el coche se detuvo, era como si el caballo quisiese hacer una reverencia; se arrodilló, las patas delanteras se le desplomaron, un crujido, la madera chascó y el animal cayó de lado sobre los arreos. El cochero dio un respingo. Gritó algo, se bajó y dio unas palmaditas en el cuello al caballo allí tumbado; rodeó el coche, descolgó el cubo del gancho y se alejó sin dar explicaciones. Helene pudo ver cómo se dirigía hasta una bomba de agua, junto a la que tuvo que esperar hasta que otro cochero hubo llenado su cubo y llegó su turno. Las farolas que jalonaban la calle se encendieron. Luz y destellos por todas partes. Cuántas luces, Helene se levantó y se dio la vuelta para mirar. Un automóvil con una divertida cenefa ajedrezada a modo de franja se detuvo a su altura. El conductor preguntó desde la ventanilla si necesitaban ayuda. ¿Un taxi, tal vez? Pero Martha y Helene negaron con la cabeza y se volvieron de nuevo hacia donde estaba su cochero. El taxista no lo dudó un momento. Más adelante, en el cruce, un joven le estaba haciendo señas.

Tal vez deberíamos haber cambiado de transporte, dijo Helene mirando a su alrededor. El cochero regresó con el cubo de agua en la mano. Primero salpicó al caballo, luego lo roció con todo el contenido, pero el animal ni se inmutó. El sol se había puesto, los pájaros aún trinaban, empezó a refrescar.

¿Les *queá ustés* mucho trecho?, fue lo primero que les preguntó el cochero.

Martha y Helene se encogieron de hombros.

Ah, sí. Achenbach. Eso está *mú* lejos, ni en el coche de San Fernando, y menos con el equipaje. El cochero parecía atribulado.

Un guardia se acercó paseando hasta donde estaban. Descargaron la maleta, Martha y Helene también tuvieron que bajar. Llamaron a otro coche para que pasara a recogerlas. El cielo era de color azul noche cuando por fin se hallaron ante la casa de la Achenbachstrasse. La entrada al edificio, de cuatro plantas, estaba iluminada, una ancha escalera de piedra compuesta por cinco peldaños conducía a una elegante puerta de madera y cristal. En la puerta esperaba un criado que les dio la bienvenida y se dirigió al coche para recoger el equipaje. Martha y Helene subieron por la ancha escalera hasta la planta principal. ¿Sería aquello mármol de verdad, mármol italiano?

¡Por fin habéis llegado!, exclamó una mujer de gran estatura extendiendo los brazos hacia Martha y Helene, unos brazos enguantados por encima del codo sobre los que brillaban unos hombros desnudos. Martha apenas vaciló, alcanzó una de las manos que le tendían, se inclinó y la besó.

¡No, por favor, no estamos en palacio! Mis sobrinas. Acto seguido, la tía Fanny se dio la vuelta y su largo chal ondeó ante el rostro de Helene. Algunas de las damas y caballeros allí congregados asintieron en señal de reconocimiento, dirigieron sus copas hacia las hermanas a modo de bienvenida y brindaron por ellas. Las señoras llevaban vestidos de finos tejidos y talle suelto, con cordones y pañuelos alrededor de la cintura, las faldas les llegaban ligeramente por debajo de la rodilla y en los pies calzaban zapatos de tacón y trabilla. Algunas tenían el pelo tan corto como en su día lo llevara Leontine, a la altura del lóbulo de la oreja y aún más corto en la nuca. A una mujer parecía que le habían presionado el cabello sobre la cabeza formando ondas, Helene observó curiosa aquellos peinados preguntándose cómo se harían. Los numerosos cuellos que se erguían desde los hombros, o bien rectos y marcados o en delicado declive, y que siempre conducían a la cabeza de las señoritas, las jóvenes y las damas, como si ésta fuese de pronto el culmen de la creación en lugar de la cintura, que ya había saciado la mirada de todos los asistentes, bastaban para confundir a Helene. Los caballeros vestían elegantes trajes, fumaban en pipa y contemplaban a las hermanas recién llegadas con benevolencia no exenta de deseo. Un señor corpulento miró con amabilidad a Helene, luego deslizó los ojos a lo largo de su cuerpo, por el abrigo entreabierto bajo el que asomaba un vestido que a él no cabía duda de que le parecería anticuado y pueblerino. Con un asentimiento falsamente paternalista se dio la vuelta, tomó una de las copas que ofrecía la señorita de la bandeja y se embarcó en una conversación con una mujer bajita cuya estola de plumas le llegaba hasta las corvas.

¡Qué criaturas tan encantadoras! Una amiga se enganchó del brazo de la tía Fanny; se tambaleaba embriagada hacia Helene embistiendo con la cabeza, como un toro de rizos rojos. Su enorme pecho de lentejuelas destelló al dispararse hacia arriba, poco antes de alcanzar a Helene.

¿Cómo es que nos has ocultado a estos encantadores seres durante tanto tiempo, querida mía?

Lucinde, mis sobrinas.

Un caballero se asomó curioso por encima de los hombros desnudos de la tía Fanny, dirigió su mirada de Helene a Martha y viceversa. Al parecer, los invitados ocupaban hasta el último rincón de la planta principal. La puerta tras de sí aún estaba abierta. Helene se volvió, quería salir corriendo. Entonces notó algo en la pantorrilla y, cuando miró hacia abajo, descubrió un caniche negro como el carbón recién peinado. La visión de aquel perro fue lo que le hizo respirar más tranquila.

Una sirvienta y el criado tomaron las bolsas de las hermanas y las ayudaron a quitarse los abrigos, a Helene le arrebataron el periódico sin mayor consideración y otros dos criados subieron las escaleras con la maleta. Helene corrió unos pocos pasos tras la señorita que se llevaba su abrigo y sacó el limón del bolsillo.

¡Un limón!, ¿no es encantador? El toro de rizos rojos llamado Lucinde dio un chillido lo más bajo que le fue posible.

Rápido, refrescaos y cambiaos de ropa, cenamos dentro de una hora. La tía Fanny estaba radiante. Su rostro, afilado y armonioso, recordaba a un cuadro, tan oscuras eran sus mejillas a causa del colorete, y tales los reflejos verdes y dorados de sus párpados. Sus largas pestañas subían y bajaban como velos negros sobre los grandes ojos del mismo color. Un joven pasó a su lado. Dándoles la espalda a Martha y Helene se detuvo junto a la tía Fanny. La besó en el hombro desnudo, luego le acarició por un instante la mejilla y prosiguió su camino hasta llegar a otra dama que parecía estar aguardándole. Fanny insinuó una palmada distinguida, elegante, grácil. En la mente de Helene se atropellaban las palabras para describir aquella imagen etérea, en la que las largas manos ciertamente se rozaban, pero no emitían sonido alguno. Fantástico. Esta joya que tengo por criada os mostrará cómo va todo. ¿Otta?

Otta, la sirvienta de pelo cano y piel suave, se abrió paso entre el nutrido grupo de invitados y condujo a las hermanas hasta una pequeña habitación situada al final de la vivienda. Olía a flores de color violeta. Allí encontraron preparadas dos camas estrechas; en un recodo que hacía la pared había un lavabo con un gran espejo cuyo marco tenía unos lirios tallados. La luz que desprendían las velas de un candelabro de plata de cinco brazos parecía la de un altar. La sirvienta les indicó dónde se encontraban las toallas, los utensilios para sus menesteres y el ropero. Además el cuarto de baño y el aseo –la sirvienta susurró «con váter»– estaban delante, a la entrada. Luego se disculpó, pues debía atender a otros invitados.

¿Una fiesta? Martha se quedó mirando sorprendida a la puerta que la sirvienta acababa de cerrar tras de sí.

¿Cambiarnos? Helene lanzó el limón hacia la cama y puso los brazos en jarras. Pero ¡si ya llevo puesto mi mejor vestido!

Ella no puede saberlo, ángel mío. No se habrá fijado bien.

¿Has visto sus labios, y cómo iba maquillada?

Es bermellón. Y el pelo, corto y por las orejas, estamos en la ciudad, ángel mío. Mañana te cortaré tu rubia melena, dijo Martha. Después rió nerviosa y abrió la maleta. Revolvió el contenido con las dos manos y suspiró aliviada cuando encontró su bolsita. Dio la espalda a Helene y la vació sobre el lavabo. Helene se sentó con mucho cuidado en una de las camas. Acarició la colcha, era muy suave. Le vino a la cabeza la palabra «cachemir», pero no tenía ni idea de cómo era el cachemir al tacto. Por entre los brazos de Martha, Helene logró ver cómo su hermana abría un pequeño frasco y llenaba la jeringuilla. Las manos le temblaban. Se arremangó un brazo del vestido. Hábilmente se anudó el pañuelo alrededor del brazo y se puso la inyección.

A Helene le sorprendió la naturalidad con la que Martha se mostraba ante ella. Jamás había recurrido antes a la jeringuilla en su presencia. Helene se levantó y se acercó a la ventana, que daba a un sombrío patio con arces, una vara para sacudir alfombras y una pequeña fuente. Los narcisos florecían en pos del anochecer.

¿Por qué ahora?

Martha, a sus espaldas, permaneció en silencio. Continuó inyectándose lentamente el contenido de la jeringuilla en la vena y luego se dejó caer de espaldas sobre la cama.

Ángel mío, ¿existe un momento más bello que éste? Ya hemos llegado. Estamos aquí. Martha se estiró a gusto y extendió un brazo hacia donde se hallaba Helene. Berlín, dijo en voz baja, como si el sonido agonizara y se ahogara de felicidad, somos ahora nosotras.

No digas eso. Helene avanzó un paso hacia la maleta, en el bolsillo de la tapa encontró su cepillo y se soltó el pelo.

El veneno es dulce, ángel mío. No me mires como si estuviera maldita. Me muero, sí, ¿y? Al menos me estará permitido vivir un poco antes, ¿no? Martha soltó una risita que a Helene le recordó fugazmente a la madre que habían dejado abandonada a su locura.

Aún de espaldas, Martha se descalzó empujando el talón del zapato con cada pie, era obvio que ya se había desatado los largos cordones; se desabrochó los botones del vestido y, como si fuese lo más natural, puso una mano sobre su seno desnudo. Su piel era blanca y delgada y fina, tan fina que Helene podía distinguir el brillo de sus arterias.

Helene empezó a cepillarse el cabello. Se sentó junto al lavabo y, con ayuda de la jarra plateada, vertió un poco de agua en la palangana, tomó una pastilla de jabón de extraordinario olor a lavanda del sur y se aseó. Martha suspiraba a cada poco.

¿Por qué no me cantas una canción, ángel mío?

¿Y qué quieres que te cante? La voz de Helene sonó reseca. A pesar de la larga siesta en el tren estaba rendida, y echaba de menos la ilusión y la sensación de felicidad que había imaginado que le invadiría al llegar a Berlín, y que sí había notado en la estación.

¿Me quieres, corazón mío, tesoro mío?

Helene se volvió hacia Martha. A Martha le costaba fijar la vista, los ojos se le iban hacia los lados una y otra vez y parecía que las pupilas lo ocupaban todo hasta el borde de las cuencas.

Martha, ¿quieres que te ayude? Helene observó a su hermana preguntándose si siempre sería así después de cada inyección.

Martha tarareó una melodía que a Helene le resultó vagamente familiar, oscilaba entre *fa* mayor sostenido y *si* bemol menor. ¿Tendrá piano tía Fanny?

Hace siglos que no tocas.

Nunca es demasiado tarde. Martha volvió a reír de forma extraña y dio un chasquido con la lengua, como si le costara tragarse aquella risita. Le dio una arcada. Al momento se incorporó, alcanzó uno de los vasitos rojos que había en la vitrina y escupió en él.

Esto sí que es lujo, una escupidera. Nuestra distinguida tía lo tiene todo previsto.

Martha, ¿qué significa todo esto? Helene juntó toda su melena, la enrolló un poco por los lados y se hizo un recogido. Debemos presentarnos ahí fuera dentro de media hora. ¿Serás capaz? ¿Harás el favor de comportarte?

¿Por qué te preocupas, ángel mío? ¿Acaso no he logrado hacerlo todo, insisto, todo, hasta ahora?

Será mejor que abra la ventana.

Todo, ángel mío, ¿qué otra alternativa me quedaba...? Pero ya estamos aquí, tesoro.

¿Por qué me llamas «tesoro»?, así me llamaba nuestro padre. Puede que Helene quisiera fruncir el ceño, pero sobre su nariz sólo se formaron diminutas y finas arrugas de lo leve que era la inclinación entre su frente redondeada y la nariz, llamativamente pequeña.

Ya lo sé, lo sé. ¿Y acaso ese apelativo cariñoso murió con él, ángel mío?

Helene le alcanzó a Martha un vaso lleno de agua. Bebe, a ver si se te aclaran un poco las ideas.

Ts, ts, ts, aclararse dices, corazón mío. Martha negó con la cabeza. Esto es un despertar, el despertar de la primavera, ángel mío.

Vístete, por favor, yo te ayudo. Antes de que Martha pudiese rechazar la oferta de Helene, ésta ya le estaba abrochando el vestido.

Y yo que creía que ibas a darme un beso, corazón mío. No me has respondido aún. ¿Te acuerdas de la pregunta?

En ese momento Helene se arrodilló delante de Martha para ayudarla a calzarse. Martha volvió a dejarse caer de espaldas sobre la cama y susurró: Ay, corazón, corazón mío, no me dejes sin respuesta.

Cuando Helene hubo atado los cordones de las botas de Martha, le tiró del brazo para que se incorporara. Su largo tronco era muy pesado y se tambaleaba. Volvió a desplomarse hacia atrás.

Mi pie es demasiado ligero para este parquet, sujétamelo, por favor. Helene vio cómo Martha estiraba ambas piernas de forma que sobresalían por el borde de la cama al tiempo que inspiraba profundamente y levantaba los hombros.

¿Puedes levantarte?

Por supuestísimo. En ese momento Martha se incorporó apoyándose en el brazo de Helene y alzó la cabeza, que ya no quedaba tan lejos de la de su hermana. Las palabras salían de sus labios muy afiladas, todas las eses silbaban, sólo los intervalos entre una palabra y otras eran llamativamente largos. Tal vez Martha creyese que debía hablar así para parecer consciente y serena.

Entonces llamaron a la puerta.

¿Sí?, pase. Helene abrió y Otta, la sirvienta, entró dando un pequeño paso hacia un lado y haciendo una reverencia. Llevaba una cofia tan blanca y tan tiesa que era como si aquella noche no hubiese tenido que hacer esfuerzo alguno.

Si puedo ayudar en algo a las señoritas…

Estamos bien, muchas gracias. Helene le quitó a Martha un pelo del vestido. ¿Cómo se dirigirían a las sirvientas en Berlín?

Enseguida oirán el gong y dará comienzo la cena. Si son tan amables de acompañarme y tomar asiento…

Por supuesto que lo somos, dijo Martha con tono solemne para dirigirse a continuación hacia el alargado pasillo pasando con la cabeza bien alta junto a la sirvienta. Apenas se notaba su tambaleo.

Los asientos de la mesa estaban asignados.

En cuanto los invitados ocuparon el lugar que les correspondía dispuestos a compartir la velada, un caballero situado en la cabecera se puso en pie. Llevaba un anillo en cada dedo de la mano, a cual más esplendoroso. *Bonsoir, mes amis, copains et copines, cousin et cousine.* Alzó su copa con elegancia. El cabello engominado reposaba sobre el cuello de su camisa, su blanco rostro parecía maquillado. Rió sonoramente y prosiguió en alemán con acento francés. Tengo el honor de desear larga vida a mi querida prima... Qué digo, dejémonos de mentiras por hoy y rindámonos a otro tipo de vicios, quiero brindar por mi joven amante. ¡Por Fanny! ¡Por nuestra amiga!

Helene miró a su alrededor sorprendida. ¿De verdad se referiría a Fanny, a su tía Fanny? ¿Cómo podía decir que era su joven amante si ella rondaría los cuarenta y cinco y él ni habría cumplido los treinta? Fanny dio las gracias y sonrió con sus ojos negros, sobre los que caían compactas las pestañas. En su cabello destellaron estrellas, entonces se llevó la mano a su largo cuello y fue como si estuviese acariciándose allí mismo, en la mesa, delante de sus invitados. Llevaba el pelo corto y oscuro cubierto por una redecilla salpicada de lo que parecían diamantes. Tal vez sólo fuesen piedras de cristal, pero las llevaba como si fueran diamantes. Las damas y los caballeros alzaron sus copas y brindaron por la tía Fanny *enchanté* y *à votre santé*, *ma chère* y *à mon amie*.

En diagonal y al otro lado de la mesa, Martha se mantenía erguida, los ojos le brillaban, charlaba animadamente con su compañero de mesa, reía alegre una y otra vez y se dejaba rellenar la copa de champán. Helene no la perdía de vista, no quería que ocurriese nada. Martha apenas probó las exquisiteces servidas, primero se dedicó a agujerear el paté y luego a soplar sin cesar sobre el *soufflé*, como si estuviera muy caliente.

De un enorme embudo de color latón salió un crujido, luego un chasquido y después una voz graznó una melodía muy popular: *Dentro de cincuenta años todo habrá pasado*. Cuando se trasladaron de la mesa a la *chaise longue* Martha aceptó agradecida el brazo del hombre que había estado sentado a su lado durante la cena y había escuchado su conversación. Hubo un instante en que a Helene le pareció que Martha estaba llorando, pero en el momento en que Helene se abrió camino hasta ella cruzando la sala, todos rieron y Martha se secó las lágrimas de alegría con el pañuelo que antes se había anudado alrededor del brazo. En el transcurso de la noche Martha aceptó varios cigarrillos y fumó con una boquilla que Helene jamás había visto en sus manos. Más tarde el amante de Fanny, de nombre Bernard pronunciado a la francesa, pidió que encendiesen una pipa. Qué menos podían hacer en honor de la anfitriona que fumar opio. Los amigos aplaudieron.

Cuando Martha gritó en voz más alta «Tía, ¡qué fiesta tan maravillosa!», Helene no dio crédito a lo oído ya que jamás había visto a Martha hablar tan desenvuelta ni reír en semejante compañía, y la tía Fanny respondió desde el otro extremo del enorme y típico salón berlinés gritando entre risas: ¿Cómo que tía? Querida, ¿acaso es ése mi nombre? De golpe me haces sentir cien años mayor. Así que tu tía es una anciana, ¿eh? ¡Fanny, querida, sólo Fanny!

A Helene no le ofrecieron la pipa ni cigarrillos, debía de haberse corrido enseguida la voz de que aún no había cumplido los dieciséis y de que venía de la región de Lausitz. Dos caballeros se ocupaban de atender al pimpollo sirviéndole primero champán y más adelante agua; era evidente que disfrutaban recordándose cada poco que Helene aún era una niña. ¡Menudo pimpollo! Qué forma tan encantadora de apurar el agua de un solo trago. Le preguntaron si siempre tenía tanta sed. Los dos caballeros se divertían mientras Helene se cuidaba de no perder de vista a Martha. Ésta reía a diestro y siniestro y adelantaba los labios en actitud seductora, como si fuese a besar al joven caballero que no se quitaba la gorra. Sin embargo, al momento rodeaba con el brazo a una mujer semidesnuda que llevaba un vestido sin mangas similar al de la tía y cuyos gritos de *oh là là*, tras sobrevolar todas las cabezas, penetraban tan agudos en el oído de Helene que le causaban dolor. *Oh là là*, gritaba sin cesar aquella mujer rodeando esta vez ella a Martha con el brazo mientras Helene pudo ver exactamente cómo, además, le ponía la mano en el hombro y, poco después, la posaba sobre su cintura, hasta que pareció que aquella mujer no estaría dispuesta a soltar a su hermana. ¿Era una pipa lo que fumaba Martha? Tal vez Helene se confundía.

¿Un poco más de agua? Uno de los caballeros se inclinó hacia delante para servirle a Helene de una hermosa botella de cristal.

Bien entrada la noche la reunión se disolvió, pero no para regresar a casa, como en un principio creyó Helene, sino para ir todos juntos a un club nocturno.

Ayuda a mi sobrina con el abrigo, ordenó Fanny con voz aterciopelada a un admirador alto y rubio mientras apuntaba a Martha con la mirada. A Helene le dijo cariñosamente que se sintiese como en casa y le deseó dulces sueños.

Pero a Helene no le resultó fácil soñar, no había manera de conciliar el sueño. Pese a que una vez a solas con el personal de servicio se había retirado *ipso facto* a su habitación, no pudo evitarlo, se quedó allí esperando hasta el amanecer. Cuando la luz mate del alba atravesó las cortinas de color verde liquen, oyó por fin ruidos en la casa. Sonó el cerrojo de la puerta. Unas voces, risas y pasos se acercaron por el largo pasillo. La puerta de su habitación se abrió y alguien empujó a Martha, la cual, medio trastabillando medio haciendo eses, cayó de inmediato en la cama de Helene. La puerta se cerró. Helene oyó cómo fuera, en el pasillo, la tía Fanny se reía con su amante francés y otra amiga, Lucinde tal vez. Helene se levantó, juntó la otra cama con la suya y desvistió a Martha, que sólo podía mover los labios.

Ángel mío, ya hemos llegado. La prenda es un beso. Las puertas del cielo sólo tienes que abrirlas de un empujón, si es que cabes. Martha era incapaz de emitir la más mínima risita, resopló y se quedó dormida. Su cabeza se desplomó hacia un lado.

Helene le puso el camisón, le soltó el pelo y la colocó a su lado. Martha olía a vino y a humo y a un aroma pesado y desconocido, a flores y resina. Helene se abrazó fuertemente a Martha y permaneció con la mirada fija en el crepúsculo matutino mucho después de que su hermana hubiese empezado a roncar con suavidad.

El invierno siguiente trajo mucha nieve. Martha y Helene habían guardado la maleta bajo la cama, muy al fondo, y ni siquiera en Navidad se les había ocurrido hacerla para ir a Bautzen a visitar a su madre. Cada primero de mes llegaba una carta de Mariechen en la que ésta les describía el estado de salud de su madre, hablaba del tiempo y de la economía doméstica. Mientras Fanny disfrutaba de la compañía de Martha llevándola a todos los clubes y revistas, Helene gozaba del silencio de la planta principal. Fanny tenía una biblioteca increíblemente extensa, llena de libros que ella, no cabía duda, no había leído jamás, pero cuya visión le resultaba placentera. Helene pasaba a menudo las noches leyendo en la *chaise longue*. Cuando Fanny y Martha regresaban muy de mañana y entraban por la puerta con el hombre, siempre detrás, a remolque, que hubiesen pescado y veían a Helene, rompían en una carcajada. ¿Fruncía Fanny el ceño? Tal vez no le gustara que Helene leyera sus libros. Criaturita, decía Fanny burlona levantando el índice en señal de amenaza, para estar bella hay que dormir. Más tarde, una vez en la cama, al percibir el humo y el aroma de la noche en Martha, Helene estiraba la mano, dubitativa. Acariciaba la espalda de su hermana y le ponía la mano en la cintura. Con la regular respiración de Martha se quedaba dormida.

Os quiero, les dijo Fanny una mañana mientras tomaban té con pastas de jengibre junto a una mesita baja situada en el porche cubierto de azulejos que tenían pálidas rosas pintadas. El ambiente estaba impregnado de un aroma a bergamota, Fanny tomaba el té con mucho azúcar cande y sin leche. Sobre la mesa, como cada mañana, había un plato con pastel de adormidera que Helene, por temor a abalanzarse sobre la mesa sin permiso e hincarle el diente, aún no había probado. Seguro que el amante de Fanny todavía estaba en la cama, en sus aposentos, como le gustaba decir a ella. Al menos uno de sus amantes. Últimamente solía haber uno nuevo, Erich, alto y rubio. Al igual que Bernard, éste también era unos insignificantes años más joven que Fanny. Ella parecía no haberse decidido aún por uno de los dos, pero rara vez coincidían como invitados. Al igual que Bernard, Erich casi siempre dormía hasta mediodía; sin embargo, mientras Bernard se pasaba el resto del día ocupado apostando en las carreras de caballos o como espectador de carreras al trote, Erich, el alto y rubio, se sentía más atraído por las pistas de tenis de Grunewald y, ahora que era invierno, por las pistas cubiertas. En una ocasión le había preguntado a Helene si quería acompañarlo. Para ello había aguardado el momento oportuno en el que Fanny no estuviese presente y le había puesto la mano en la nuca de forma tan repentina y arrebatada que, desde entonces, Helene temía volver a coincidir con él. Bien era cierto que, en presencia de Fanny, Erich apenas le prestaba atención, pero tanto más la devoraba con la mirada en cuanto Fanny les volvía la espalda. Los cristales del porche estaban empañados, la calefacción aún funcionaba a pleno rendimiento y la nieve de febrero había cuajado sobre los árboles y los tejados.

La puerta se abrió y Otta, la sirvienta, trajo una bandeja con té recién hecho. De Ceilán, dijo poniendo la tetera sobre la mesa. Luego la tapó con una cubretetera de brillo argentino y se excusó.

Os quiero, volvió a susurrar Fanny. Su caniche negro, que respondía al nombre de *Cleo,* que Fanny pronunciaba en inglés y del que afirmaba que procedía de «Cleopatra», meneó su corto rabo, un suave pompón. Su pelo brillaba. Miraba con atención a una joven y después a la otra. Cuando Fanny le lanzaba un pedacito de pastel, él lo alcanzaba al vuelo sin mirarla, como si no esperase ningún mimo y tuviese puesta toda su atención en la conversación. Fanny se limpió la nariz presionando levemente con el pañuelo, solía sorbérsela a menudo, no sólo en invierno.

Vuelvo a tener la nariz irritada, susurró con la mirada perdida y fija en su rodilla, lo mismo que mis sentidos. Queridas niñas, os quiero.

Leontine estaba sentada en el brazo del sillón de madera de Martha y balanceaba impaciente la punta de los pies. Martha se había reencontrado con ella en verano, desde entonces se veían a diario. Leontine dormía cada vez con más frecuencia en la planta principal de la Achenbachstrasse.

Mi amigo dice que sólo tienen un puesto libre. Buscan una enfermera con experiencia. Ésa es Martha. Fanny frunció los labios hacia Helene en señal de lástima y pestañeó para demostrar su sincero pesar. Mi querida Helene, cariño, a ti pronto te encontraremos otra cosa, ya verás.

La semana siguiente Martha ya debía empezar a trabajar en la Exerzierstrasse, al norte de la ciudad. El admirador de Fanny era médico adjunto en la unidad de enfermos terminales del Hospital Judío. Fanny afirmaba que era un hombre anciano y lascivo que había convocado la plaza en función de estas características. La enfermera debía tener entre veinte y treinta años. Así que Martha. Debía tener la edad adecuada, a él le gustaban las mujeres con la edad adecuada. Sólo ésas. Razón por la cual su admiración por Fanny había decaído ligeramente en los últimos años. La sección de moribundos no era plato de gusto por los decrépitos y agonizantes enfermos, por eso la dirección prefería una enfermera más madura. Veintiséis años no era madura precisamente, pero bueno, al fin y al cabo, en comparación con Helene, Martha gozaba de más experiencia, ¿verdad?

Helene se esforzó en componer una expresión humilde. Martha no pudo reprimir un bostezo. Aún llevaba puesta la bata de seda que su tía le había dado recientemente.

Leontine asintió hacia donde estaba Martha: No cabe la menor duda, Martha es la mejor vaciando y llenando recipientes, limpiando y calmando enfermos, dando de comer y poniendo vendas.

Sólo te falta aprender a rezar. Fanny lo decía en serio. Se llevó a Martha a la sinagoga para asistir a las grandes celebraciones; pero Martha, ni siquiera en la catedral de San Pedro, había sido una devota demasiado aplicada.

Martha tomó una pasta de jengibre de la fuente de cristal en forma de flor, estiró el meñique y mordisqueó dubitativa el dulce. Durante los últimos meses, Helene y Martha habían conversado a menudo sobre lo poco que les gustaba ser una carga para su tía y vivir a su costa. Disfrutaban de la vida en común en aquella casa tan grande, pero les gustaría darle algo a la tía y disponer también ellas de su propio dinero. Les resultaba incómodo tener que aceptar las cantidades con las que les obsequiaba Fanny. La herencia de Breslau resultó ser complicada. Las rentas no llegaban con regularidad, el administrador que habían contratado llevaba meses sin dar señales. Martha y Helene no se atrevían a pedirle dinero a su tía para enviarlo después a Bautzen. Cuando llegó una carta en la que Mariechen les pedía ayuda, pues no sabía con qué comprarle a su madre algo de comer, Helene se coló a hurtadillas en la despensa y sustrajo algunas viandas que envió a Bautzen en un paquete. A la par, Martha se había llevado uno de los discos de Fanny y lo había empeñado por un poco de dinero. Un préstamo, así habían decidido denominarlo Martha y Helene hasta que la tía Fanny les había preguntado de pasada si tenían idea de dónde podía estar su disco de Richard Tauber. Helene había sufrido un ataque de tos para no tener que mostrar a Fanny el debido cargo de conciencia. Martha respondió enseguida que se le había caído y se le había roto, pero que no se había atrevido a decírselo. ¿Falso arrepentimiento? La forma en la que Martha alzaba la mirada y la inocencia que reflejaba su semblante resultaban una y otra vez asombrosas. Fanny era generosa de verdad.

Durante los últimos meses Martha y Helene habían ofrecido sus servicios en varios hospitales, sin éxito hasta la fecha. Toda la ciudad parecía estar buscando empleo y quienes lo tenían buscaban uno mejor, con un sueldo más elevado. Los que no tenían trabajo se dedicaban a trapichear, pero las hermanas aún no eran muy duchas en esas lides. En algunas conversaciones se aludía a chanchullos y apuestas, y les insinuaban que sólo las muchachas hermosas podían venderse bien, al menos en las revistas. Lucinde, la amiga de Fanny, trabajaba en uno de esos espectáculos, desnuda, como ella misma se encargaba de pregonar, vestida sólo con su pelo. Los certificados obtenidos por Helene en Bautzen fueron objeto de cierta admiración, pero su edad resultaba disuasoria, era demasiado joven para ocupar un puesto fijo en un hospital.

Lo haré, dijo Martha dejando la pasta mordisqueada en el borde del platillo. Después apoyó la cabeza en Leontine y volvió a taparse la boca con la mano. Fanny observó a Leontine y a Martha, sonrió y se pasó la lengua primero por los dientes y luego por el labio.

Me alegra oír eso. Ya sabéis que sois mis invitadas para siempre si así lo deseáis. Por mí no tenéis obligación de trabajar, ninguna de las dos. Eso lo sabéis, ¿verdad? Fanny miró a su alrededor. Aunque no tenía marido y sus padres habían muerto, al parecer era tan rica y estaba tan sola con su fortuna que podía despreocuparse de los asuntos financieros. A excepción de Leontine, claro, dijo Fanny. ¿A quién no le gustaría tener por fin a una bella mujer como médico de cabecera? Leontine, ¿cuándo te examinas?

En otoño. Pero no os hagáis ilusiones, empezaré a trabajar con el profesor Friedrich en el Hospital de la Charité. Pudiera ser que él intercediese para una posible promoción.

Me decepcionas, querida, yo te veo en un pequeño coche de médico parando delante de mi casa con tu maletín. ¿Y por qué no una consulta?, podrías contratar a jóvenes ayudantes como Erich o Bernard.

Leontine sonrió halagada. Desde que estaba en Berlín su talante, curiosamente, se había suavizado; reía más a menudo, a veces sólo con los ojos, y hasta sus movimientos se asemejaban a los de un gato. Leontine se puso en pie y rodeó la mesa. Tomó la rubia trenza de Helene con ambas manos, como si quisiera pesar el cabello, y después le puso la mano en la cabeza. Helene empezó a sentir calor, no había nada mejor que tener la mano de Leontine en la cabeza.

Los pacientes privados aún no están preparados para confiar en una doctora, dijo Leontine arqueando las cejas a modo de disculpa. Además, no dispongo del dinero necesario.

Por supuesto, no hay razón alguna por la que deban ser ayudantes masculinos, también pueden ser mujeres, Leontine. Como Martha y Helene, por ejemplo. Fanny soltó una risita. Tengo entendido que estás casada con un paleontólogo algo melifluo. Es de suponer que él dispondrá del dinero que necesitas.

¿Lorenz melifluo? Los ojos de Leontine echaron chispas. ¿Y eso quién lo dice? Mi estimado esposo no confía lo suficiente en que me independice profesionalmente. Leontine rió entonces con su vieja risa sarcástica.

¿Cómo no va a ser melifluo si ni siquiera se da cuenta de que su mujer no duerme en casa? Fanny volvió a deslizar la lengua por la hilera superior de dientes y después sobre el labio.

Lorenz es un liberal convencido y, además, sencillamente ha perdido todo interés por mí.

Fanny lanzó a *Cleo*, el caniche, un trozo de pastel de semillas de amapola y se sirvió una copa de brandy. Su mirada recayó entonces sobre Helene. Leontine dice que sabes mecanografía y taquigrafía... La nariz le moqueaba, pero se dio cuenta demasiado tarde. Sólo logró detener el reguero con el pañuelo a la altura del mentón. ¿Llevabas la contabilidad en la imprenta de vuestro padre?

Helene se encogió de hombros. Le pareció que hacía mucho tiempo que había desempeñado aquellas tareas. Su antigua vida quedaba a una distancia considerable, prefería no acordarse de ella. Lo único que practicaba era la ausencia de recuerdos, sólo así, tal y como le había dicho hacía poco a un galán durante una fiesta, podía conservarse la juventud. Helene lo había dicho con una mirada tan inocente que a él no le había quedado más remedio que creerla y darle la razón.

Para Helene los últimos meses en Berlín habían consistido principalmente en leer en la biblioteca de Fanny, pasear y en una secreta preocupación por Martha. A Helene no le gustaba perderla de vista, aunque admiraba la intrepidez con la que Martha y Leontine se colaban en cualquier club de la Bülowstrasse, por muy mala reputación que tuviera. Odiaba las noches en las que le despertaban los jadeos de su hermana y su amiga. Jamás se sentía tan sola como en aquella estrecha cama, aunque a un metro escaso de distancia y en una cama igual de estrecha Martha y Leontine peleasen por recobrar el aliento. Unas veces reían en voz baja, otras hacían una pausa, murmuraban y se preguntaban a voces, de modo que a Helene no le quedaba más remedio que oírlo, si sus susurros la despertarían. Después otra vez los besos, los suspiros, sobre todo de Martha, y el frufrú del edredón. A veces Helene tenía la impresión de sentir el calor que desprendían sus cuerpos.

Ya conoces a mi amigo Clemens, el farmacéutico. Está buscando una ayudante, alguien que sepa mecanografía, sea bonita y amable con los clientes. Podría preguntarle.

Aquí la tenemos, dijo Leontine acariciando el cabello de Helene.

¿Se te ha comido la lengua el gato? Martha arrugó la frente, dubitativa.

Aquí la tenemos, repitió Leontine sin dejar de acariciar el pelo.

Los farmacéuticos guardan secretos, Fanny no susurró, sino que musitó con su voz aterciopelada: los míos, los de Bernard, los de Lucinde, los de media ciudad.

Helene no supo qué responder. A diferencia de Martha, ella no había logrado ganarse el cariño y la confianza de Fanny. Aunque ya llevaban casi un año viviendo con su tía, que les daba sus vestidos y las había introducido en su círculo de amistades, parecía que Fanny consideraba a Helene una niña inocente y que haría todo lo posible para que aquella circunstancia no cambiara. En ocasiones Helene creía reconocer en Fanny cierta reserva. Algunas cosas las hablaba sólo con Martha, ya fuesen cuestiones de vestuario o cotilleos de sociedad. Rara vez había notado tanto Helene los nueve años de diferencia que la separaban de Martha como en presencia de la tía. Por lo general todas las puertas de la planta principal estaban abiertas. Sin embargo, cuando Fanny llamaba a Martha para que se reuniese con ella en una habitación solía cerrar la puerta, y Helene intuía que Fanny sacaba entonces su pequeña caja redonda con cucharita y el polvo blanco que sólo compartía con Martha, con nadie más. Después Helene escuchaba de puntillas y a escondidas y las oía estornudar y suspirar; en esos momentos en los que estaba de puntillas con los pies fríos en aquel pasillo oscuro y tenía el péndulo del blanco reloj de pared inglés con esfera dorada como única compañía, lamentaba haberse ido a Berlín con Martha. Fanny no le había preguntado a Helene ni una sola vez si le gustaría acompañarlas alguna noche.

Sólo cuando Leontine iba con Martha al parque de atracciones de Lunapark, cuyo aspecto ya era algo decadente, Helene podía acompañarlas. Allí se dejaban mecer en la vieja piscina de olas, las cuales ya sólo generaba el viento; charlaban y chapoteaban sin importarles que los señores jóvenes y mayores que holgazaneaban al borde de la piscina las observaran. La piscina de olas era conocida en la ciudad por el sobrenombre de «el estanque de las ninfas» o «el acuario de las pelanduscas», apelativos ambos que a las chicas les parecían una mala forma de expresar las ansias vitales de jóvenes y señores mayores. Las chicas se pagaban ellas mismas la entrada, les gustaban las olas y el tobogán que acababa en el lago. ¿Acaso aquella muestra de independencia no les quitaba a los espectadores masculinos el derecho a sentirse unos chulos o siquiera unos clientes potenciales?

Esta ciudad es pequeña, no os engañéis. Todo el mundo la considera grande porque es una maravillosa pompa de jabón que encierra todas nuestras fantasías. Fanny se encendió uno de sus cigarros ingleses y echó la cabeza hacia atrás. Cada una de vuestras fantásticas pompas la expande, la hace mayor, más irisada, más frágil. ¿Se tambalea? Fanny dio una calada a su fino cigarro. ¿Sube? Exhaló el humo en pequeños aros. ¿Baja? A Fanny le gustó su propia idea, luego su sonrisa desapareció. Será bueno que sepas guardar secretos, Helene. El farmacéutico sabrá valorarlo. Y yo también. Le preguntaré. Fanny asintió, como si tuviese que reforzar sus palabras y armarse de valor. Tomó el último trago de brandy y se limpió cuidadosamente la nariz con el pañuelo. Del rabillo del ojo se desprendió una lágrima. Mis sentidos no me traicionan, niñas, os quiero. Sabéis que no tenéis obligación de trabajar, ¿verdad? ¿Por qué habría de iros a vosotras peor que a Erich y a Bernard? Quedaos conmigo. Llenad mi casa y mi corazón, dijo a todas luces conmovida y emocionada. Helene se preguntó si sería a causa de su soledad o de la idea de tener un gran corazón. Fanny se sonó y acarició el hocico de *Cleo*.

Llamaron a la puerta. Poco después apareció Otta anunciando la llegada de una visita. Es su amigo, Mademoiselle, Herr Baron. Trae varias maletas. ¿Le preparo una habitación?

Oh, ¿cómo he podido olvidarlo? Mi queridísima Otta, sí,

por favor, prepare una habitación, la dorada si puede ser. Nuestro invitado se quedará un tiempo, viene a conocer Berlín. Luego Fanny se dirigió a Martha: Es pintor, un verdadero artista. Abrió como platos sus enrojecidos ojos. En la punta del cigarro se había formado mucha ceniza. Fanny miró a su alrededor buscando algo. Había perdido de vista el cenicero, así que desprendió la ceniza frotando el cigarro contra el plato del pastel. Ha probado en París y ahora viene aquí. Aquí podrá pintar hasta caer muerto. Ojalá bastara con eso... Hoy en día cualquiera pretende crear un movimiento y convertirse en su cabecilla. Fanny se revolvió. Contó que hacía poco había coincidido con un hombre pequeño y alocado que había dado mucho que hablar y que incluso se había hecho un nombre; un artista que rechazaba cualquier tipo de contenido. Sólo le importaba la forma, su existencia como artista, el reconocimiento y, por supuesto, tener seguidores. Había fundado un movimiento y se había proclamado cabecilla. Se lo tomaba muy en serio, cosa que sorprendió a Fanny. Algo en aquel encuentro le había causado una sensación de desagrado duradera, acaso la exigencia de tener un séquito de amantes e idólatras seguidores.

Las chicas levantaron la mirada curiosas, Martha y Helene nunca habían visto de cerca a un barón. Sin embargo, tal y como pronto se puso de manifiesto durante la conversación, aquel invitado no era ningún aristócrata, simplemente se apellidaba Baron, Heinrich Baron.

El tal señor Baron no tenía grandes posesiones, antes al contrario, más bien poco dinero. Lo poco que tenía quería compartirlo con una joven y hermosa muchacha que iba a posar para él y que le permitiría dibujar, dibujar hasta caer muerto. Baron era un hombre pequeño, es decir, de la estatura de Helene. Tenía la frente amplia, el cabello ralo, en el que se insinuaba un comienzo de calva desde la frente hasta la nuca. A Helene le gustaron sus ojos, que con una expresión triste y perdida despertaban fácilmente la confianza y hacían parecer mayor a una muchacha joven como ella.

Aunque a Helene le incomodaba el hecho de que el señor Baron no despegase los ojos de ella, aquel interés prometía ejercer cierta protección frente al gran Erich, que por entonces apenas encontraba ocasión para, mientras Fanny había ido un momento a la cocina a buscar a Otta, y con Martha trabajando en el hospital y *Cleo* con sus ojos atentos y meneando confiadamente el rabo como único testigo, arrinconar con total tranquilidad a Helene en la oscuridad, donde le ponía una mano en el pecho mientras le introducía su gruesa y mojada lengua en la oreja y la movía dando resoplidos. En cuanto Helene, que contenía la respiración aterrorizada y no caía en ponerse a gritar, reconocía que Fanny regresaba de la cocina por el ligero trapalear de *Cleo* y por fin se oían los pasos de su tía, Erich la soltaba tan de repente como la había agarrado y se dirigía hacia Fanny con paso firme. Entonces le proponía que recogiera su raqueta y le acompañase a Grunewald; le habían prestado un automóvil, y con lo que a ella le gustaba ir en coche...

Un día Baron se quitó las gafas, las limpió y se pasó la palma de la mano lentamente por su pronunciada calva. Le preguntó a Helene si le gustaría ganar algo de dinero. Helene se sintió halagada, jamás un pintor le había pedido antes que posara. Luego se avergonzó. Nadie excepto Martha la había visto desnuda.

El pudor es propio de otras chicas, no de bellezas como la suya. Eso fue lo que le dijo el señor Baron en voz alta desde la otra esquina de la habitación la mañana de domingo en la que habían concertado una cita y en la que nadie se había acordado de ir a la iglesia, ni siquiera de pensar en Dios. De esa forma esperaba convencer Baron a Helene para que saliera de detrás del biombo. No tenía que mostrarse de un modo gratuito.

Obtendría algo a cambio. Baron agitó un billete. El hecho de que Helene tuviese unos pechos diminutos le importunó poco, más bien lo consideró una prueba de su juventud. El pelo rubio de la joven le causaba regocijo. Se reía mientras exclamaba lo niña que aún era. Eso le gustaba, así que dibujó y dibujó sin cesar. Helene empezó a cansarse. Al cabo de unas semanas, Baron le dijo que era una hechicera, pues su aspecto cambiaba cada día y le hacía verla de forma distinta. Le decía que cada día le regalaba unos ojos nuevos. Luego le daba las monedas recién acuñadas y los billetes recién impresos, en los que ya no ponía *Rentenmark* sino *Reichsmark*, y que a Helene le parecían el billete de entrada a una vida autónoma.

Durante el día Helene iba a trabajar a la farmacia, donde daba buena muestra de su discreción, y por las noches se desvestía para Baron, para ese supuesto barón que la veía como una hechicera y una niña, y en cuya presencia ella se había sentido por primera vez como una mujer, sensación que se encargaba de ocultarle, pues al fin y al cabo se debía al pudor y a la excitación, y no a la mirada escrutadora con la que Baron se deslizaba en torno a Helene y le pedía que se sentara, que se tumbara, que cerrase ligeramente el brazo y sacase la pierna izquierda un poco más hacia fuera, sí, así; Baron no tardó en sufrir una tendinitis. Helene se acordó del dragón que vivía entre las rocas y se alimentaba de jóvenes vírgenes. Ella no se sentía en absoluto culpable, él despertaba su compasión. Baron ya no podía sostener el carboncillo. Helene tuvo que dejar de desnudarse. Así dejó de ganar el escaso dinero del señor Baron y empezó a pasar más tiempo en la farmacia.

Por las tardes, cuando regresaba del trabajo, Helene traía una cajita de polvo blanco que, sin mediar palabra, dejaba sobre la mesa de noche de Fanny como prueba de su discreción. Del suministro de Martha se encargaba Leontine; aunque a regañadientes, sólo a veces, cuando se presentaba la ocasión, Helene le traía a Martha algo de morfina de la farmacia. Baron esperaba a Helene sentado en la *chaise longue* del salón berlinés con la mirada triste y perdida. A Helene le gustaba que él sólo la mirara y no la tocara. Todas las mujeres de su entorno tenían sus *affaires*. Helene ya no se sentía tan pequeña, pero no lograba decidirse. Le vendaba el brazo a Baron y le ponía frío o calor en el tendón. Él le regaló un ramillete de aster amarillo claro. Ella lo aceptó encantada, y mientras ponía las flores en un jarrón enseguida se imaginó que eran rosas tardías y cómo sería si se las hubiera regalado Clemens, el farmacéutico. Helene deseaba amar a alguien con toda la incondicionalidad y el temor que ello probablemente implicaría. Pero ¿aquello era todo, ese cosquilleo en el estómago y las palpitaciones bajo su pecho? No pudo reprimir una sonrisa. Helene no compartía la idea que tenía Fanny de que Clemens fuese un buen amigo. Aquel farmacéutico macilento, en el que Helene pensaba a menudo cuando tenía un día libre, no miraba a los ojos de Fanny ni a los de ninguna otra mujer más tiempo del necesario. Tampoco estaba pendiente de una sola fémina ni decía una palabra de más. Sólo cuando su esposa, con la cara redonda enrojecida por el frío y sus enormes y brillantes ojos azules, entraba en la farmacia a recoger o preguntar algo junto con dos o tres de sus cinco hijos, la expresión del farmacéutico tomaba forma y él despertaba. Entonces besaba a su esposa y abrazaba a los niños, como si sólo los viese de cuando en cuando.

El farmacéutico no procedía de una familia acomodada, le costaba ganarse el sueldo y debía pagar las deudas contraídas con la farmacia. Durante el día suspiraba por ver a su mujer y a sus hijos. El hecho de que Fanny lo considerase un amigo podía deberse a que ella no se percataba de lo mucho que él necesitaba el dinero. Helene escribía a máquina los pedidos, las cartas y los recibos. El farmacéutico le enseñó qué consistencia debían tener las grasas y los ácidos para mezclarlos, y todo lo necesario sobre las reacciones de las bases, y al final le prestó un grueso volumen para que estudiase en casa. Helene sabía que tales conocimientos podrían serle útiles si tenía la posibilidad de estudiar una carrera en la universidad, así que adquirió todo el saber que le fue ofrecido. Además adoptó la costumbre de prepararle cada tarde al farmacéutico un paquetito con cinco caramelos de hierbas en forma de hoja y, cuando el tarro grande estaba vacío, cogía otros de frambuesa y violeta del tarro pequeño. A sus hijos les hacía ilusión. Helene avanzaba con la contabilidad y mezclaba los ungüentos; una vez echado el cierre se quedaba en la farmacia cuando el farmacéutico corría presuroso a casa para estar con su esposa e hijos. Sustraer sustancias era tarea fácil, al cabo de poco tiempo Helene reconocía las firmas y sellos de los médicos, sabía quién prescribía qué a quién y en qué cantidades del pedido podía añadir un cero. Dos gramos de cocaína se convertían en veinte, pero rara vez uno de morfina se convertía en diez o cien. Ella misma se encargaba de recibir los pedidos y sabía cuándo llegaría el repartidor. Ella ordenaba los tarros y cajitas, confirmaba la recepción y pesaba las distintas sustancias. El farmacéutico sabía que podía confiar en Helene. Delegaba en ella responsabilidad y también trabajo. Cuando Helene pulverizaba los cristales para luego encapsularlos y vertía los líquidos en pequeños frascos, bastaban unas breves indicaciones y una fugaz sonrisa. Con el paso del tiempo Helene fue aumentando sus conocimientos, empezó a mezclar alcohol con valiosos principios activos y a elaborar las bases y los ácidos de las distintas tinturas, de modo que ya no necesitó importunar al farmacéutico con sus dudas.

Sin embargo, la sonrisa de Clemens era demasiado fugaz. Un suave cosquilleo en el estómago y las palpitaciones bajo su pecho no bastaban para encender el fuego de la pasión y no le proporcionaban a Helene la relación amorosa que, en su opinión, le tocaba vivir.

Baron no paraba de agasajarla y la vigilaba con su atenta mirada, pero dejaba pasar cualquier oportunidad, por buena que fuera, de alargar su mano para tocar a Helene.

En una ocasión estaban todos reunidos cuando empezó a anochecer; Martha había puesto la cabeza sobre el regazo de Leontine y se había quedado dormida, Fanny discutía con Erich sobre la continuación de la velada y Helene leía en voz alta la nueva edición de *Rojo y negro*. Baron, sentado en la butaca que estaba junto a Helene, daba pequeños sorbos a una copa de absenta y escuchaba con atención.

Leontine excusó su presencia y la de Martha y se levantó con esfuerzo; Martha se quejó, le dolían los huesos, los nervios y la raíz de sus cabellos, Leontine tuvo que llevarla a la cama medio en brazos, medio a rastras. Apenas abandonaron la habitación, Erich se levantó resuelto. La noche era joven y no por mucho tiempo, ya era hora de que se pusieran en marcha. Fanny lo agarró de la camisa. Erich se la sacudió de encima. Llévame contigo, le suplicó. Se oyó un portazo.

De pronto, Helene se quedó a solas con Baron y siguió leyendo cómo Julien le proponía a Madame Rênal abandonar su casa, cómo supuestamente pretendía salvar el honor de su amada y también el amor de ambos, cómo la dama se ponía en pie, dispuesta a cualquier padecimiento. ¿No era ése el instante en que la distancia entre Baron y Helene se había disuelto por completo, se había diluido? Estimulado por la pasión ajena, que en ese punto parecía desbordar las páginas del libro, Baron tuvo que alargar la mano, pero sólo se movió para colocarla en el brazo de su butaca, entre él y Helene. Con la otra mano agarraba bien la copa, tomó el último trago y volvió a servirse. Helene notó cómo su impaciencia se tornaba en enfado. Interrumpió la lectura.

¿Quieres tomar algo, Helene?

Ella asintió, aunque no quería. Stendhal jamás habría permitido a Julien decir algo tan trivial. Helene dirigió la mirada a la primera página: «La verdad, la amarga verdad». Helene intuía lo que pretendía ese tal Stendhal con la exclamación de Danton. Infatigable, Baron sirvió una copa a Helene, le dedicó un brindis y le preguntó si no quería seguir leyendo. ¿Estaba notando tal vez su vacilación? Dando un largo rodeo empezó a explicar con alegre obstinación que, aunque había estado en Francia y hablaba el idioma con fluidez, jamás en su vida había encontrado el momento para leer aquella novela. Cuán agradecido estaba ahora de que Helene también le mostrase ese mundo. Helene notó cómo le iba venciendo el cansancio y reprimió un bostezo con poco entusiasmo. Una virgen debería ser siempre una virgen ser siempre una virgen ser siempre una virgen. Mientras proseguía la lectura, primero con desgana y al poco con esfuerzo, sus mejillas, hasta hacía un momento aún sonrojadas por la expectación, palidecieron. Un dolor de cabeza empezó a treparle por la nuca. Cuando el reloj de pared del pasillo dio las diez en punto, Helene cerró el libro.

¿No quería seguir leyendo? Baron parecía sorprendido.

No. Helene se levantó; tenía la garganta seca, el sabor de la absenta le produjo una leve náusea. Lo único que quería era irse a la cama, y esperaba que Martha y Leontine ya estuviesen profundamente dormidas en la habitación que compartían.

La primavera pasó en un suspiro, sin evocación ni despertar. En junio, durante la noche más corta, Helene cumplió diecinueve años. Aún no llegaba a los veintiuno, pero a juicio de Fanny y Martha tenía edad suficiente para acompañarlas por primera vez al Ratón Blanco. Fanny le entregó a Helene un estrecho sobre que contenía, escrito con su maravillosa letra ladeada, un vale por un curso en el instituto femenino de la Marburger Strasse. Las clases comenzarían pronto, en septiembre, pero podría compaginarlo bien con su trabajo, pues eran por la noche. Por una inexplicable razón, Fanny había titulado aquel vale «Como prueba de cualificación»; había subrayado el título, que reinaba sobre todo lo demás, y a Helene le pareció que con aquello Fanny pretendía aludir a la invisible fosa que las separaba y que en modo alguno debía quedar cubierta por aquel gesto.

Helene le dio las gracias, pero Fanny se limitó a mirarla con severidad e inició una conversación con Martha sobre el primer certamen de belleza que tendría lugar el próximo año en suelo alemán, concurso al que, en opinión de Fanny, Martha debía presentarse con urgencia.

Si soy un saco de huesos y nervios, a toneladas, dijo Martha agotada.

Bah, qué dices, respondió Fanny, desde fuera se ve de otra forma. Haz el favor de mirarte. Fanny puso su larga mano en la nuca de Martha. Helene tuvo que mirar para otro lado.

Por la tarde, de resultas de un capricho y para conmoción del señor Baron, Leontine cortó el cabello de Helene muy corto, por la oreja, y le raparon ligeramente con la cuchilla el nacimiento del pelo a la altura de la nuca. Helene notaba la cabeza muy ligera.

Como regalo de cumpleaños, dijo Leontine permitiendo que Helene la besara en señal de agradecimiento. ¡Quién le habría dicho a Helene que llegaría a estar tan cerca de aquellos lóbulos tan seductores! ¿Sería capaz de besarlos? Las mejillas de Helene sólo rozaron fugazmente las de Leontine, sus besos volaron por el aire sobre los hombros de Leontine, dos, tres, cuatro, sólo la nariz de Helene acarició las orejas de su amiga. ¿Cómo podría conservar Leontine el aroma de Lausitz hasta la fecha?

Durante el corte de pelo, Baron había estado pasando furtiva y continuamente junto a la puerta abierta del cuarto de baño; bajo pretextos nada creíbles asomaba la cabeza profiriendo todo tipo de lamentos. Era incapaz de mirar, exclamaba mientras se palpaba temeroso con la mano su incipiente calva, que ya apenas podía cubrir. ¡Un pecado, eso es lo que es!

Martha le dio a Helene un vestido de satén y *chiffon* a la altura de la rodilla que ella misma había usado la última temporada y que originalmente había pertenecido a Fanny. Helene ya debería haber alcanzado la estatura adecuada, sí, así era. Sólo que Helene no estaba tan delgada como Fanny o Martha. Leontine no lo dudó, soltó las costuras del vestido y pidió una aguja. En menos de media hora el vestido le quedó a Helene que ni pintado. Con el rabillo del ojo, Helene vio cómo Baron se agachaba para recoger el cabello del suelo. Después se colgó los largos mechones rubios del brazo y desapareció del baño pasando casi inadvertido. Fanny proclamó que se sentía demasiado vieja y demasiado joven para el satén. Pero para Helene aquello era justo lo indicado, dijo sin mirar cuando su sobrina tuvo puesto el vestido. El curso en el instituto y el vestido debían de parecerle la forma más adecuada de librarse de Helene.

La noche avanzaba hacia el verano, el aire era cálido, se levantó algo de viento. ¿Acaso no le inquietaba a Helene el nuevo peinado? Ella se puso el sombrero que enviaron de Breslau a Bautzen junto con el resto de la herencia del tío segundo, un sombrero tipo casquete, semejante a los que por entonces llevaban todas las mujeres, sólo que el suyo era de terciopelo y tenía piedras de cristal.

Fanny iba por delante con Lucinde y Baron, Leontine y Martha se colocaron a ambos lados de Helene y la agarraron del brazo. El aroma de los tilos les llegaba de frente. Helene había sustituido la chaquetilla por un chal transparente de organza. El viento la rodeaba acariciándole el cuello con un suave frescor.

A la entrada del Ratón Blanco había dos personas con el rostro de ese mismo color, y el maquillaje hacía difícil reconocer si se trataba de hombres o mujeres. Los porteros dirigían sin una sonrisa la entrada de los clientes; a los conocidos los saludaban y los extraños eran rechazados. A Fanny la reconocieron, ella pegó la cabeza a la de uno de los porteros, seguro que para decirle que el señor Baron, Lucinde y aquellas jóvenes eran sus acompañantes. El portero no puso objeción y les abrió la puerta con un gesto de bienvenida. El local no era especialmente grande, la gente parecía muy apretada. Al fondo, junto a un escenario, había mesas en las que se veía sentados a los asistentes. Ya había pasado la época en la que la *femme fatale* Anita Berber había presentado allí su famoso *Baile del vicio y del horror*, un espectáculo que ya simplemente se llamaba *La danza macabra;* se decía que ahora actuaba en un escenario de verdad, pero que no lo hacía con mucha frecuencia. No obstante, todos los allí presentes aún la veían sobre aquel escenario. Las miradas se dirigían una y otra vez a las cortinas rojas, como si en cualquier momento ella pudiera aparecer y ponerse a bailar. No les había quedado más remedio que leer cómo a Berber le había robado y abandonado en Viena quien ella más amaba, un hombre que después se había marchado a América, donde supuestamente se había casado con cuatro mujeres en el transcurso de un año. El rumor más reciente decía que, al poco de su regreso, había muerto en Hamburgo.

Sin embargo, en lugar de la Berber pronto se congregaron tres músicos en el escenario: trombón, clarinete y trompeta. Y cuando Helene aún creía que aquellos prolongados sonidos eran fruto del calentamiento de los músicos, algunas personas empezaron a bailar. A Helene la empujaron a través del gentío, Fanny dejó su capa en el guardarropa y le quitó el sombrero a Helene sin su permiso, Lucinde pidió champán y unas copas. Empezaron a cuchichear: ¿No era aquélla la actriz Margo Lion, la que estaba al fondo, en mitad de un ramillete de personas? Baron sólo tenía ojos para Helene, no apartaba la mirada de ella, de su rostro, de sus hombros, de sus manos. Aquellas miradas le producían a Helene un sentimiento de seguridad y desagrado al mismo tiempo. La desnudez de su cuello era seguramente un desafío involuntario, como se decía a sí misma, pero debía de resultar excitante. De pronto notó un aliento sobre su hombro y Baron dijo con una voz delicada, casi chillona, a la que pretendía otorgar un tono festivo: Helene, se te ha resbalado el chal. Helene miró hacia abajo y observó desconcertada a Baron, que aquella noche le pareció aún más bajito que de costumbre. Él volvió a acercar los labios, casi le besó el cuello: Veo la hendidura de tus hombros y me vuelvo loco.

Helene se echó a reír sin poder evitarlo. Alguien le tocó levemente la espalda.

Deberías volver a ponerte el chal, de lo contrario otros hombres se fijarán en ti.

Al parecer, Baron pretendía manifestar su derecho exclusivo a la desnudez de Helene. Ella se dio la vuelta. Allí estaban Fanny y Lucinde, que se habían encontrado con Bernard y un amigo. Fanny instó a sus amigos y a sus sobrinas a que tomaran una copa de la bandeja. Era una suerte que hubiera tanto ruido en aquel lugar. Helene no quiso responderle nada a Baron, dejó caer el chal descuidadamente sobre el pliegue de los codos, también el tintineo de las pestañas postizas le resultaba excitante, y no le importaba que otros hombres viesen la hendidura de sus hombros.

Leontine saludó a un joven y lo presentó, se llamaba Carl Wertheimer. El volumen de la música subió tanto que Leontine tuvo que gritar mientras él se tapaba los oídos. Leontine explicó a voces que era uno de los estudiantes a los que enseñaba patología, uno que se había colado. En realidad estudiaba filosofía y lenguas, latín, griego, pero también literatura contemporánea; al parecer quería ser poeta. El joven lo negó con un firme movimiento de cabeza. Eso jamás. Claro que sí, dijo Leontine entre risas, ella ya le había visto una vez recitando un poema rodeado de otros estudiantes, seguro que era suyo. Carl Wertheimer no sabía por qué le pasaba aquello. Él era un estudiante normal y corriente, y el hecho de que citase a Ovidio o Aristóteles no quería decir que se le pudiera comparar con el afán emulador propio de un adolescente. Por lo demás, en presencia de tan inteligentes damas no tendría el valor de reconocer tales esfuerzos. Leontine le pasó la mano por el pelo como si fuera una hermana mayor, de tal forma que sólo pareciera un muchacho, y Helene lo escrutó con la mirada; ambos tenían los ojos a la misma altura, el delgado cuerpo de Carl se asemejaba al de un jovenzuelo. Tendría la edad de Helene. Por un instante, ella lo miró como si ambos pudieran ser una sola persona, pero Carl aún tenía su atención puesta exclusivamente en Leontine. Era obvio que Carl Wertheimer miraba a Leontine desde abajo, no sólo porque ella pareciese unos pocos centímetros más alta que él, sino también porque admiraría como profesora a aquella extraordinaria mujer, tal vez estuviese un poco enamorado de ella.

Sobre el escenario, otros músicos se sumaron a los primeros, también con trombón, clarinete y trompeta. Las notas se alargaban, el compás se balanceaba y oscilaba. Para sorpresa de Helene, cada vez eran más los que bailaban a su alrededor y pronto apenas pudo distinguir el suelo, el parquet que pisaban vibraba al ritmo de la música. Fanny y Bernard avanzaron con ímpetu, Lucinde tomó de la mano al amigo de Bernard, incluso Martha y Leontine se fundieron con la multitud danzante, sólo Baron retrocedió. Vigilaba la bandeja con las copas que habían dejado atrás y estaba de pie, de espaldas a la pared, sin perder de vista a Helene, aún titubeante. Una mano se posó suavemente sobre el brazo de Helene. Un hombre sin barba le preguntó si quería bailar, le quitó la copa y la llevó consigo. Con una mano sujetaba a Helene, como si tuviese que concentrarse para que la música no la animara a soltarse, primero despacio, luego más rápido, con la otra rozaba como por casualidad sus brazos desnudos mientras bailaban. Nada ni nadie quedaba indemne ante la música, que los atravesaba apoderándose de cada partícula y transformaba en una fracción de segundo el estado de agregación de aquel espacio, hasta hacía un momento fijo y en silencio, en una ebullición que, a ojos de Helene, no sólo hacía vibrar cada molécula y cada órgano, sino que forzaba los límites físicos de los cuerpos y del espacio sin llegar a reventarlos. La música se expandía llenándolo todo con su brillo mate, con delicados destellos, con el rocío de las más selectas melodías que a esas alturas desconocían el sentido de la medida; la música doblaba los cuerpos de los que bailaban, los retorcía, los levantaba como carrizos mecidos por el viento. En una ocasión, el hombre sin barba puso la mano en la cintura de Helene, ella se asustó, pero él sólo trataba de impedir que chocaran con otra pareja. Helene miró a su alrededor y distinguió el cuello de Leontine, su pelo corto y oscuro; después se abrió camino hacia un lado deslizándose entre los cuerpos que se acercaban y alejaban, serpenteó entre los bailarines, el hombre sin barba seguía cada uno de sus pasos junto al resto de gente y por debajo de los brazos en alto hasta que Helene alcanzó la mano de

Martha y se encontró con la risa de Leontine. El hombre sin barba braceó alocadamente y amenazó con caerse, hizo el pino y volvió a ponerse en pie. Helene no pudo contener la risa. Trató de seguir el movimiento oscilante de la música, sus hombros y sus brazos se movían, los que estaban a su alrededor saltaban, revoloteaban bajo los acordes, se enredaban y se pisaban. A Helene la música le recordaba el movimiento de un columpio: una vez te empujaban, el impulso lo arrastraba todo consigo con fuerza y precisión, pero ya al compás siguiente venía la caída. Si uno se dejaba mecer balanceando las piernas primero en una dirección y luego en la otra, comenzaba el tambaleo y la entrada en barrena, elíptica, con la consecuencia palpable del trazo de unos círculos cada vez más pequeños. Martha empezó a cabecear de forma preocupante, el pelo se le despeinaba y ella extendió los brazos hacia Leontine como si estuviese ahogándose. Helene vio sus ojos vidriosos, su mirada velada por la noche que ya no podía ver ni reconocer a nadie. Le hizo una seña a su hermana, pero en ese momento Martha estaba apoyándose en Leontine mientras una sonrisa ebria y un poco atontada brotaba de su rostro. De nuevo irrumpió la trompeta, que marcó el inicio para que en la pista acabasen sudando y brillaran los brazos y hombros desnudos de las mujeres bajo la exigua luz de las lamparitas. Al poco, Helene fue incapaz de distinguir el color violeta del vestido de Leontine, y la enternecedora sonrisa de Martha había desaparecido; comenzó a sonar un nuevo ritmo, Helene miró a su alrededor, pero no encontró a Leontine ni a Martha. Tenía ante sí la espalda de su acompañante sin barba, que ahora bailaba con otra joven.

Helene se vio sola en medio de una masa enfervorecida. La música la rodeó, se adueñó de ella, quería meterse dentro de ella y salir de inmediato, Helene estiró brazos y piernas. El miedo se apoderó de su cuerpo, Helene no reconocía ningún movimiento ni sabía dónde estaba el suelo. Aunque éste cediera, sus pies aterrizaban y despegaban en una relación de dependencia mutua con la superficie. Helene quiso llegar a un extremo de la sala, allí donde intuía a Baron, aunque no alcanzó a ver su sombrero ni a uno solo de los que iban con ella, pero los que bailaban la empujaban una y otra vez hacia el centro, y sus piernas no dejaban de seguir el ritmo. En ningún lugar era más fácil desaparecer que en mitad de aquella multitud danzante. Helene se abandonó; las notas del clarinete le pisaban los talones, el compás estaba a punto de alcanzarla, ella agujereaba el aire con los brazos.

Una mano la agarró, Helene no conocía a su dueño. Tenía el rostro pintado de blanco, los labios casi negros, y Helene bailó. Con cada nuevo baile su pareja cambiaba de expresión y de aspecto. Pronto reaparecieron Leontine y Martha; su hermana le sonreía mientras bailaba, y tal vez, tal vez su risa buscase la dirección en la que se encontraba Helene, las notas, desaparecer, pero Helene ya no trató de acercarse. Había una mirada que llevaba tiempo siguiéndola desde la oscuridad próxima al escenario, desde una de las pequeñas mesas con lamparita verde. Helene reconoció a Carl Wertheimer y se alegró de que él al fin la hubiese descubierto. Puede que tan sólo sintiese curiosidad por saber de qué amigas se rodeaba Leontine. Su mirada no era molesta, sí atenta. Carl Wertheimer seguía con el abrigo puesto, el cuello de piel lisa brillaba, tal vez se disponía a marcharse. Fumaba en una pipa corta y delgada. Su mirada se deslizaba una y otra vez hacia el resto de personas que bailaban, hacia Leontine y de vuelta a Helene. Helene pensó que, a pesar de su juventud, los rasgos de Carl Wertheimer eran serios, dignos.

El clarinete chilló, Helene dio un respingo, el trombón empujó y Helene se echó hacia atrás, la trompeta le tentó y Helene se resistió, todavía.

Al poco dio un traspié, se tropezó y perdió el equilibrio. Para no caer se agarró al hombro de Martha y se apoyó en él. Martha debió de confundirla con otra persona, pues sin prestarle demasiada atención le quitó la mano con brusquedad. La trabilla del zapato de Helene se había roto, así que no le quedó más remedio que llevarlo en la mano y abrirse paso entre la masa danzante y su olor agridulce. Al llegar a la balaustrada del escenario se situó en el lado izquierdo. En cuanto hubo escapado de los cálidos vapores de los que bailaban y de sus ardientes garras, sintió que corría algo de fresco desde la oscuridad. ¿Habría ventanas? No las había. Tal vez alguien habría abierto la puerta para ventilar. Helene miró por encima de las cabezas; muy al fondo, en la parte oscura del local, distinguió el rostro blanco de Fanny. Afortunadamente no había ni rastro del sombrero de Baron. ¿Desea usted beber algo? Alguien la empujó, Helene dio unas fugaces gracias y avanzó presurosa. El camino que siguió la condujo junto a figuras extenuadas por la noche y rostros empalidecidos por la mañana. Un escalofrío le recorrió la espalda y, sin darse cuenta, miró a los ojos de aquel hombre de rasgos enjutos.

Disculpe, dijo él, usted es amiga de Leontine.

Su voz le pareció sorprendentemente grave para lo joven que era. La mirada de Helene se posó en el cuello de piel del abrigo. El brillo era tan hermoso que le habría encantado tocarlo.

Helene asintió, seguro que él desconocía su nombre. Así que dijo:

Helene, Helene Würsich.

Wertheimer, Carl. La señorita Leontine tuvo la deferencia de presentarme al comienzo de la noche.

El estudiante.

Él asintió y le ofreció su brazo. ¿Necesita ayuda?

No se imagina cuánta, se me ha roto el zapato. Helene se lo enseñó a modo de prueba. De pronto se acordó de Martha, miró temerosa a su alrededor y descubrió a su hermana entre los que bailaban; estaba rodeando a Leontine con los brazos, a punto de besarla delante de todo el mundo. Helene notó un leve malestar, un ligero asco que obedecía al miedo a descubrir lo oculto, a revelar aquella constelación a la que ella pertenecía como hermana y cómplice, más que a la débil impresión de sentirse excluida. Trató de distraer rápidamente la atención de Wertheimer.

Así que conoce a la doctora Leontine desde hace tiempo.

Ha sido nuestra tía la que nos ha invitado, tiene muchas amistades. Helene hizo un gesto impreciso. Me temo que he de marcharme.

Por supuesto. ¿Me permite que la acompañe? No estaría bien que fuese cojeando sola por las calles desiertas.

Con mucho gusto. Ni la ceniza ni las palomas me han otorgado el don de la gracia, dijo Helene aludiendo a la Cenicienta mientras notaba cómo le ardían las orejas; con «gracia» se referiría a algo así como una inocente impaciencia.

Helene se despidió de su tía. Fanny ni se dignó mirar una sola vez al joven estudiante Wertheimer, en cambio le aseguró a Helene que Otta le abriría la puerta de casa.

Fuera había amanecido. Los pájaros ya sólo piaban en pos de un día de verano bien despuntado, y las farolas estaban apagadas. Un coche de punto aguardaba a los clientes. Al parecer la gente empezaba a ir a trabajar. En la esquina había un vendedor de periódicos que ofrecía el *Morgenpost* y la revista cultural *Querschnitt*.

Vaya, el *Querschnitt* ya en la calle por la mañana temprano, Carl sacudió la cabeza sonriendo.

Helene disfrutaba del encuentro con Wertheimer y mientras se hacían las primeras preguntas sobre sus vidas, ella le ocultó lo cerca que estaba su casa. Con un pie en el zapato y otro sobre la acera, Helene notó la calle pegajosa, los tilos habían derramado su néctar durante la noche.

Ven, ocultémonos más cerca…, Wertheimer escrutó a Helene con la mirada.

La vida descansa en todos los corazones. Helene continuó recitando como de pasada, como si no le afectase.

Como en ataúdes. Wertheimer se mostró exaltado, pero Helene ya no respondió, prefirió sonreír. ¿Qué ocurre, no quiere continuar?

No recuerdo cómo sigue.

No la creo. En su mirada apareció extrañeza, Helene lo tranquilizó:

Usted lo recita tan a la ligera..., «El fin del mundo» es un poema triste, ¿no cree?

¿A eso le llama usted triste? ¡Es optimista, Helene! ¿Acaso hay algo más prometedor que la entrega, el beso, el anhelo que nos atrapa y nos deja morir?

¿Cree que ella está pensando en Dios?

En absoluto, lo divino le resulta más cercano. ¿De qué otro modo podría empezar su poema que con múltiples dudas? Habla del llanto, como si el buen Dios hubiera muerto. Pero si creyera en Él, reconocería su inmortalidad, la expresión «como si» es una doble negación de la fe, ella no cree en un Dios bueno igual que no cree en uno malo ni en cualquier otro. La muerte de Dios debería provocar el llanto del mundo, ¿debe el mundo llorar su muerte o más bien llorar por haberse librado de él?

Helene se quedó mirando a Wertheimer, no debía olvidarse de juntar los labios. ¿No era Martha la que siempre le decía que en boca cerrada no entraban moscas? Jamás había oído hablar a alguien así de un poema.

Pero ¿acaso el poema no le pertenecía a ella, sólo a ella? En Helene se despertó un ardoroso celo, más por su poema que por su vida, aunque para Wertheimer aquella distinción resultase poco clara, y se lanzó a hablar sin freno.

En el poema, Lasker-Schüler no se deleita con Dios, tampoco se complace en los hombres ni en su sufrimiento, al que obedecen, simplemente les concede un beso antes de su último viaje. Créame, es la propia finitud, a la que ella se enfrenta cara a cara, bien sea producto del anhelo o venga acompañada de un llanto o no, la mortalidad humana, su percepción, su inevitabilidad, eso es lo que se opone con claridad a la inmortalidad de Dios.

¿Siempre lee los poemas de atrás hacia delante?

Únicamente cuando se presenta alguien que insiste en la linealidad.

El joven quería tomar el tranvía o un autobús y dobló la esquina.

¡Y le gusta utilizar términos latinos, se deleita con ello y me acusa a mí de ser lineal! Me gusta salirme de las líneas y tenga por seguro que no insistiré en nada, con usted no. Wertheimer puso mucho énfasis en sus palabras, sus ojos se tornaron al punto pícaros. ¿Y qué opina de esa basura de la cultura y la ciencia? Dígame, ¿no cree que todos nuestros esfuerzos no obedecen más que a una arrogancia despreciable? ¿No es más popular un movimiento en el que cualquiera puede ser líder? ¿Es el dadaísmo la papelera del arte?

Helene reflexionó. ¿Me puede decir qué hay de malo en las diferencias? Era una pregunta sincera, al fin y al cabo, o así opinaba Helene, a quién le molestaban todos esos movimientos mientras cualquiera pudiese fundarlos y sumarse a ellos todas las veces que quisiera.

En la Kurfürstendamm dejaron pasar el primer tranvía, iba repleto, sólo los valientes se encaramaban a él dando un salto; su conversación no daba pie al descanso, no hubo interrupción para juntar un poco de valor, tampoco para el beso.

Seguro que conoce el *Lenz*, de Büchner. ¿Él por qué sufre, Helene?

Helene pudo ver la curiosidad con la que Carl aguardaba su respuesta, ella dudó. Por la diferencia, ¿no es eso? Pero no toda diferencia es causa de sufrimiento.

¿No? De pronto, Carl Wertheimer dio la impresión de saber adónde quería ir a parar. Ya no esperó la respuesta de Helene. Usted es una mujer; yo, un hombre, ¿cree que eso nos hará felices?

Helene no pudo evitar reírse y se encogió de hombros. ¿Qué si no, señor Wertheimer?

Por supuesto que sí, dirá usted, Helene. Al menos así lo espero. Asumamos que sea así, pero sólo porque la felicidad y el sufrimiento no son excluyentes. Más bien al contrario, el sufrimiento incluye la idea de felicidad, en cierto modo la protege. La idea de felicidad jamás podrá perderse en el sufrimiento.

Lo que sucede es que la idea de felicidad y la felicidad en sí misma son cosas distintas. Helene notó lo lenta que iba, cojeaba, de pronto sintió cuánto le dolían los pies. Lenz en verdad lo tiene todo, un paisaje de nubes rosadas y cielo brillante, todo aquello con lo que otros sólo pueden soñar.

Helene y Carl tomaron un autobús hacia el este, se sentaron en el piso de arriba, el aire les daba en el rostro y, para que Helene no se congelara, Carl le echó su abrigo sobre los hombros.

Pero eso es lo que hace sufrir al Lenz de Büchner, la interrumpió Carl. ¿De qué le sirven las nubes y las montañas si no logra ganarse a Oberlin?

¿Cómo que ganarse? Helene creyó haber descubierto una imprecisión en los pensamientos de Carl, la atención con la que lo escuchaba no le permitía pasar aquello por alto, pero él pareció malinterpretar su pregunta.

¿Y qué les trae a las hermanas a Berlín? ¿Una visita a su tía?

Helene asintió con firmeza. Una visita prolongada, llevamos más de tres años viviendo aquí. Helene acarició el cuello de piel del abrigo con el mentón. Qué suave era, qué bien olía, un cuello de piel en verano.

Martha trabaja en el Hospital Judío. También yo soy enfermera, aprobé el examen en Bautzen, pero Berlín no es fácil para una enfermera tan joven y sin referencias. Los pies de Helene ardían. Dudó si decirle que era su cumpleaños, que iba a empezar un curso en el instituto femenino y que quería ir a la universidad, pero se abstuvo. Al fin y al cabo, su cumpleaños había concluido hacía unas cuantas horas y el sol de la mañana, el primer sol del verano tras el solsticio que les calentaba el rostro, era más importante mientras sintiese el tacto de aquella piel en su mejilla.

¿Tan joven? Carl la miró con agradable sorpresa. Helene tenía las mejillas encendidas, los pies se le habían quedado fríos, llevaba el zapato sobre su regazo, el vestido mojado por el baile se le pegaba a la espalda y la enfriaba, pero sus mejillas estaban encendidas, ella sonrió y correspondió a la mirada de Carl.

Él se inclinó hacia ella, Helene creyó que iba a besarla, pero él le susurró muy bajito al oído:

Si me atreviera, la besaría.

Helene se ciñó el chal transparente que cubría sus hombros, su mirada atravesó el follaje de los plátanos y recayó en las tiendas que iban pasando junto a ellos. De pronto se levantó, tenían que bajarse allí.

Pero si sólo hemos avanzado una parada. Wertheimer corrió tras ella bajando las escaleras hasta salir a la calle.

Helene cojeaba, la pierna derecha le quedaba mucho más corta que la izquierda.

La llevaría en brazos, Helene, pero tal vez no le gustase.

Si usted supiera lo que me gustaría…, Helene puso los ojos en blanco, la noche la había excitado y con la claridad de la mañana se sentía más valiente. Divertida, rodeó a Carl Wertheimer con los brazos. Él se sorprendió y vaciló un instante. Nada más abrazarla para levantarla, ella le dio un beso fugaz, su mejilla rascaba, y lo alejó con un amable empujón.

El sol ya está brillando. Helene se detuvo, se apoyó en el hombro de Carl Wertheimer y se quitó el otro zapato. No se preocupe, los adoquines están calientes.

Mientras ella caminaba unos pasos por delante de él y él trataba de alcanzarla, Helene echó a correr. Se dijo a sí misma que él le daría un beso de despedida. De pronto a Helene le pareció que era capaz de ver a través de las personas y de saber exactamente qué paso conduciría a qué objetivo. Podía dirigir a los demás, a todos y cada uno de ellos, manejar los hilos de sus vidas como marionetas, en especial los de Carl Wertheimer, de quien sabía que estaba corriendo tras ella, cuyos pasos se acercaban cada vez más, hasta sentir su mano poco después junto a su hombro. Helene se detuvo delante de su casa y se volvió hacia Carl Wertheimer; él la agarró de la mano, la llevó hacia la entrada y le puso la mano en la mejilla.

Qué suave, dijo él. A Helene le gustaba su mano, creyó poder animar a su joven amigo, así que puso su mano sobre la de Carl, la apretó contra su rostro y le besó el dorso áspero. Luego buscó su mirada con cuidado. El párpado de Carl palpitaba, sólo uno, aleteaba como un pajarillo asustado, tal vez jamás había besado a una chica, él la atrajo hacia sí. A Helene le gustaba sentir el roce de la boca de Carl en su cabello. No sabía qué hacer con las manos, el abrigo de Carl le parecía repelente y demasiado tosco. Le puso una mano en la sien, en los pómulos, en las cuencas de sus ojos; buscó su párpado con el dedo, el que aleteaba. Luego le tapó el ojo con los dedos para protegerlo y que se calmara. Helene notó unas punzadas laterales, respiró profunda y regularmente, tanto como pudo. Entre los brazos de Carl Wertheimer no era pequeña ni grande, las manos de él le calentaban el cuello desnudo y ella notaba cómo se le ponía la carne de gallina en los brazos. Helene se estremeció sin poder evitarlo. El roce aún le era desconocido, el deseo tanto más familiar. Un mirlo trinó aflautado, otro lo acalló, primero gorjeando y luego trinando un acorde perfecto de menor escala, y ambos empezaron a competir. Helene resopló a causa de la tensión, él pudo interpretarlo como una risa. Luego notó cómo la mirada seria de Carl descansaba sobre ella y su risa se tornó silenciosa. Se avergonzó, temía que él percibiera su omnipotencia, recién insinuada, era como una vaina cuya semilla se hubiese desprendido y no quedase más que una aparente altanería o incluso vanidad, que él estimaría más bien poco. Helene se preguntó qué querría Carl. En general y con respecto a ella. El corazón le palpitaba a la altura del cuello. Debían despedirse.

Helene le dijo llena de orgullo que tenían teléfono desde hacía poco.

Carl Wertheimer no le pidió el número, era como si no la hubiese oído, se quedó mirándola y le dijo adiós con la mano; ella le correspondió, tenía las manos calientes.

Cuando estaba levantando el pesado aro de latón para llamar a la esplendorosa puerta de Fanny —se había propuesto firmemente no volverse para mirar a Carl— y Otta le abrió vestida de pies a cabeza, con delantal y cofia, Helene dudó si Carl llamaría. Tal vez quisiera un romance, o tan sólo un beso, que ya tenía, y eso habría sido todo, nada más.

Olía a café, el reloj de pared sonó, eran las seis y media. Helene oyó el familiar tintineo de cubiertos y vajilla procedente de la cocina, seguro que la cocinera había puesto el café a hervir y preparaba el desayuno sin reparar en la ausencia de las señoras, partía el pastel de semillas de amapola y preparaba la papilla de avena que le gustaba tomar a Fanny en cuanto se le abría el apetito. Helene no sentía ni pizca de cansancio. A paso ligero, aún presa de la melodía de la trompeta y el clarinete, se dirigió al porche y se dejó caer en una de las sillas bajas y tapizadas. Los mechones de pelo, que apenas le llegaban a la nariz, olían a humo. Notaba el cabello en la nuca, la ligereza con la que ahora podía mover la cabeza le invitaba a dibujar rápidos movimientos; si lo hacía de golpe, el pelo se le venía a la cara. Helene se quitó las pestañas postizas. Los ojos le escocían por el humo de la noche. Cuando dejó las pestañas sobre la mesa pensó que le gustaría poner los ojos junto a ellas. *Cleo* saltó fuera de su cestita por debajo de la mesa, meneó su corto y tieso rabo y lamió la mano de Helene. La lengua le hizo cosquillas y Helene se acordó de las cabras que había en el jardín de la Tuchmacherstrasse y que ella había ordeñado alguna vez de niña. Mientras presionaba con los dedos de arriba abajo, la piel de la ubre le había parecido áspera al tocarla con las palmas de las manos, y después tenía que lavarse a conciencia, mejor con agua caliente y mucho jabón, pues el olor se quedaba pegado como la pez y el azufre, tenía un punto rancio, de cabra rancia. Había logrado escapar, pensó Helene aliviada, y mientras se arrellanaba gustosa en la silla tapizada, sólo sintió una poca y dulce vergüenza ante aquella sensación. ¿Qué significaba aquello, escapar? Pasar de puntillas por la vida. Consecuente, consecuente, susurró Helene para sí, y al oírse pronunció en voz más alta y con voz firme las palabras con que concluía el *Lenz* de Büchner: Inconsecuente, inconsecuente. Helene acarició el pelo duro y rizado del animal. Qué buen perro eres. Sus orejas gachas eran sedosas y suaves. Helene besó a *Cleo* en su largo hocico, jamás lo había hecho, pero aquella mañana no pudo evitarlo.

La inesperada aparición de Carl Wertheimer no suscitó gran interés en casa de la tía. Aunque no llamó a Helene por teléfono, sí le mandó flores por mensajero. Helene estaba sorprendida, asustada, ilusionada. Tapó las flores con la mano rodeando el aire, demasiado denso para llevar impregnado su aroma ligero. Se llevó las anémonas a su habitación como si fueran un tesoro. Allí estaba a solas y contenta de que Martha no llegase hasta tarde. Se preguntó dónde habría encontrado anémonas a aquellas alturas. Observó las flores, su color azul fue variando a lo largo del día. Los delicados pétalos ganaron peso.

Cuando las anémonas se hubieron marchitado al final de la jornada, Helene prohibió a Otta que las retirara del jarrón. Fue incapaz de dormir. Al cerrar los ojos sólo veía azul. La excitación se debía a un encuentro jamás vivido hasta entonces, a haber coincidido con una persona con una forma de pensar común, una curiosidad común, sí, tal y como confesó a Martha, con una pasión común por la literatura.

Martha bostezó ante aquella confidencia. Querrás decir compartida, ángel mío, no común.

Helene vio entonces con mayor claridad aún que le había ocurrido algo verdaderamente extraordinario. Ya no seguiría luchando por Martha, su encuentro con Carl era algo incomparable que, al parecer, no podía transmitir a alguien como su hermana.

Cuando por fin el domingo llamaron a la puerta y se oyó

la voz de Otta, que repetía amable y clara «¿Carl Wertheimer?», Helene dio un respingo, tomó la chaquetilla de seda que Fanny acababa de dejar y que le había regalado, y siguió a Carl en pos de un temprano día estival.

Tomaron el ferrocarril del Wannsee y fueron paseando hasta el lago Stölpchen. Carl no se atrevía a cogerle de la mano. Una liebre cruzó el sendero del bosque brincando ante sus ojos. El agua centelleaba desde el fondo a través de las hojas y, a lo lejos, las velas blancas se hinchaban. Helene tenía como un nudo en la garganta, de pronto temió ponerse a tartamudear y que el recuerdo de las cosas que tenían en común y su ilusión fuesen sólo suyas.

Entonces Carl comenzó a hablar:

¿No cree que la exaltación de la vida consiste en la autosuficiencia de la naturaleza, en lo imperioso del instante, como nos demuestra Lenz?

Un sacrilegio contra Dios.

Usted se refiere a la duda, Helene, la duda está permitida, dudar no es ningún sacrilegio.

Tal vez usted lo vea de otra forma, pero para nosotros, los cristianos, es así.

Usted es protestante, si no me equivoco. Las palabras de Carl Wertheimer no encerraban ningún tipo de burla, así que Helene asintió débilmente. De pronto, todo lo que había manifestado sobre su profesión de fe luterana y su esencia le pareció carente de valor, no sólo porque pensara en el ateísmo y en la otra procedencia de su madre, sino porque en ese momento le pareció que Dios estaba muy lejos, que había sido expulsado del mundo por Büchner. ¿Quién podía pretender comprenderlo todo partiendo de la idea de Dios?

¿Puedo confiarle algo, Carl? Ambos se detuvieron junto a una encrucijada, a la derecha el camino continuaba hacia el puente y a la izquierda se adentraba más en el bosque. No podían optar por uno de ambos senderos sin que Helene hubiese desvelado lo que le oprimía el corazón, y que pesaba como el plomo.

Verá, en los últimos años, desde que vinimos a Berlín, me he avergonzado ante Dios siempre que me he acordado de Él, sabiendo que lo había olvidado durante muchos días y semanas. Aquí no hemos ido a misa.

¿Y ha habido sustitutivo?

¿Qué quiere decir, Carl?

¿Ha habido algo que le haya proporcionado alegría, es capaz de creer?

Bueno, si le soy sincera, en realidad no me he planteado esa pregunta.

Carl cerró la mano en un puño y, levantándolo hacia el cielo, declamó: Y entonces fue como si pudiese triturar el mundo con los dientes y escupírselo al Creador en el rostro; juró, blasfemó.

No se ría, se está burlando.

Helene, no me burlo en absoluto. Jamás me atrevería a hacerlo. Carl trataba de dominar su alegría lo mejor que podía.

Usted ría, ríase. El ateísmo ya se apoderó de Lenz a través de la risa.

¿Cree que soy ateo? No es tan sencillo como eso, Helene. Es cierto que Dios no conoce la risa. ¿Y no es una pena que así sea? Carl se metió las manos en los bolsillos.

Jamás se me ocurriría confundirle a usted con Lenz, dijo Helene con un guiño. Por fin supo por qué durante las últimas semanas se había pasado horas ante el espejo de lirios tallados practicando el guiño. Luego se puso seria y miró a Carl con severidad. Quería confiarle algo.

Lo sé, no diré nada. Y Carl realmente calló.

Transcurrió una eternidad antes de que Helene lograse romper el silencio.

Ya no me avergüenzo, eso es lo que me tiene perpleja, ¿lo entiende? No he pisado una iglesia, me he olvidado de Dios, durante mucho tiempo me he avergonzado cada vez que me acordaba de Él. ¿Y ahora? Nada.

Sigamos. Carl tomó el camino del puente. Empezaron a aparecer cada vez más nubes, nubes espesas y blancas, sueltas, el cielo azul que asomaba tras ellas permanecía imperturbable. Al otro lado del puente había un café con terraza. Apenas quedaban mesas libres fuera, las personas reunidas entre sombrillas y niños conversaban en voz alta, tampoco ellas parecían acordarse de Dios. Carl eligió un sitio. Dijo que aquel lugar era suyo, que primero había sido sólo de sus padres, pero que desde que él había empezado a ir allí solo de vez en cuando, aquel sitio era suyo. Helene se imaginó cómo sería la vida con unos padres en un café con terraza y le gustó la idea. Carl señaló hacia otra mesa y le susurró que a menudo se sentaban allí pintores. A Helene el encanto de aquel mundo le resultaba tan extraño que habría preferido levantarse e irse, pero entonces Carl la tomó de la mano y le dijo que tenía una hermosa sonrisa que le gustaría ver más a menudo.

Carl Wertheimer procedía de una buena familia, acomodada y culta; su padre era catedrático de astronomía, circunstancia que, a pesar de las pérdidas económicas de los últimos años, había hecho posible que su hijo estudiara una carrera. El camarero les trajo un refresco de frambuesa. Carl señaló hacia el nordeste, allí al fondo, junto a la orilla, estaba la casa de sus padres. Sus otros dos hermanos habían caído en la guerra, el mayor había fallecido, les habían enviado sus pertenencias, pero sus padres se negaban a aceptar su muerte. Helene pensó en su padre, pero no quiso hablar de él.

El propio Carl, para alegría de su madre, no había tenido que marchar al frente. Su hermana terminaría ese año la carrera de física, era la única mujer de su facultad. Iba a casarse al año siguiente. No cabía duda, Carl estaba orgulloso de su hermana. Él era el más pequeño y aún tenía tiempo, eso decía su madre. Carl dio un chasquido con la lengua a modo de disculpa, aunque sus ojos brillaban y el arrepentimiento parecía de todo menos sincero. Un gorrión se posó sobre la mesa, saltaba hacia delante y hacia atrás picoteando las migas que habían dejado quienes habían estado sentados allí antes.

La contemplación del apacible mundo de Carl junto al Wannsee despertó en Helene una angustia incierta. ¿Con qué podía corresponderle, qué podía aportar? En su refresco nadaba una avispa en plena lucha por la vida.

Carl seguramente se percató de que Helene había enmudecido al otro lado de la mesa y dijo: Sus ojos son más azules que el cielo. Y cuando descubrió su sonrisa, como sujeta entre las mordazas de un tornillo de banco, tal vez pensó que ella sí que se avergonzaba, que no se había olvidado de su Dios. Es lógico que se avergüence si la tomo de la mano. Con la probable intención de liberarla de aquella rigidez, dijo: Querida mía, ¿tiene su mundo ahora una tremenda fisura?

Helene vio el brillo pícaro en sus ojos y reconoció algo en Carl, como si ya lo fuese conociendo un poco; eso bastó para consolarla. En ese momento, él ya no podía parar de rebuscar en su repertorio de citas: Para no justificarlo sólo con Lenz, permítame aconsejarla que deje que las palabras se descompongan en su boca como setas podridas. Hasta Hofmannsthal fue capaz de recuperarse de su hastío. ¿Y no es otra cosa más que hastío lo que acontece cuando la nada se expande ante nosotros, llenándonos de desazón?

Allí estaba otra vez la desazón. A Helene sus palabras le resultaron demasiado penetrantes, algo amenazaba con salir mal, la avispa que nadaba en el refresco resbaló por la pared del vaso, Helene notó como si fuese a darle dolor de cabeza. En la mesa de al lado reían en voz alta y Helene se había olvidado de responder a Carl.

Quiero llevarla a pasear en barca. Usted se tumbará en la barca, el agua la mecerá y mirará al cielo, ¿me lo promete? Carl hizo una seña al camarero y pidió la cuenta.

Delante del café había un Mercedes descapotable, la gente estaba arremolinada en torno a él; asombrados, acariciaban la carrocería como si fuera un caballo, dándole palmaditas. Helene se alegró de que Carl y ella al fin se hubieran levantado y dejasen a la avispa abandonada a su suerte.

En ese momento Carl la cogió de la mano. Era inesperadamente delgada y firme. Resultaba fácil caminar agarrada a él. Ya no había aquella sombra plomiza, ya nada le pesaba como una losa, el mundo en modo alguno había llegado a su fin. Un tableteo procedente de lo alto les hizo detenerse. Helene miró hacia arriba.

¿Me permite que también yo le confíe algo, Helene?

Adelante. Helene se cubrió los ojos con la mano a modo de visera, el sol la deslumbraba. Siente debilidad por los aviones, es eso, ¿no?

Carl avanzó un paso hacia ella. Un Junkers F-13. Helene notó en el cuello el roce del aire que producían sus palabras.

Sin retirar la mano de la frente, Helene bajó la cabeza rozando casi las cejas de Carl.

Él retrocedió. No puedo hablar estando tan cerca. No, no es mi debilidad por los aviones lo que quería confiarle. Carl se detuvo. Su boca es muy hermosa. Y no se me ocurre ninguna cita. Además, ¿por qué recurrir a las palabras de otro? Soy yo el que quiere besarla.

Tal vez algún día.

¿El año que viene? ¿Sabe que en Junkers están preparando un vuelo transatlántico?

Han fracasado tantas veces, Helene se hizo la entendida.

De Europa a América. Pero yo no puedo esperar tanto por un beso suyo.

Helene se adelantó, contenta de que Carl no pudiera ver su sonrisa. Caminaron en silencio un largo rato. Ambos ensimismados, pero sabiendo que el otro estaba cerca. En ese momento, Helene se sorprendió del amago de extrañeza que había sentido en el café y esperó que Carl no se hubiese dado cuenta. Sentía la extrañeza como algo lejano. El hombre que alquilaba las barcas estaba sentado en una silla plegable, leyendo un periódico vespertino que quizá le hubiera llevado algún cliente. Lo sentía, pero todas las barcas estaban ocupadas, las primeras en regresar ya no volverían a partir. Después de las ocho, ia recoger se ha dicho!, les explicó. Mientras paseaban descalzos por la orilla, asombrados del calor acumulado por la arena durante todo el día, Carl se puso a hablar de teatro. Tras unas breves frases estuvieron de acuerdo en preferir las tragedias clásicas sobre el escenario y la literatura romántica para leerla en casa, pero el consenso, el asentimiento y los síes se debían sobre todo a su impaciencia; no querían seguir ocultándose, deseaban acercarse y buscaban el modo de enlazar con su pensamiento común. A Helene le agradaron los troncos rojizos de los pinos de la Marca de Brandeburgo, nada que le recordase a casa, sólo Berlín. Le gustaba sostener la pinocha entre los dedos. ¿Por qué las hojas irían siempre de dos en dos? Bajo la corteza de madera una fina película unía las dos agujas. Le pareció que el sol crepuscular incendiaba el bosque. El día declinaba, el aroma de los pinos era embriagador, Helene se sintió aturdida, quiso sentarse en el suelo y permanecer allí. Carl se agachó a su lado y le dijo que no permitiría que se quedara allí; en el bosque había animales salvajes y ella era, en una palabra, un ser demasiado delicado.

Martha estaba encantadísima de que Helene tuviese un amigo, ya que eso le permitía vivir con Leontine más a sus anchas todavía. Sin embargo, parecía que la aparición de Carl Wertheimer hubiese sustraído la comunicación entre las hermanas. Ya no tenían nada que decirse. La casa de la tía, hasta entonces tan querida, le resultaba a Helene mucho menos acogedora con el paso de los días. Aquella sensación no tenía tanto que ver con el hecho de que la tía se viese obligada a empeñar un objeto tras otro; primero el pequeño samovar, al que al parecer no le tenía tanto cariño como al grande, luego el cuadro de Corinth, que según ella nunca le había gustado, la joven del sombrero siempre le había dado asco, ahora decía que habría preferido contemplar un autorretrato del pintor con esqueleto incluido; y por último también el gramófono, cuyo valor era tan innegable como el cariño que le tenía su dueña.

Muchos días, Fanny se sentaba a mediodía con Erich en el pequeño porche a discutir los planes para esa jornada. Cuando él se levantaba porque estaba harto de ella y prefería pasar el resto del día a solas, ella le gritaba, y su voz resonaba en toda la planta principal: ¡Yo lo que quiero es un amor ciego! ¡Que venga y que me aplaste!

Sonaba suplicante y burlona al mismo tiempo, y Helene se cuidó de no cruzarse con Erich ni con Fanny. Cerró la puerta de su habitación. Qué dulces habían sido las horas que en su día había pasado a solas en la casa. Pero por lo visto aquellas horas ya habían terminado, llegara cuando llegara había una persona recogiendo la cocina, otra hablaba a voces por teléfono y otra más estaba sentada en la *chaise longue* leyendo.

¡Tú no me quieres! Cuando el eco resonaba a través de las habitaciones, Helene no podía evitar escuchar con atención; el silencio no conocía compasión alguna, y se sucedían profusas variaciones del lamento de su tía, que sencillamente no llegaban a su fin. Helene se deslizó de puntillas por el pasillo, tenía que ir al baño. Hasta que Fanny no acababa en el suelo diciendo que no podía vivir sin amor, Erich no le tendía su zarpa. Tiró de ella para levantarla y la empujó hasta su dormitorio. Helene contó lo que tenía ahorrado, no le llegaba ni para un mes de alquiler en una buhardilla. Los libros del instituto eran caros, y Fanny le había dado a entender que ella no podría correr con ese gasto. Podía darse por satisfecha con que ya hubiese pagado los dos primeros cursos a principios del año pasado, porque ahora también ella se había quedado sin blanca y no sabía qué hacer. Helene había dejado de traer sustancias de la farmacia, la confianza entre ella y su tía no se había podido forzar, así que también la amabilidad en el trato con Helene había quedado algo de lado. De vez en cuando Helene llegaba a casa, Otta le ayudaba a quitarse el abrigo y, cuando entraba en el salón para saludar a Fanny, ésta no levantaba la vista del libro o se hacía la profundamente dormida mientras la taza de té humeaba junto a la *chaise longue*.

Las noches en la estrecha cama junto a Leontine y Martha se hicieron un tormento, pues ninguna se aburría del amor ni del placer. Baron había optado por escribirle a Helene cartas llenas de preocupación en las que afirmaba que ya rara vez la veía, que su corazón sangraba y se congelaba. Que su vida era insulsa sin ella. Pero la pretendida no respondió. Tras el desconcierto inicial que le provocaron sus expectativas y la declaración de un amor que ella no compartía, Helene metió por la ranura de la enorme maleta que guardaban debajo de la cama las cartas que encontraba bajo la puerta, sin leerlas. Un primer intento de sobrevolar el Atlántico de Europa hacia América con dos Junkers acababa de fracasar en agosto; las tormentas otoñales y los frentes nubosos del invierno parecían obstáculos insalvables, así que decidieron esperar a la primavera para un segundo intento. Sólo Carl y Helene fueron incapaces de esperar.

Carl llevó a Helene a la Ópera Estatal Unter den Linden, escucharon *El diablo cantante* y estuvieron veinte minutos de pie aplaudiendo, aunque los oídos también les pitaban por los silbidos, y mientras las manos le dolían de tanto aplaudir, Helene albergaba la esperanza de que Carl no siguiese al resto de los espectadores hacia la puerta. Pero ocurrió lo inevitable. En el guardarropa, Helene pidió a Carl que no la llevase a casa todavía. Quería pasear en plena noche. La nieve caía en gruesos copos que apenas cuajaban sobre el adoquinado azabache. Carl y Helene pasaron junto al Adlon. La nieve se derretía en la lengua de Helene. A la entrada del gran hotel había aparcados varios automóviles imponentes y la muchedumbre congregada presagiaba la llegada de un huésped distinguido.

Te estás congelando y yo estoy cansado, te llevaré a casa.

No, por favor. Helene se detuvo. Las manos de Carl buscaron el calor de su manguito de piel.

No podemos quedarnos aquí parados, dijo Carl.

Me voy contigo, a tu cuarto. Lo había dicho, ya estaba.

Carl apartó las manos. No daba crédito a lo que había oído. Cuántas veces le había pedido a Helene que lo acompañara, cuántas veces la había tranquilizado asegurándole que tenía todas las llaves y que la patrona era dura de oído.

Cuánto me alegro, susurró Carl y la besó en la frente.

De camino a Viktoria-Luise-Platz, Helene se empeñó en no llamar a su tía. En casa a nadie le preocupaba su paradero y, en caso de duda, no notarían su ausencia. Helene ya había visitado alguna vez a Carl durante el día. Sin embargo, apenas reconoció la habitación. La luz eléctrica de la lámpara empalidecía los colores; los libros estaban amontonados por el suelo; la cama, deshecha. Olía a orines, como si Carl no hubiera vaciado el orinal. Era imposible que hubiese podido prever su visita. En ese momento, Carl se disculpó y echó la manta apresuradamente cubriendo la cama. Le dijo que podía prestarle un camisón y le preguntó si le permitiría leerle algo en voz alta. Su voz sonaba seca y sus movimientos entrecortados desvelaban la inconmensurabilidad de la presencia de Helene, acaso de todo su ser y de su existencia.

¿Sigues leyendo a Hofmannsthal? Helene tomó el camisón que le había ofrecido y se sentó en la silla de Carl junto al escritorio, con el abrigo cerrado.

Carl señaló los libros esparcidos por el suelo. Ayer por la noche tocaba Spinoza, en un seminario estamos comparando su ética con la visión dualista del mundo de Descartes.

De eso no me has hablado aún. Helene miró a Carl con recelo; era incapaz de fruncir el ceño, las finas arrugas que se formaban en su frente plana, encima de la pequeña nariz, eran demasiado ridículas.

¿Estás celosa?, preguntó Carl burlón, aunque debía de saber de sobra que Helene estaba hablando en serio y que, en efecto, estaba celosa de que él pudiera estudiar; no porque quisiera acapararlo y no desease que él estudiara, sino porque a ella le habría gustado compartir ese saber.

Tienes los zapatos calados, espera, te los quitaré. Carl se agachó ante Helene y la descalzó. Y los pies fríos, helados. ¿No tienes botas de invierno? Helene negó con la cabeza. Espera, traeré agua caliente, necesitas un baño de pies. Carl desapareció, Helene le oyó bajar la escalera. Luego observó el camisón que tenía en su regazo e interpretó la salida de Carl como una invitación a cambiarse de ropa. La puso sobre el respaldo de la silla, enrolló cuidadosamente las medias, pero decidió no quitarse las bragas nuevas. En el rincón que había bajo la ventana Helene descubrió un terrario con una orquídea en flor. Una orquídea florecida en una buhardilla bajo los tonos mate de la luz eléctrica. Oyó unos ruidos procedentes de la escalera y rápidamente se puso el camisón metiéndoselo por la cabeza. Olía a Carl. Faltaba el segundo botón empezando por arriba, se abrochó el primero y, con la mano, sujetó el camisón a la altura de tan delicada zona. En ese momento todo su cuerpo empezó a temblar. Carl le trajo agua caliente. Colocó la palangana delante de la cama y le pidió que se sentara. La rodeó con la manta y le frotó los pies para que el tono azulado de los dedos fuese desapareciendo. Helene apretó los dientes.

Mientras Carl se afanaba en mover los libros de un montón a otro, volvió a añadir agua caliente dos veces más. Sólo después fue suficiente y salió de nuevo para llevarse la palangana y ponerse el pijama que su madre le había traído de París como regalo de Navidad. Helene ya estaba bajo la manta, tumbada boca arriba y tiesa como una vela; parecía dormida. Carl retiró la manta y se tumbó junto a ella.

No te asustes si oyes latir mi corazón, dijo con una voz ya no tan seca y apagó la lámpara.

¿No ibas a leerme algo?

Carl se incorporó, volvió a encender la luz y vio que Helene tenía los ojos abiertos.

Está bien, te leeré algo. Tomó la *Ética* de Spinoza que se encontraba sobre la mesilla de noche y la hojeó.

En la antigua Grecia la felicidad consistía en la libertad y el desenfreno, en el absoluto abandono al placer y al deseo. Pero luego llegaron los estoicos y fueron preparándole el terreno a Dios; deber y virtud, todo lo relacionado con el espíritu debía elevarse por encima de los bajos instintos, y la carne fue desterrada. La Edad Media fue un auténtico valle de lágrimas. Para Kant, el viejo moralista, sólo existía el deber; sólo el tedio, nada más.

¿Por qué eres tan despectivo? Te comportas como si la felicidad consistiera únicamente en la unión corporal. Helene levantó la cabeza y la apoyó en una mano, intuía que por más que Carl condenase el tedio kantiano, seguro que no habría dedicado ni un solo segundo a pensar en el beso que ella le debía desde hacía meses.

Carl hizo caso omiso del reproche de Helene y prosiguió.

Por no hablar de Schopenhauer, que consideraba un error congénito, y hasta cierto punto una malformación, la idea de que el hombre existe para ser feliz. Y es que no se trata de la felicidad, Helene, eso ya lo sabes, ¿no? Anda, sigue bostezando. Carl le golpeó suavemente la frente con el punto de lectura. Helene se lo quitó de la mano.

Yo sería feliz si pudiera leer todos los libros contigo, ¿te lo crees? Helene sonrió. A ser posible con tus ojos, con tu voz, con tu flexibilidad.

¿Flexibilidad? Pero ¿de qué hablas? Carl se echó a reír.

Me gusta escucharte mientras lees; unas veces saltas por la ventana y otras te arrastras bajo una mesa.

Y tú trepas a los árboles y, si estoy en lo cierto, saltas por principio sobre la mesa cuando yo ya estoy debajo.

¿Eso hago? Helene se quedó pensando en las palabras de Carl. ¿Se estaría enfadando, no estaría disfrutando de aquel tanteo mutuo, de la vastedad que se abría entre él allí y ella aquí?

Y además, ahora estamos los dos bajo la misma manta, un ángel y yo, ¿cómo ha podido ocurrir? En ese momento la mirada de Carl fue tan desafiante y su boca se acercó tanto, un milímetro entero, que Helene se acobardó, y el miedo al beso fue de repente más fuerte que el deseo.

Entonces no se trata de ser feliz, ¿verdad? Helene dio unos golpecitos al libro de Carl. ¿Hay que dejar de lado la voluptuosidad y no abandonarse al desenfreno?

Carl carraspeó.

¿Qué es lo que quieres, Helene? ¿Quieres aprender a pensar? Con los codos clavados delante del libro y los brazos apuntando hacia el mentón, Carl se echó a reír frente al puño que formaban sus manos delante de su boca.

Schopenhauer conoce el consuelo, la riqueza de espíritu es capaz de superar incluso el dolor y el aburrimiento; visto así, es evidente que nuestro querido Lenz no fue lo bastante listo.

Helene volvió a apoyar la cabeza sobre la almohada ofreciendo consciente su garganta a Carl; se puso de lado y observó su boca mientras él hablaba. Sus labios, ligeramente fruncidos, se movían demasiado rápido para ella. Carl reparó en la mirada de Helene y su párpado volvió a aletear, como esperando que ella lo rozara, como si no deseara otra cosa. De pronto bajó la mirada, sus dedos empezaron a temblar sobre las páginas del libro, Helene pudo verlo claramente, pero él se resistió leyendo en voz alta una frase que había anotado en la primera página: La felicidad no es un premio que se otorgue a la virtud, sino que es la virtud misma, y no gozamos de ella porque reprimamos nuestra concupiscencia, sino que, al contrario, podemos reprimir nuestra concupiscencia porque gozamos de ella.

Eso suena a consejo para seminaristas.

Te equivocas, Helene. Es un preciado consejo para cualquier hombre joven. Preciado porque dedicamos varios años a estudiarlo y, sólo cuando lo hemos estudiado durante años, logramos entender un ápice de lo que es la felicidad. Carl se mordió la lengua. Quería decirle algo sobre lo importante que era, al hilo de todo aquello, saber que tenía una joven a su lado, en la cama, una mujer, y no cualquiera, sino aquélla, su Helene. Pero temía que un comentario semejante pudiese ahuyentarla. No quería que volviera a enfundarse las medias y calzarse los zapatos fríos y húmedos y corriese en mitad de la noche hasta la Achenbachstrasse para meterse en la cama junto a su hermana. Así que volvió a la página que había dejado marcada con el dedo índice y continuó leyendo.

El deseo que surge del conocimiento verdadero del bien y del mal puede ser extinguido o reprimido por muchos otros deseos que brotan de los afectos que nos asaltan. Los dedos de Carl hacían temblar la página.

¿Ahora eres tú el que tiene frío? Helene deslizó su mano junto a la de Carl, sus dedos casi se rozaron.

La razón puede vencer a las pasiones convirtiéndose ella misma en pasión.

Helene lo escuchó y dijo:

Tienes unos ojos muy hermosos.

Demostración. El afecto relativo a una cosa que imaginamos como futura es menos enérgico que el afecto relativo a una cosa presente.

¿Estás hablando de nosotros, estás hablando de amor? En ese instante, Helene rozó con su dedo el de Carl y notó un sobresalto. La lectura le tenía tan cautivado que él ni siquiera volvió la mirada hacia ella.

Querías que te leyera y eso hago. Para Spinoza el amor no es otra cosa que alegría, una alegría acompañada de la idea de una causa exterior.

Tus ojos brillan. Podría pasarme toda la noche tumbada a tu lado, simplemente observando tu mentón, tu perfil, la nariz, viendo cómo los párpados caen sobre tus ojos. Helene dobló la rodilla, aún estaba la manta entre ella y Carl.

Carl quiso explicarle algo sobre la relación entre el deseo y el amor y sobre la relación de ambos con la razón, pero se había olvidado de la lógica; algo distinto se había apoderado de él, algo que ya no podía permanecer quieto, que ya no podía ser objeto de ninguna reflexión; él sólo quería ir más allá, salir de sí mismo, ir hacia ella. Las palabras pasaban al vuelo, el dulzor de su boca. Era incapaz de pensar, su voluntad había desaparecido, era imposible reprimirse. Se sintió desnudo. El contacto con la manta que los separaba lo excitó sobremanera. Miró a Helene con auténtico deseo y la besó. Besó su boca, sus mejillas, sus ojos; notó con los labios la piel lisa de su frente redondeada, con la mano sus sedosos cabellos; sus ojos entrecerrados derramaban oro, reflejo del pelo de Helene. Con la mano fue recorriendo a tientas su clavícula, la curva del hombro; con la punta del dedo notó las hendiduras que tan bien conocía de vista. Sus brazos parecían no tener fin, notaba su axila húmeda, Carl la acarició con la mano cerrada, estrechó su cuerpo contra el de ella. El olor de Helene le atraía tanto que le dolía. Ella tenía los brazos cruzados sobre los senos, él tuvo que respirar hondo, vio el tiempo ante sí, vio cómo se desplegaba, cómo podía conseguir calmarse con su ayuda, bastaba con querer, sólo querer, pero ¿dónde se encontraba ahora la voluntad? La razón, se gritó a sí mismo en silencio; vio la palabra ante su ojo interno, era evidente, ya no conocía su significado. No eran más que letras, faltaba el sonido. El sonido y el significado se habían esfumado. Pero el jadeo de Carl quedaba atrapado en sus propios labios y en las cavidades y curvas de Helene trayéndole el aliento de ella hasta el oído.

La vela crepitó, el pábilo se dobló y se hundió. La oscuridad trajo un frescor agradable. Carl fijó la mirada en la negrura. La respiración de Helene era acompasada, tendría los ojos cerrados. Él era incapaz de conciliar el sueño, el olor de Helene lo mantenía en vela y lo despertaba cuando se ponía a soñar durante unos segundos. La respiración de Helene era más rápida que la suya, tal vez no estuviese dormida. Carl estiró la mano hacia ella.

A Helene le gustó la suavidad de su boca; los labios, que la reclamaban de forma distinta a la de Martha, y aquel sabor, novedoso para ella.

Me gusta que tu pelo vaya creciendo, susurró Carl en mitad del silencio. ¿Por qué lo llevabas tan corto?

Para poder conocerte. ¿Ah, no lo sabías? Lo llevaba largo, por aquí, hasta pocas horas antes de verte por vez primera. Leontine me lo cortó.

Carl ocultó el rostro tras el cuello de Helene; al parpadear le acariciaba el oído. Tu cabello brilla como el oro. Cuando no tengamos qué comer, te lo cortaré por la noche sin que te des cuenta e iré a venderlo.

A Helene le gustaba estar en sus brazos y que Carl hablase de ambos en plural.

Llegó la primavera, las tormentas cesaron y el primer vuelo transatlántico de este a oeste se llevó a cabo con éxito. Desde aquel día de invierno Helene pasaba todas las noches con Carl. Sólo a veces iba a la Achenbachstrasse y se sentía aliviada al ver que Martha se encontraba mejor. Leontine se había encerrado durante días con ella. Al parecer Martha había alborotado y sufrido mucho, el espejo con lirios tallados que se hallaba sobre el lavabo tenía una raja, la ropa de cama estaba desgarrada y la habían tenido que cambiar por la mañana y por la noche empapada de sudor, a veces incluso en pleno día; pero después se quedó tranquila, débil pero tranquila. El vacío permaneció inmutable, las preguntas, de dónde, por qué y quién. Era un milagro que su hermana lograse ir todos los días al hospital. Leontine decía que Martha era fuerte. Su cuerpo se había acostumbrado a su carácter. Las dos mujeres habían juntado las camas, y la maleta que estaba debajo era lo único que recordaba la existencia de Helene, su antigua vida allí; aquella maleta contenía sus pertenencias. Helene llegó, abrió la maleta y apartó las cartas de Baron. Alcanzó el cuerno tallado en forma de pez y sacó la cadena de oro.

Puedes llevártela, dijo Martha. Ella no quería saber nada de la maleta, sólo quería que desapareciese de una vez. El sombrero de Martha estaba apolillado, Helene se preguntó dónde estaría el suyo. Probablemente se lo habría dejado olvidado en el guardarropa aquella noche de hacía dos años, en el guardarropa del Ratón Blanco.

En mi unidad va a quedar un puesto libre, dijo Martha, podrías presentarte. Helene rechazó la oferta, pues no quería tener que desplazarse hasta el norte, a un hospital judío. El farmacéutico le había subido el sueldo, y ella había dejado de pensar en él cuando se quedaba sola en la farmacia por la noche preparando las tinturas. Carl no quería que le pagase ningún alquiler, sus padres le hacían un giro cada primero de mes. Cuando iba a visitarlos, Helene le acompañaba en el ferrocarril que se dirigía al Wannsee, él la dejaba sentada en la terraza junto al Stölpchensee, le pedía un refresco de frambuesa y la recogía al cabo de una hora. A veces le preguntaba si quería ir con él, le gustaría presentársela a sus padres, cosa que a Helene le asustaba. A lo mejor no les gusto, objetaba ella sin aceptar consuelo ni réplica alguna. En realidad, Helene disfrutaba de las tardes de domingo que pasaba sentada en aquella terraza, donde podía leer sin que la molestaran.

Al final del verano y gracias a las amistades de Bernard consiguieron entradas para la nueva obra de Brecht que se representaba en el Schiffbauerdamm. Carl estaba sentado junto a Helene y se olvidó de tomar su mano. Formó dos puños sobre el regazo y se golpeaba la frente con una mano, luego lloraba y, al momento, se ponía a gritar como un loco. Cuando a petición del público repitieron la *Canción de los cañones* y los de las últimas filas se pusieron en pie y empezaron a balancearse agarrados del brazo, Carl, un poco exhausto, se reclinó por fin y dedicó una mirada a Helene.

¿No te ha gustado?

Helene dudó inclinando la cabeza.

Aún no lo sé.

Es magnífico, dijo Carl con la mirada puesta de nuevo en el escenario, de donde no se desviaría durante todo el transcurso de la representación; Carl escuchó embobado a Lotte

Lenya, parecía casi aturdido. Cuando a la primera estrofa del *Dúo de los celos* le siguió la segunda, Carl soltó un bufido, se mondaba de la risa.

Sus mejillas estaban enrojecidas cuando al fin se puso en pie para aplaudir, antes de que cayese por última vez el telón. La platea era un hervidero. La gente no quería marcharse sin escuchar el bis de las estrofas finales de la *Balada de Mackie Navaja*. El público coreaba al compás, hasta Harald Paulsen movía los labios en el escenario, pero en mitad de aquel jaleo era imposible saber si estaba tarareando esa u otra canción. La ovación fue cerrada. Desde el anfiteatro y el patio de butacas se lanzaban flores al escenario. Los actores hacían reverencias como si fueran muñecos, o al menos eso le parecían a Helene, pequeños tentetiesos que, obligados por su claque a inclinarse una y otra vez hasta la horizontal, no se cansaban de actuar. Los focos no permitían que un solo actor saliese del escenario ni que ningún espectador abandonase la sala. A Helene se le pasó por la cabeza que todos estaban aplaudiéndose a sí mismos cuando miró hacia atrás con discreción. Roma Bahn, recién incorporada al elenco, se arrancó del cuello un largo collar de perlas y empezó a repartirlas entre el público; hacía amago de abandonar el escenario, pero los hombres le silbaban, no se sabía si de rabia o de alegría, y ella permanecía sobre las tablas. La gente gritaba, pataleaba, en el patio de butacas un hombre lanzaba monedas a su alrededor.

Helene se tapó los oídos. Era la única de todo el aforo que no se había puesto en pie; se inclinó hacia delante apoyando la barbilla en el pecho, apuntando con el rostro hacia su regazo y deseando con todas sus fuerzas desaparecer dentro de aquella butaca. Le hubiera gustado marcharse. Pasó más de una hora hasta que lograron salir de la sala. La gente obstruía las salidas, se quedaban parados, aplaudían, daban marcha atrás, se empujaban y se atropellaban. El ambiente era pegajoso, Helene estaba sudando. El alboroto la asustaba. Alguien le propinó un puñetazo en el hombro, probablemente iba dirigido a un joven que lo había esquivado a tiempo. Helene no se soltaba de la mano de Carl, la gente se interponía entre ellos, varias veces estuvieron a punto de separarlos. Helene empezó a sentir náuseas. Fuera, pensó, fuera de aquí.

Carl decidió recorrer la Friedrichstrasse y luego la avenida Unter den Linden. El agua del canal estaba negra; por encima pasó un tren de cercanías. En el puente, Helene se apoyó en la barandilla de piedra y, tras asomar la cabeza, vomitó.

No te ha gustado. No era una pregunta, era una constatación.

Tú estás fascinado.

Me ha entusiasmado, sí.

Helene buscó un pañuelo, pero no lo encontró. El regusto amargo de su boca impedía que se le pasaran las náuseas. Se sentía algo mareada, así que se agarró a la piedra de la barandilla.

¿No es éste el momento del cambio, la verdadera Modernidad? Todos somos parte de un todo, los límites entre el ser y su representación se han difuminado. Ser y apariencia se confunden. La gente tiene hambre, ¿no te has dado cuenta?, ansían un mundo que ellos mismos puedan dirigir.

¿De qué estás hablando? ¿Qué mundo van a dirigir? Tú hablas de entusiasmo y la plebe berrea. A mí lo que me asusta es el despotismo inmisericorde que practican todas las clases sociales. Helene no pudo contener un eructo, la sensación de mareo iba y venía, las náuseas, dio la espalda a Carl y volvió a inclinarse hacia el suelo. Qué hermosa era la arenisca, rugosa y firme.

Carl le puso la mano en la espalda. Cariño, ¿te encuentras mal? ¿Crees que habrán sido las albóndigas?

La cabeza de Helene colgaba apuntando con el rostro hacia el agua y ella se imaginaba saltando al canal. De su boca caían unos hilillos, la nariz le goteaba, no tenía pañuelo.

Él no podía saber que le hacía falta un pañuelo, tan sólo un pañuelo, para volver a incorporarse, así que Helene tuvo que pedírselo:

¿Tienes un pañuelo?

Claro que sí, toma. Vamos, deja que te ayude. Carl se preocupaba por ella, pero Helene se puso furiosa.

¿Cómo puedes ser tan simple y llamar a eso entusiasmo? Lees a Schopenhauer y a Spinoza y una noche como la de hoy te sumas a la masa como si ni el mañana ni el ayer existieran, como si no hubiese otra cosa que el gran baño de multitudes que se da el hombre de la calle.

¿Y tú qué tienes en contra del hombre de la calle?

Nada. Helene notó cómo apretaba los labios. Lo respeto. Por un momento pensó si debía decirle que ella misma era una mujer de la calle, normal y corriente, pero ¿de qué serviría? Así que dijo:

El hombre de la calle no es de la calle, ni el de palacio es de palacio. Tal vez haya que proceder de la alta burguesía, como tú, para poder disfrutar de ese modo viendo al hombre de la calle. Abre los ojos, Carl.

En ese momento, Carl la abrazó y le pidió que no discutieran.

¿Por qué no?, preguntó Helene en voz baja, prefería discutir a tener que aceptar la falta de sensibilidad mostrada por Carl como prueba de entusiasmo. La obra no era más que una sucesión de cantinelas pegadizas.

Carl tapó la boca de Helene con la mano para que se calmara. Shh, shh, le dijo, como si ella estuviese llorando y él tratara de consolarla. No podría soportar que nos separáramos.

Eso no va a ocurrir. Helene alisó con la mano el cuello del abrigo de Carl.

Te quiero. Carl quiso besar a Helene, pero ella se avergonzaba de su mal sabor de boca. Inclinó la cabeza hacia un lado.

No me rechaces, cariño. Sólo te tengo a ti.

Helene no pudo evitar echarse a reír. No te rechazo, dijo entre risas. ¿Cómo se te ocurre pensar eso? He vomitado, me encuentro mal y estoy cansada. Vámonos a casa.

Te encuentras mal, así que tomemos un taxi.

No, vamos andando, necesito tomar el aire.

Caminaron largo rato en plena noche y en silencio. Los estrechos puentes de madera del Tiergarten crujían desprendiendo un olor a podrido. Entre la maleza oyeron cómo algo se movía, las ratas huían de ellos cruzándose en su camino. Se detuvieron bajo el tilo que estaba cerca de la esclusa y escucharon a los monos del zoo, que chillaban desde sus jaulas en plena noche.

A Carl le resultó extraño ser el primero en hablar. En realidad, lo que quería decir no habría tenido cabida en ninguna conversación. Se agachó y recogió una hoja de tilo.

¿Existe lo invulnerable? Puso la hoja delante de su pecho, en el lugar aproximado donde la mayoría de la gente cree tener el corazón. Helene colocó su mano sobre la de Carl y la dirigió con cuidado hacia el centro. No dijo nada. Carl dejó caer la hoja y rodeó las manos de Helene con las suyas, convencido de que ella estaría sintiendo los latidos de su corazón en las palmas. Se oyó a sí mismo diciendo:

Podría preguntarte si quieres ser mi esposa. Tienes veintiún años. Tu madre es judía, mis padres no se opondrán a mi elección.

Podrías preguntármelo. Los ojos de Helene no revelaban lo que estaba pensando. Él la escrutaba con la mirada. Llevas el zapato suelto, dijo Helene sin mirarle a los pies. Era obvio que había reparado en ello hacía bastante tiempo. Carl se agachó y se anudó los cordones. No conoces a mi madre, ni a mi padre, a nadie.

Conozco a Martha. ¿Qué me importan tus padres?, lo mismo que a ti los míos, nada. Esto es algo entre nosotros dos, sólo nosotros. ¿Me prometes que serás mi esposa?

El chillido de un mono llegó a sus oídos. Helene no pudo reprimir la risa, pero Carl la miraba muy serio, esperando una respuesta.

Ella dijo «sí»; lo dijo rápido y en voz baja, y en un primer momento temió que él no lo hubiese oído, después confió en que hubiese sido así, porque había sonado muy débil y a ella le hubiera gustado decirlo con una voz libre y pletórica de fuerza. Pero un segundo «sí» haría que el primero pareciese aún más indeciso y temeroso.

Carl atrajo a Helene hacia sí y la besó.

¿No huelo a rancio?

Carl asintió. Sí, un poco. ¿A lo mejor he esperado demasiado?

La tomó de la mano. Se había roto el hielo.

Tal vez me des hijos, dijo Carl imaginándose ya con dos o tres niños.

Helene había vuelto a entregarse al silencio; caminaban uno junto al otro.

¿Podría ser que te hayas mareado porque estés esperando un bebé? A Carl le encantó la idea.

Helene se detuvo de inmediato.

No.

¿Cómo estás tan segura?

Porque lo sé, así de fácil. Helene se echó a reír. Créeme, hasta una enfermera sabría muy bien qué hacer en ese caso.

Mientras Helene aún estaba alegre, Carl ya se había asustado.

No debes decir eso. No quiero. Tú también deseas tener hijos, ¿verdad?

Claro, pero no ahora. Quiero terminar mis estudios, aún no he perdido la esperanza de ir a la universidad. Trabajo mucho, pero apenas logro reunir lo necesario para un alquiler.

Habla de nosotros. Puedes confiar en mí. Si tú me das hijos, yo te daré una carrera. Carl hablaba en serio.

¿Quieres negociar?

Mis padres nos apoyarán.

Sí, es posible. Tus padres, a los que yo ni siquiera conozco. Carl, tengo que decirte algo. Yo no voy a darle hijos a ningún hombre. Los hijos no se dan así porque sí. Los cristianos dan algo a su Dios, dan amor. Antes, en el teatro, hablaban de dar y regalar. A mí me parece absurdo. Tampoco quiero que me regales una carrera.

¿Por qué no? Mi padre me ha prometido dinero si saco matrícula en el examen final.

Entonces será demasiado tarde para mí. Helene notó su propia impaciencia. Cuando terminen las clases, yo misma trabajaré para pagarme la universidad.

¿Acaso no confías en mí?

Por favor, Carl, no lo reduzcas todo a una cuestión de confianza.

Si nuestros hijos tienen tu pelo, tu cabello rubio, entonces me daré por satisfecho. Carl tomó el rostro de Helene con ambas manos.

Ella sonrió. Carl volvió a besarla, el mal sabor de boca parecía no importarle; la empujó contra el tronco del tilo y probó la piel de sus mejillas, con la punta de la lengua lamió los aledaños de su boca.

Se cruzaron con algunos paseantes, pero, según Carl, ellos eran invisibles bajo la mortecina luz de la farola a la sombra del tilo. Una hoja cayó del árbol y fue a parar a su hombro.

Tal vez nuestros hijos sólo tengan mi pequeña nariz y tus delgados huesos. Helene sopló, quería que la hoja saliese volando del hombro de Carl.

Eso me daría igual. Carl le acarició el rostro con ambas manos para cubrírselo después. Vamos a casa, dijo deslizando su mano por el fino abrigo de Helene hasta sujetar su última costilla. Ésta es tu parte más hermosa. Helene temió que estuviese confundiendo la curvatura de la costilla con su pecho; con un abrigo como aquél, por más fino que fuese, uno bien podía equivocarse. Ella volvió a soplar encima de su hombro, pero la hoja de tilo insistió en no moverse. Entonces alzó la mano —no quería que Carl reparase en la hoja—, le alisó el cuello del abrigo y vio de soslayo cómo la hoja caía flotando hacia el suelo.

En la estación de Zoologischer Garten tomaron el tranvía hacia Nollendorfplatz. De la mano, subieron las escaleras que conducían a la buhardilla de Carl. Él abrió la puerta, colgó su sombrero del perchero y ayudó a Helene a quitarse el abrigo, a descalzarse, a quitarse el vestido.

Déjame verte.

Ella se mostró ante él. Carl jamás había esperado que alguna vez se le mostrara una mujer como ella; la idea simplemente no cabía en su cabeza. Helene se rió, como si se avergonzara, y él supo que ella desconocía ese tipo de pudor. A él le encantaba como compañera de juegos. Ella se puso la mano en el vientre como lo haría una mujer que quisiera taparse, pero luego continuó deslizando la mano hacia el pubis, por la ingle, entre los muslos. Mientras lo hacía, su mirada se volvió más firme, sus fosas nasales empezaron a temblar y su boca insinuó una sonrisa. Sus dedos parecían conocer el camino. Después se llevó la mano a la boca, como si estuviese mordiéndose las uñas presa de la confusión. De repente se dio la vuelta y, mirando por encima del hombro y sus tentadoras hendiduras, preguntó:

¿A qué esperas?

Él la tendió en la cama y la besó.

Empezaba a amanecer cuando lograron separarse.

Carl se levantó y abrió la ventana. Está refrescando, ya se huele el otoño.

Ven aquí, dijo Helene dando unos golpecitos sobre la almohada que tenía al lado. Carl se tumbó junto a ella. No quería la manta. A Helene le gustó contemplar su desnudez. Estaba agotado, llevaba mucho tiempo sin dormir. Durante el día ella había estado trabajando; él, estudiando; habían ido a comer juntos a un pequeño restaurante, albóndigas, la comida preferida de Helene; luego habían ido al teatro y se habían detenido en el puente. Más adelante se produjo su débil «sí» bajo el tilo. Helene se avergonzaba sólo de pensarlo. Acarició el torso de Carl e hizo círculos alrededor de su ombligo, del que partía una larga cicatriz hacia abajo. Apendicitis, vólvulo, oclusión, cierre. Su mano acarició con destreza todos los lunares de su cuerpo alrededor de la aureola del sexo, buscó sus costados y evitó su miembro. Él sabía que estaba jugando y que había habido otros días en los que le había tocado precisamente ahí. No había nada en su cuerpo ante lo que ella hubiese tenido reparos. Eso a veces lo inquietaba, no en vano Helene afirmaba que él había sido el primero. Pero bueno, ¿para qué ser el primero? Él quería ser el último, así que le había dicho: Tú eres la última para mí, ¿me oyes?, mi dulce ultimísima. Carl le puso la mano en la cintura.

La que más me ha gustado ha sido la Lenya y cómo anuncia su venganza. Tendrás que reconocer que te pone la carne de gallina.

Helene no podía creer que volviese con el mismo tema.

Pobre muchacha, contestó Helene haciendo saber a Carl que la compasión que ella sentía era limitada. Tú es que te dejas impresionar, dijo Helene negando con la cabeza con benevolencia, como lo hace una madre con su hijo.

Una inflamación del ánimo, sí. La ópera ha prendido la mecha, se ha producido el estallido.

Y puff. Helene le sopló en el oído.

Las manos de Carl acariciaron el vientre de Helene, su boca buscó los pequeños pezones que eran suyos, sólo suyos, suyos sólo. Antes de que Helene se diera por vencida, le susurró a la altura del cabello: Lo único que no quiero es que te quedes ciego.

Más tarde, cuando el sol caía de lleno sobre su cama, Helene despertó encima de Carl y lo observó mientras dormía. Sus globos oculares se movían bajo los párpados como si fueran pequeños seres vivos; algo semejante a una voz salió de su garganta y lo estremeció, luego volvió a respirar en calma. Helene le susurró algo al oído con la esperanza de que las palabras que se cuelan en los sueños del otro mientras duerme, esas palabras dichas por su voz, se sumergieran en lo más profundo de él, en cada célula de su cuerpo. Ella estaba demasiado cansada como para poder dormir.

Había que separar el alma del cuerpo, dijo Leontine. De lo contrario, ella no podía trabajar.

Separar el afecto de la cosa, eso probablemente sólo iría en beneficio de la cosa, pues él no podía imaginarse un afecto sin causa ni cosa relacionada. Carl rellenó su pequeña pipa y la encendió. Sus gafas de concha nuevas desaparecieron tras el humo; al fumar aún carecía de la elegancia propia de un hombre maduro. Cuando hablaba, en conversaciones estimulantes como aquélla lo hacía tan rápido que se comía algunas palabras y había que imaginárselas para entender qué había dicho exactamente. Sólo que ¿cómo iba una cosa a seguir manteniendo su condición sin un observador? La cosa también tiene un aspecto, una consistencia y una temperatura, sin olvidar su función.

Leontine dirigió la mirada hacia Helene, que se había estirado sobre la *chaise longue* y tenía los ojos cerrados.

Ése es probablemente el desafío de mi gremio, la separación. Sólo la disección del cuerpo es capaz de separar partes independientes de un todo. Podemos observarlas, el hígado y su tumor. Podemos separar el tumor del hígado y el hígado del cuerpo.

Pero no de la persona, siempre será el hígado de esa persona. Ni la separación física ni la interrupción funcional de su simbiosis priva al hígado del hombre ni al hombre del hígado. Tomemos como ejemplo una pierna. Carl aún no sabía si su razonamiento iba a sumarse al de Leontine o a refutarlo. A muchos de nuestros padres les falta una de sus extremidades; viven sin brazo, sin dedo.

Martha suspiró de manera ostensible, la conversación entre Leontine y Carl le estaba resultando demasiado larga; era la primera vez desde hacía tiempo que ella y Leontine habían logrado hacer coincidir su día libre; a mitad de semana habían planeado una excursión a Friedenau para visitar a una pareja amiga. Martha rodeó con su brazo el cuello de Leontine y empezó a ahogarla.

Si vosotros no sois capaces de separaros, nuestros anfitriones se habrán zampado el pastel antes de que lleguemos.

Leontine se deshizo del brazo de Martha. Sólo la esencia de la palabra «conocimiento» ha sufrido cierta transformación. El envoltorio es el mismo, pero lo que ayer era el conocimiento de Dios y su omnipotencia es hoy la disección del tumor.

Carl fumaba y mantenía la cabeza erguida, le daba mucha importancia a la postura, a no mover la cabeza antes de haber sopesado a conciencia su razonamiento y haber encontrado las palabras correctas con las que rebatir a su interlocutor.

Entretanto, Leontine aprovechó la ocasión para intensificar su afrenta.

Carl, la medicina no es la única que le ha añadido al conocimiento tantos atributos nuevos que ya no se puede hablar de la misma cosa. Basta con mirar al cielo, la técnica de los aviones, los gases de exterminio al final de la guerra, todo eso va en contra de Dios.

No, Carl bajó la cabeza, no, ése no es el razonamiento correcto; la ciencia y la técnica nacen directamente del conocimiento de Dios. La única consecuencia es que el hombre no puede sustraerse sólo de la luz, de la luz del conocimiento. No se puede separar lo uno de lo otro. El hombre saca sus conclusiones. Si ésa es la razón por la que rogar a Dios sirve de algo, eso yo tampoco lo sé. No querría atribuirle a Dios rasgos humanos; Dios no habla, tal y como sugieren las Sagradas Escrituras, y no juzga. Yo negaría a Dios toda capacidad moral, todo atributo humano. Dios se puede describir mejor como principio, Él es el principio del mundo. El hecho de creer en Él como metamorfosis de una persona se debe únicamente a los afectos de los seres humanos. Carl aspiró su pipa.

Es el hombre quien causa hoy las catástrofes, fíjate en la guerra y en sus héroes. ¿Hemos sido capaces de recuperarnos? ¿Y qué ha sido peor, los daños materiales, la pérdida de vidas humanas o el agravio sufrido? Leontine se levantó, se dirigió al gran samovar, el único objeto que quedaba sobre la alargada consola, y abrió el grifo. Los héroes de la guerra fueron otros. El agua estaba demasiado caliente, así que se limitó a sostener el pequeño vaso junto a los labios, sin poder beber. Continuó hablando por encima del borde del vaso ardiente: No han pasado ni diez años y mira cómo la gente espera desde hace días en los quioscos para quitarle al tendero de las manos el *Vossische*. Cuando se abalanzan sobre la siguiente entrega de la novela de Remarque y devoran sus descripciones de la guerra no hacen más que contemplar su propio engendro. Nos bastamos a nosotros mismos.

No, es justamente lo contrario; si se bastaran a sí mismos, no tendrían hambre, ni física ni espiritual. La voz de Carl fue perdiendo su ligereza, las palabras que solía pronunciar con rapidez ya no las decía más que a medias. Rectifico: no pretendo afirmar que no debamos responsabilizar de nada al hombre y a sus afectos. Más bien deberíamos mirar de soslayo el principio divino, que en mi opinión y como ya he mencionado, no es de naturaleza moral. Dejemos de vigilar al ser humano para ver qué hay de bueno y de malo en él, tengamos compasión de su propio ser.

Estás loco. Helene lo dijo en un tono amable e indeterminado, en modo alguno estaba segura de semejante afirmación; luego se incorporó, se estiró sentada sobre la *chaise longue* y enarcó la espalda. Después extendió los brazos y gimió aliviada.

A mí como médico lo que me importa es el grado de compasión. Quiero ayudar a las personas para que vivan de la forma más sana posible. El dolor es malo, así que vigilo a las personas, analizo la causa de su dolor, quiero que desaparezca. Leontine bebió un pequeño sorbo de té y volvió a sentarse. Después se pasó la mano por su corta cabellera negra. Se adelantó y, sentada al borde de la base acolchada, abrió las piernas del mismo modo que cuando era una muchacha. Era un misterio de dónde habría sacado aquella falda-pantalón de grueso tejido; recordaba a las que Helene sólo había visto en antiguas revistas de moda. Leontine estiró un brazo y lo apoyó en la rodilla mientras con el otro, ligeramente doblado y con el codo apuntando hacia fuera, sostenía el vaso de té. Aquella forma de sentarse resultaba provocadora, era una postura que a Helene le seguía pareciendo tan excitante como antaño, aunque en esta ocasión por vez primera le pareció poco femenina.

Helene puso los pies en el suelo y se agachó en busca de sus zapatos.

Carl, dijo Helene, justo si consideras la moral un rasgo característico de la persona, no deberíamos despreciar esa dimensión tan genuinamente humana.

No la desprecio, lo único que propongo es ignorarla.

Con la cabeza apoyada en el suelo para ver mejor, Helene estiró el brazo por debajo de la *chaise longue*. Con el rostro contraído por el esfuerzo, levantó la mirada hacia Carl: Vayamos mejor al cine. Mañana trabajo hasta las seis y tengo clase hasta las diez. Helene había encontrado sus botas, se las calzó y se ató los cordones. En noviembre la ciudad se volvía gris, había que abrigarse y, a ser posible, ir varias veces al cine o al teatro para soportar la falta de colorido de los días. Carl permaneció en su silla y siguió fumando. No quedaba claro si se había enterado de que Helene le había hecho una propuesta.

Yo la admiro, Leontine, por eso permítame añadir algo más. A mi parecer, el dolor es el único estado que no podemos equiparar al resto de afectos. Es el dolor lo que lleva a los hombres a imaginarse un futuro, ya sea en forma de utopía o de paraíso. Si usted como médico mitiga el sufrimiento, eso es bueno para el individuo, pero malo para Dios. El principio denominado Dios se basa en el dolor. Sólo si éste fuese erradicado del mundo podríamos hablar del exterminio de Dios.

¿Qué, vamos a llegar a Friedenau antes de que anochezca o no? Martha ya estaba en la puerta, esperando a que Leontine lograse poner fin a la conversación con Carl.

Leontine miró a Carl, más de diez años menor que ella; en su rostro había algo de tristeza y capitulación. Su voz sonó grave y firme a un tiempo cuando dijo: Es atroz. Luego hizo una pausa, pareció tener que reflexionar por un instante. Su visión es atroz, Carl. Es el momento indicado para irnos. A la voz de Leontine se le sumó cierta dureza, que casi sonó amarga. Escuchándole hablar uno deduce que los curas –de sus rabinos no sé lo suficiente–, que los curas, digo, con sus promesas de paliar el dolor fueron los primeros herejes. Así que los cristianos eran una banda bien organizada... Leontine negó con la cabeza. En su rostro asomó el desprecio. Miró hacia otro lado, luego miró a Martha, que aún estaba esperando con la puerta abierta. Leontine se levantó, puso la mano en el brazo de Martha y le dijo: Venga, Martha, nos vamos.

Las dos mujeres abandonaron la habitación. Helene y Carl las escucharon en el pasillo intercambiando unas pocas frases breves en voz baja. Después se oyó el cerrojo de la puerta. Helene no se atrevía a mirar a Carl. El silencio entre ambos se expandía. Carl fumaba y permanecía sentado; a contraluz su enjuta figura parecía la de un viejecillo. No estaba acostumbrado a que le dejasen con la palabra en la boca. Helene se cruzó de brazos. Pensó en qué podría decir para animarlo, pero al mismo tiempo sentía que no quería animarlo. No había hecho caso a su intervención anterior, probablemente ni siquiera lo había hecho adrede.

A las seis podríamos ver *Pat y Patachon*, a ésa llegamos a tiempo. Helene lo dijo como de pasada, también ella se había dirigido a la puerta con la esperanza de que Carl se levantase de una vez y la siguiera.

Leontine ha mencionado el agravio, Carl hablaba ahora despacio, dejando la frase a medias. Su mirada reposaba sobre la silla que antes ocupara Leontine. Le resultaba difícil pensar habiendo perdido a su interlocutora. Ha mencionado el deseo, el deseo de que haya héroes, o al menos heroísmo. Yo no simpatizo con el heroísmo de un antisemita como Arthur Trebitsch. No existe la salvación de la raza nórdica ni una conjura judía mundial. Lo trágico es que con el final de un sufrimiento personal, pongamos por caso la muerte, algunas ideas jamás se pierden, y puede que hasta ni una sola idea se pierda. Las ideas siguen desarrollándose fuera del individuo que las ha concebido durante su breve existencia. Es imposible determinar su autoría, porque ese mejunje de pensamiento humano, marcado y enriquecido por el sufrimiento, dudando de sí mismo, no tiene principio ni fin. Es esa ausencia de límites lo que me debilita. La humanidad no tiene freno. El hombre expulsa a Dios de la Tierra. Y desaparece dentro de una caja mágica.

Carl hablaba para sí y para Leontine, Leontine, hacía tiempo ausente. Exhausto, dejó caer las manos sobre los muslos.

¿Qué te parece *El circo*, de Chaplin? Helene se cruzó de brazos y se apoyó en el marco de la puerta.

Carl la miró sorprendido. Fue necesario que transcurriera una pausa antes de que pudiera responder.

Cine, dijo abruptamente, vayamos al cine, ya vuelto en sí. ¿No están poniendo esas películas de boxeadores? Todo el mundo rueda películas de boxeadores, deberíamos ver alguna.

Combat de boxe, es la joven vanguardia belga, de un director que tiene un nombre del todo impronunciable: Dekeukeleire. Sólo el nombre basta para hacer una película, ¿no crees? O ese inglés..., su película se llama *The Ring*, aquí los distribuidores la han titulado *El campeón mundial*, ¿no es divertido? Carl trataba de convencerse a sí mismo de lo divertido de su observación.

¿Una película de boxeadores? Helene no estaba convencida, pero haría cualquier cosa para que Carl se levantara de aquella silla de una vez por todas y saliera con ella.

La calle tenía un brillo gris oscuro, entre las casas flotaba una fría humedad. Las farolas ya estaban encendidas y en las esquinas se vendía la prensa vespertina.

¿Has estado enamorado de Leontine?

¿De Leontine? Carl enterró las manos en los bolsillos del abrigo. Bueno, sí, lo admito. Carl no miró a Helene y ella no quiso seguir preguntando qué había querido decir con su respuesta.

Helene corrió los últimos metros que la separaban del Hospital de la Charité. Aquel día se había saltado las clases nocturnas; las últimas semanas ya sólo se dedicaba a preparar posibles preguntas del examen de acceso a la universidad. Era Pascua y el farmacéutico le había dado libre el resto de la semana. Su pequeña maleta era ligera, de color granate, la había comprado hacía unos días y no había metido muchas cosas. Helene aún respiraba con fuerza cuando llamó a la puerta de la doctora. Leontine le abrió y se dieron dos besos.

¿Estás segura?

Sí. Helene se quitó el abrigo. Bastante. No tengo náuseas, ni una, sólo por las noches noto presión en la vejiga.

¿Cuánto hace del último periodo?

Helene se ruborizó. Por más que durante su formación en el hospital les hubiese cambiado las compresas a las pacientes encamadas, por más preciso que fuese el recuerdo de cómo lavaba la ropa interior de Martha, jamás había hablado de su propio periodo. Y ahora la primera pregunta aludía precisamente al último.

Veintinueve de enero.

Podría haberse retrasado. Leontine interrogó a Helene con la mirada, sin reproches, sin juzgar.

Sí, eso mismo creía yo.

Así que no tendré que ir por uno de los ratones de Aschheim...

Leontine trabajaba codo con codo con Aschheim en su laboratorio, pero para hacer la prueba habría necesitado la primera orina de Helene. Tendría que haber tomado uno de los pequeños ratoncillos hembra, aún sin pelo, e inyectarle la orina de Helene de forma subcutánea. Después habrían tenido que esperar dos días para hacerle la autopsia al animal. Si la ratoncilla reaccionaba con una ovulación, tendrían la certeza de que la mujer estaba embarazada. Leontine estaba ayudando a Aschheim a escribir un tratado al respecto que, si todo iba bien, estaría listo a finales de año y sería publicado al año siguiente.

Te voy a dar, para que te lo bebas, un pequeño somnífero.

¿Y no me enteraré de nada?

No. Leontine se dio la vuelta; en una jarra de cristal había mezclado un líquido para Helene que vertió en un vaso. Sé cómo trabajan los anestesistas.

Eso no lo dudo. En ese momento, Helene tuvo miedo. No le asustaba el aborto en sí, le asustaba saberse inconsciente. Se sentó en una silla y apuró el vaso de un trago. A raíz de su trabajo en la farmacia, ella misma sabía qué sustancias eran las adecuadas para provocar un estado de ausencia durante un periodo de tiempo limitado y bien dosificado.

Llamaron a la puerta y entró Martha. Echó la llave por dentro y se acercó a la ventana para bajar las persianas.

Nadie debe vernos, dijo dirigiéndose a Helene. Ahora respira. Es sólo un poco de éter. Helene vio cómo los pasos de Martha se ralentizaban hasta moverse a cámara lenta y cómo Martha la tomaba de la mano. No logró sentir la mano de su hermana. Martha se colocó a su lado y la rodeó con el brazo. Estoy aquí, contigo.

No hubo ningún sueño, ninguna luz al final del túnel, ninguna idea de lo que podría haber sido, ni tampoco vio el índice de ningún Dios Padre alzándose desafiante frente a ella.

Cuando se despertó, Helene aún sentía todo su cuerpo entumecido, sólo poco a poco fue notando el escozor. Estaba tumbada de espaldas, con un cinturón fuertemente atado por encima del pecho. ¿Cómo habrían conseguido las dos mujeres ponerla sobre la camilla? Helene no se atrevía a moverse. En el escritorio había una lámpara encendida. Delante de ella estaba sentada Leontine, leyendo.

¿Ya está fuera? La voz de Helene temblaba.

Leontine se volvió hacia Helene, permaneció sentada en la silla y dijo:

Duérmete, Helene, esta noche nos quedamos aquí.

¿Ya está fuera?

Leontine volvió a sumergirse en su libro, parecía no haber oído la pregunta de Helene.

¿Niño o niña?

Fue entonces cuando Leontine se volvió bruscamente hacia ella.

Ahí no había nada, dijo enfadada. Tienes que dormir. No había ningún embrión, ningún óvulo fecundado, no estabas embarazada.

Se oyeron unos pasos en el pasillo que volvieron a alejarse. Helene empezó a despertarse.

No te creo, susurró, y sintió cómo las lágrimas le resbalaban tibias por la sien hasta el oído.

Leontine calló; inclinada sobre el libro pasó una página. Con la luz en contra, que se refractaba como un prisma con las lágrimas, parecía que había miles de Leontines. ¿Eran unas gafas lo que llevaba puesto? Helene movió los dedos de los pies, los tirones que sentía en el vientre se volvieron tan fuertes y cortantes que sintió una ligera náusea.

¿Tiene Martha turno de noche? Helene trató de reprimir el dolor, no quería que su voz la delatara.

Toda la semana. Luego vendrá y te llevaremos a casa. Hasta entonces tienes siete horas por delante, deberías dormir.

Si Helene no hubiese tenido esos dolores, habría logrado decirle a Leontine que no quería dormir, pero el dolor no le permitía expresar más que pocas palabras y en ningún caso empecinarse.

¿Hay alguna bolsa de agua caliente?

No, el calor no haría más que empeorarlo. Leontine esbozó una sonrisa. Se levantó y se acercó hasta Helene para ponerle la mano en la frente. Estás llorando. Podría darte morfina, un poco al menos.

Helene sacudió la cabeza con fuerza. De ninguna manera. Jamás aceptaría morfina, aguantaría el dolor, cualquier dolor, aunque no lo expresase en voz alta. Se mordió los labios, la mandíbula cerrada a cal y canto.

No te olvides de respirar. Esta vez Leontine sonrió de verdad; acarició el cabello de Helene, humedecido por el sudor y pegado a la frente. Las lágrimas manaban, no podía contenerlas.

Si necesitas ir al servicio, avísame, la primera vez duele, pero la orina es buena, ayuda a cicatrizar. Lo único que tienes que hacer es permanecer tumbada todo el tiempo que puedas. A todo esto, ¿Carl está al tanto?

Helene volvió a negar con la cabeza, no importaba que estuviese llorando.

Le he dicho que nos íbamos de vacaciones a la costa. Nos íbamos a Ahlbeck, ¿no?

Leontine enarcó las cejas. ¿Y si por casualidad se encuentra con Martha o conmigo?

Eso no ocurrirá, está estudiando para el examen final. Lleva tres semanas encerrado en la buhardilla. Helene jadeó, la risa y el dolor no congeniaban bien. Me dijo que seguramente aún haría fresco en la playa, que cuidásemos de no resfriarnos.

Leontine retiró la mano de la frente de Helene y se dirigió hacia su mesa, se acercó la lámpara para que el resto de la habitación estuviese un poco más oscura y siguió leyendo. Bajo la luz de la lámpara parecía que Leontine tuviera pelusilla en el labio superior.

No tenía ni idea de que usaras gafas.

No me delates, de lo contrario te delataré yo.

Por la mañana, Martha y Leontine sujetaron a Helene entre las dos. Martha llevaba la pequeña maleta color granate, en la que habían guardado la ropa íntima de Helene. Ésta tenía que pararse una y otra vez, su cuerpo se contraía y ella no quería doblarse del dolor en plena calle. Sangraba, el líquido parecía más denso que de costumbre. El viento silbaba, las chicas tenían que sujetarse el sombrero. Helene se sentía empapada de dentro hacia fuera, la humedad reptaba hasta los riñones, iba resbalando a lo largo de sus piernas y a Helene le pareció que había llegado a las corvas.

Leontine le dijo a Martha:

Espera aquí con ella. Y Martha esperó con Helene, rodeándola con el brazo por la cintura. A Helene el brazo de Martha le pareció desagradablemente pesado, era como si su roce provocara y atrajera el dolor. El brazo de Martha le molestaba, pero no podía hablar, no quería apartar a Martha de su lado. De pronto se acordó de su madre y empezó a marearse. Llevaban mucho tiempo sin saber nada de ella. La última carta de Mariechen había llegado por Navidad, todo estaba en perfecto orden, su madre se encontraba mejor, a veces salían a pasear juntas. Un tirón desgarró el cuerpo de Helene, que se arrodilló casi imperceptiblemente. Martha levantó el brazo y puso la mano sobre el hombro de su hermana; sin que se lo hubiera preguntado le aseguró que pronto lo habrían conseguido. En el rostro de Martha había una expresión singular que Helene nunca había visto. ¿Era terror?

Ángel mío. Martha acercó a Helene hacia sí y ella misma también se acercó a su hermana. Le acarició el rostro. Helene quiso decirle que aquello no era necesario; sólo era dolor, nada más. Solamente debía superarlo, resistir, esperar. Leontine les hizo señas desde más adelante; junto a la vía, por fin había parado un taxi. Empezó a llover, los viandantes abrieron los paraguas. Leontine empezó a bracear para que se acercasen. La sangre que había entre las piernas de Helene se había enfriado. Martha y Leontine la llevaron a la pequeña habitación de la Achenbachstrasse. Habían vuelto a separar las camas y le aseguraron que esa semana no les importaba volver a dormir en una sola cama. Le trajeron agua y le dijeron que era muy importante que guardase el máximo reposo posible. Olía a bergamota y a lavanda. Helene quería asearse, pero no debía ponerse en pie. En el pasillo se oyó un ruido de puertas. ¿Baron, tal vez?

No, le contaron que Heinrich Baron se había ido a Davos a causa de la tuberculosis. Últimamente se había sentido tan mal que Leontine le había mandado por escrito recomendaciones y extendido recetas. En su lugar había alquilado la habitación el matrimonio Karfunkel. Fanny estaba muy contenta de poder cobrar un buen alquiler; no en vano había logrado desempeñar el gramófono.

Helene se tumbó sobre la estrecha cama y cerró los ojos, había demasiada claridad.

Es mejor que te tumbes boca abajo, ángel mío, así el útero bajará con más facilidad. Helene se dio la vuelta. La almohada y el colchón, todo olía a Leontine. Helene volvió a cerrar los ojos. Los tirones no eran tan terribles. No estaba embarazada, eso era bueno.

Se pasó toda la semana tumbada boca abajo, aspirando el olor de Leontine y ejercitando la paciencia.

Martha había averiguado que el autobús iba de Ahlbeck a Heringsdorf y que el tren rápido que salía de la estación Heringsdorf Seebad llegaba a las dos y media a la estación de Stettin de Berlín. Así que llamó por teléfono a una amiga de Ahlbeck y le pidió que le pusiera el siguiente telegrama: Para Carl Wertheimer. Llegada domingo dos y media, Estación de Stettin. Besos, Helene.

El domingo Leontine tenía guardia en el hospital. Martha

y Helene tomaron solas el tranvía hacia Bernau. Allí esperaron algo más de media hora al ferrocarril. Algunos chicos vendedores de periódicos corrían hacia el tren cuando hacía entrada en la estación y ofrecían a los viajeros que iban junto a las ventanas sus ediciones especiales. El tren humeaba y silbaba, incluso cuando se hubo detenido. ¡Berlín, pasajeros al tren! Iba tan atestado que Martha y Helene lograron subir no sin esfuerzo. El silbato sonó y... en marcha. El tren iba lleno de berlineses que volvían a casa tras pasar los días de Pascua en la costa y en otros lugares del nordeste. Se entretenían leyendo los periódicos e intercambiaban pareceres sobre los últimos enfrentamientos acaecidos en Schleswig-Holstein. Un viejo dijo: A ésos no se les había perdido nada en Wöhrden. ¿Qué es lo que buscaban en realidad? Alrededor del viejo se produjo un intercambio de duras palabras. Unos cobardes, eso es lo que son.

Qué dice cobardes, se trata de justicia.

Con los cuchillos no se juega.

Helene se agarró con fuerza a la barra. No habían conseguido hacerse con un sitio. El dolor se había vuelto casi suave, se había replegado desde el bajo vientre hasta la zona lumbar, desde donde latía con una intensidad que Helene toleraba. Los que estaban a su alrededor no callaban, todos hablaban con todos. Al parecer semejante afán era contagioso, cada hombre e incluso cada mujer quería exponer en público sus opiniones y argumentos.

Yo a eso lo llamo ir por la espalda. La mujer que hablaba parecía ofendida.

No vamos a permitir que nos prohíban reunirnos, gritó un hombre secundado por su compañero, ni mucho menos que nos entren a degüello. Martha y Helene continuaron de pie, junto a la puerta, hasta que llegaron a la estación de Stettin.

Carl estaba esperando en la estación; les hacía señas con los brazos, como si tuviera alas. El tren lanzó un estertor y, finalmente, se detuvo. Las chicas bajaron, Carl corrió hacia ellas, estrechó la mano de Martha y abrazó a Helene.

¡Cuánto te he echado de menos!

Helene apretó su rostro con fuerza contra él, la lisura del cuello de piel del abrigo, no quería que la mirase. Ríos de gente corrían a su lado dejándolos atrás.

Una semana entera en la playa y yo metido en la buhardilla preguntándome si Hegel debería enajenar la lengua alemana de su uso primigenio para poder expresar sus pensamientos de forma adecuada. ¿Era realmente necesario? Carl se rió. ¿Dónde habéis dejado a Leontine?

Tuvo que regresar antes, el profesor Friedrich le mandó un telegrama diciéndole que la necesitaba con urgencia.

Déjame verte, sí que pareces relajada. Carl observó a Helene como si fuera un albaricoque en venta y le pellizcó cariñosamente la mejilla. Tal vez unas ligeras ojeras. ¿No os habréis ido a bailar sin mí?

¡Pues claro! Martha plantó la pequeña maleta en manos de Carl.

La primavera y el verano pasaron como una exhalación. Mientras, Helene seguía trabajando en la farmacia, se presentó a la prueba de madurez y quedó a la espera de los resultados. Carl se pasaba de la mañana a la noche sentado en su escritorio rodeado de pilas de libros; si salía a la calle era sólo para quitarse de encima algún examen escrito u oral. A finales de verano, a los dos les pareció que la vida se había rendido a sus pies. Dos catedráticos rivalizaban por atraer la atención de Carl, que no tenía más que decidir si quería continuar leyendo a Hegel o bien, de acuerdo con la corriente general, dedicarse a estudiar a Kant y Nietzsche con mayor profundidad. Carl envió cartas a las universidades de Hamburgo y Friburgo, universidades ambas con unos catedráticos cuyo trabajo le entusiasmaba. Una vez hecho público su *summa cum laude*, le llegó una invitación de Dresde para que se dedicara a estudiar el problema de la universalidad en la Estética de Kant, pero Carl prefirió esperar las respuestas de Hamburgo y Friburgo.

Ya sabes que tenemos que casarnos antes de que me marche de Berlín.

Carl apretó la mano de Helene. Cruzaron la Passauer Strasse. Olía a hojarasca. El amarillo claro de las hojas de los tilos acercaba el sol de otoño a las oscuras ramas. En la Nürnberger Strasse habían barrido las hojas, juntándolas en montones. Helene atravesó uno de ellos; las hojas salieron volando por encima de la punta de sus zapatos, y las que estaban más secas crujieron. El arce refulgía verde y rojo, amarillas y verdes brillaban la nervaduras, el tizón marrón avanzaba desde el borde de las hojas. Oro tostado en las hojas de los castaños. Helene se agachó y recogió una castaña. Mira qué lisa es y qué color tan hermoso tiene. Helene acarició la curva de la castaña y se la ofreció a Carl.

Él la tomó y esperó su respuesta. Los ojos de Helene eran claros, bajo la luz amarilla del sol crepuscular parecían casi verdes. Sus ojos sonrieron. ¿Tenemos?

Carl asintió, no podía esperar más. Cásate conmigo.

Helene apenas tuvo que estirarse para besarle en los labios. Soy tuya, susurró.

¿En primavera? Carl quería asegurarse, la agarró de la mano y, adelantándose unos pasos, empezó a caminar.

En primavera, confirmó Helene. No quiso dejar que él tirase de ella, así que lo alcanzó y ambos fueron apretando el paso cada vez más. Estaban invitados a cenar. En la Achenbachstrasse ya se veían las luces encendidas. Fanny todavía estaba ocupada con los preparativos; necesitaba la ayuda del personal de servicio, así que pidió a Carl y a Helene que bajaran a *Cleo* a la calle. Más tarde, cuando regresaron, la casa estaba llena de invitados. Del gramófono salía una voz ronca que se lamentaba de los tiempos que corrían. El primo de Viena, al que Helene sólo conocía de pasada, se abalanzó sobre ella nada más traspasar la puerta. Se alegraba tanto de ver a Helene, jamás olvidaría la hermosa conversación que habían mantenido dos años atrás. Helene pensó a qué conversación se referiría. Ella guardaba un recuerdo muy vago, algo que ver con la educación de los hijos. Era una lástima que no hablase francés, dijo el primo con expresión babosa. Entonces puso su mano, enorme y blanda, sobre el brazo de Helene. Había considerado hacerle una oferta para que fuese la profesora particular de sus hijas. Helene lo miró sorprendida. Sería un lujo que viniese a Viena. Podría quedarse en la habitación de servicio, al fin y al cabo somos familia.

¿Me permiten los abrigos? No era la primera vez que Otta lo preguntaba. Helene se volvió a un lado aliviada, se quitó el abrigo y cruzó una mirada con Carl, que esperaba paciente junto a ella.

Helene le agarró de la mano.

He sabido por Fanny que ha superado con gran éxito la prueba de madurez. Claro, no podía ser de otra manera. Estoy seguro de que será una excelente profesora para mis hijas, son dos.

Mi prometido, Carl Wertheimer, dijo Helene en mitad de la frase del primo. Él tragó saliva y su mirada recayó por vez primera en Carl.

Encantado. El primo tendió la mano a Carl. Así que usted tiene la fortuna... —al parecer el primo tuvo que calibrar qué tipo de fortuna creía que tenía Carl—. La fortuna —comenzó por segunda vez— de llevar a esta hermosa joven al altar.

Carl no ocultó su alegría ni su orgullo. Era la primera vez que Helene le presentaba como su prometido. Le invitaremos a la boda, dijo Carl educadamente. ¿Nos disculpan? Carl fue avanzando mientras empujaba a Helene para atravesar el pasillo donde esperaban los invitados y llegar al salón, en el que la gente estaba sentada y de pie, todos muy juntos. Martha conversaba con los nuevos realquilados; a su lado, ella parecía alta, pálida y serena. Tenía una copa en la mano y Leontine se encargaba de que le sirvieran agua. Para su sorpresa, Helene descubrió junto a Leontine la calva delantera de Baron. Él estaba de espaldas a la puerta y no la vio llegar.

Cuánto me alegro de verle, dijo Helene dándole una palmadita en el hombro.

¡Helene!, Baron extendió los brazos con las manos ligeramente dobladas y abiertas hacia arriba, un gesto que al mismo tiempo expresaba distancia. Tomó la mano de Helene y la besó.

¿Se encuentra mejor, se ha recuperado?

Ni un ápice. Nada más llegar, el médico me diagnosticó un enfriamiento del corazón; Helene, ¿qué tiene usted que decir al respecto? Por un momento pareció que Baron iba a ponerse en evidencia delante de todos. Escrutó a los que estaban a su alrededor, pero enseguida se apresuró a sonreír de forma enérgica. Hace tiempo que Davos ya no es lo que era. Un par de ancianos decrépitos y cantidad de histéricos que se pasan todo el santo día contándose historias de enfermedades y correteando por los jardines del balneario como persiguiendo algo. También peregrinan en grupitos al sanatorio del bosque.

¿De veras?, dijo en ese momento una persona menuda y enjuta que Helene no conocía. Parecía que aquel delicado ser admiraba a Baron, y escuchaba con el dedo pegado al oído.

Pero al común de los mortales ni siquiera le permiten la entrada. Baron se alegró de tener por fin quien lo escuchara. Entonces yo, con rostro serio, fui y aseguré tener una cita con Monsieur Richter. El nombre se me ocurrió sobre la marcha. El portero asintió, por su parte no había inconveniente, y permitió que me repantigara un buen rato en una gran butaca. Adopté la actitud del que espera. La gente que había allí era insoportable, terrible.

Ciertamente, dijo entonces el delicado ser, retirándose un mechón cobrizo de la cara.

La excitación de Baron alegró a Helene, su recuperación era patente.

Carl Wertheimer, dijo Baron esforzándose en componer una expresión de agrado. Qué bien que haya venido.

Nos hemos prometido. Helene retó a Baron con la mirada.

Sí, ehh, sí, ya me he enterado. Baron se rascó la oreja. Leontine me lo ha contado. Les doy mi enhorabuena. Como si tal cosa le resultase difícil, Baron se llevó la palma de la mano a la calva y empezó a tirarse de los finos pelillos con los dedos índice y corazón. El delicado ser que estaba junto a él cambiaba intranquilo el peso de un pie a otro mientras miraba amablemente a los contertulios.

Dios mío, esto..., ¿qué iba a contarles? Ah, quería hablarles del simposio filosófico, de la discusión, que tampoco podía faltar en Davos. Pero tal vez sea mejor que les presente primero a la señorita Pina Giotto, nos conocimos en Arosa.

Sí, estábamos alojados en la misma pensión, confirmó el delicado ser, ya más aliviado.

En realidad fue así: los precios en Davos..., nada que ver con los de aquí. Y Arosa..., bueno, es casi lo mismo.

Baron seguía toqueteándose el cabello con la mirada fija en Helene y habiéndose olvidado de parpadear.

Y está más alto, afirmó acto seguido el delicado ser.

Baron dejó bruscamente de contemplar a Helene y miró a su acompañante con expresión de inseguridad. No sin cautela se atrevió a hacer un gesto con la mano en dirección a ella, suave pero despectivo, y tomó la palabra.

Seguro que usted está al corriente, Carl, la disputa entre Cassirer y Heidegger ha revolucionado todo el lugar.

Terrible, sí, asintió la señorita Giotto. Uno de ellos sencillamente se marchó.

Heidegger anunció que iba a acabar con la filosofía de Cassirer.

Sí, y entonces uno de ellos se marchó sin más. ¿Dónde se

habrá visto cosa igual? Yo ya se lo he dicho a Heini, ése es un cobarde. No está bien zafarse así de las cosas.

En ese instante Baron se sonrojó y su frente rompió a sudar. Las palabras de la señorita Giotto no parecían ser muy de su agrado.

Bueno, fue un poco distinto. A modo de disculpa, Baron miró primero a Carl, luego a Helene y después de nuevo a Carl. Se lo explicaré. Baron se pasó el pañuelo por la frente y el brillante claro que atravesaba su cabeza. Se trataba de Kant. La teoría del ser reformulada por Heidegger es fundamental, radical, apenas dejó a Cassirer que tomara la palabra, puede que Cassirer pensara que no le estaban tomando en serio. Para él se trataba de las formas simbólicas. Hablaba sin parar del símbolo. Tal vez por esa razón su marcha apresurada le pareció a la mayoría una señal, un símbolo de su derrota.

Helene evitó mirar a Carl, no quería comprometerle. ¿No eran esos dos los señores a los que él había enviado cartas a Hamburgo y Friburgo y cuya respuesta llevaba semanas esperando?

Más tarde, cuando el grupo se hubo sentado alrededor de la gran mesa y, después de varios platos, sirvieron finalmente un *soufflé* sobre un lecho de manzanas, Carl y Erich se pusieron a conversar sobre la reciente marcha de la economía.

Le digo una cosa: Compre. Compre, compre y compre. Erich estaba sentado frente a Carl y Helene. Había apoyado el brazo sobre la silla de Fanny y hacía oscilar su copa de coñac. El atlético cuello de Erich le resultó a Helene más macizo que de costumbre. Obtendremos grandes beneficios, créame. Aquí en Europa el estallido de la burbuja especuladora sólo puede beneficiarnos.

¿Entonces usted no ve ningún riesgo?

Bah, Nueva York. Usted aún es joven, Carl. Probablemente no tenga dinero. Pero si lo tuviera, le estaría dando el mejor de los consejos. La quiebra de Estados Unidos nos beneficiará, ya lo verá. Erich se inclinó sobre la mesa y, tapándose la boca con la mano para que no le oyese Fanny, que estaba sentada a su lado hablando con los señores que tenía enfrente, les dijo: Pronto volverá a ser una mujer rica. He logrado convencerla de que pida una hipoteca para la casa. Pronto comprará todo el edificio, ya lo verán.

En ese momento Fanny se levantó y alzó su esbelta copa. La golpeó con la cucharilla, pero el cristal era tan grueso que apenas tintineó, así que reclamó la atención de sus invitados. La anfitriona alabó a sus amigos y enumeró los aniversarios y las distinciones acontecidas en las últimas semanas; después de cada elogio todos aplaudían. Helene y Carl se alegraron de que no mencionase sus exámenes ni los resultados y de no tener por tanto que levantarse, asentir con dignidad y mostrarse orgullosos.

Carl se inclinó hacia Helene y le dijo en voz baja: El orgullo es propio de burgueses. Helene bajó la mirada dándole la razón. A sus ojos, el asentimiento plácido y ufano de aquellos caballeros contradecía cualquier tipo de dignidad, por más que se tratase precisamente de demostrarla.

Avanzada la noche Helene se encontró entre Baron y Pina Giotto. Por más insoportable que le resultase su parloteo no quería separarse lo más mínimo de ellos, ya que Erich llevaba toda la noche persiguiéndola con ojos de deseo. A través de la puerta abierta del porche, Helene vio a Carl sentado hablando con Leontine, Martha y una pareja de desconocidos. Pina Giotto trataba de convencer a Baron de que al día siguiente la acompañara a uno de los grandes almacenes; quería un boa de plumas. Baron se dedicó a poner excusas, seguramente imaginaba lo caro que podía ser uno de esos boas. Boa, boa, Pina Giotto no daba tregua. Plumas boa boa plumas. Plumas largas, plumas ligeras, ¿brillantes o mates? Plumas de pavo, plumas ajenas, plumaje. Con tanta pluma, Helene no pudo evitar acordarse de su madre. En la última carta ponía que se encontraba algo mejor. Ya no había ofuscación, podía pasear. Eran cerca de las once cuando los primeros invitados se dirigieron al pasillo y aguardaron a que les trajeran sus abrigos. Unos querían ir a ver la revista de medianoche, a otros les tentaba más el salón de baile. Vosotros también venís, dijo Fanny en tono impositivo, escapándosele un gesto que incluía a Baron, su señorita Giotto y Helene. Al reconocer a Helene entre sus últimos invitados, farfulló: ¡Tú también, pequeña canalla!

Helene empezó a buscar a Carl, pero en el porche había sentados dos hombres practicando cómo echar un pulso sobre la mesita baja. Mientras la señorita Giotto explicaba a Baron que el brillante que habían visto a mediodía en la joyería tenía buen tamaño y era muy apropiado para un colgante sencillo, cierta inquietud se apoderó de Helene. No importaba adónde mirase, no lograba ver a Carl y tampoco a Martha y Leontine. A pesar del riesgo de que Erich la siguiera, se excusó de forma discreta y se paseó tan relajadamente como le fue posible por las habitaciones contiguas. En ningún lugar encontró a los desaparecidos. Nada más cruzar el salón berlinés y justo al darse la vuelta para continuar buscando se encontró en el punto de mira de Erich, que la había estado siguiendo y se acercaba a ella a paso largo. Helene abrió la puerta que daba a la parte trasera de la vivienda. No logró encender la luz del pasillo, pasó apresuradamente junto a las dos primeras puertas cuando oyó unos pasos tras de sí. Por un instante desapareció el haz de luz que desde el salón iluminaba el pasillo, donde estaba ella. Erich había cerrado la puerta. Presa del pánico, Helene fue palpando a oscuras el papel de la pared hasta que notó el marco de la puerta y el picaporte. Tenía que ser su antigua habitación, la que ocupaban Martha y Leontine. Voces y risas traspasaban la puerta. Era obvio que Erich, al otro extremo del pasillo, había perdido la orientación. Helene le oyó resollar. Pero la puerta no se podía abrir. Helene sacudió con fuerza el picaporte.

Un momento, dijo una voz desde el interior del cuarto.

Transcurrieron unos segundos hasta que le abrieron. Martha dejó pasar a Helene.

Ah, eres tú, Martha se mostró manifiestamente aliviada y pidió a Helene que entrase con presteza. Luego cerró la puerta con llave. Sin volver a preocuparse por Helene, Martha se sentó en la estrecha cama, donde se habían sentado también Leontine con la desconocida que antes había estado en el porche con los demás. Aquella extraña llevaba el boa de plumas con el que soñaba Pina Giotto. Las plumas oscuras y violetas resaltaban los pómulos marcados y los ojos sombreados; el cabello le formaba una fina onda muy pegada a la cabeza, sobre un cráneo armonioso, largo. Carl estaba sentado junto al lavabo dándole la espalda a Helene; en ese momento se levantó y se mostró sorprendido al verla. Helene reparó en cómo Carl le pasaba por encima de la mesa al desconocido la pequeña cajita plateada que escondía en su mano; aquel desconocido que ella antes, cuando miró hacia el porche, había tomado por el marido de la extraña que ahora estaba sentada en la cama besándose con Leontine. Las plumas violetas ocultaban el rostro de Leontine. Helene se sintió horrorizada cuando fue consciente de cómo abrió los ojos; por un momento trató de mirar en otra dirección, pero ¿hacia dónde? Sabía de qué caja se trataba, y el intercambio subrepticio de esa cajita entre Carl y ese hombre sólo podía significar que Carl no quería hacerla partícipe de aquello.

Los demás se marchan. Fanny quiere que los acompañemos a bailar.

Siempre quiere ir al mismo sitio, el Königsclub, dijo Martha algo decepcionada. Vayamos al Silhouette, está mejor. Martha abrió la puerta.

De acuerdo, vamos. Carl habló en un tono formal e inspiró de forma casi imperceptible. Luego se acercó a Helene y la agarró del brazo. Vamos a bailar, cariño.

Helene asintió, no quería que se le notara nada.

Cuando más tarde se encontraron bailando en una sala suavemente iluminada, mientras Carl no le quitaba las manos de las caderas, la acariciaba en todos los lugares donde en general no lo hacía en público y se abalanzaba sobre ella como si llevasen días sin verse y no se hubiesen amado aquella misma mañana, Helene no pudo apaciguar sus pensamientos ni tampoco seguir reprimiéndose, así que, a pesar del volumen de la música, gritó al oído de Carl:

¿Sueles esnifar a menudo?

Carl lo había entendido; seguro que intuía que ella había visto la cajita. Entonces alejó a Helene de sí estirando los brazos, bajó ligeramente la frente, la miró y negó con la cabeza. Lo decía en serio, tenía que creerle. Ella así lo hizo, no sólo porque no le quedase otro remedio. Sus cuerpos se pertenecían; cómo él la sujetaba al bailar, cómo se soltaban para volver a juntarse, la mirada de él en los ojos de ella, la búsqueda y la incertidumbre, hacia el interior, hacia lo conocido; el beso de él en los labios de Helene, y esa sensación de pertenencia que ella percibía entre ambos era algo que no concedía ni permitía pequeños secretos ni diferencias, sino que los celebraba, de forma inevitable.

Helene bailó con él hasta la madrugada. En un momento le gritó: ¿Hamburgo o Friburgo?

¡Helene!, respondió Carl. Entonces la atrajo hacia sí y le susurró al oído: Donde tú estés quiero yo estar; su lengua le rozó el lóbulo; si mi esposa me acompaña, nos iremos a París.

Un día de febrero en el que el sol resplandecía bajo un cielo azul y la nieve acumulada en las calles empezaba a tomar un tono arcilloso por la ceniza esparcida, Helene estaba en la farmacia delante de la balanza, pesando hojas de salvia para una clienta. Tenían que ser quinientos gramos exactos. Helene enterró la pequeña pala en el bote de cristal y, una tras otra, fue vaciando las paladas en el platillo. Tal vez la clienta quisiera darse un baño de salvia. La campanilla sonó al abrirse la puerta. Helene levantó la vista. El niño que había estado un rato delante de los botes de caramelos salió de la farmacia con las manos en los bolsillos. Desde fuera llegaba un fuerte olor a carbón y gasolina. Era mediodía; además de aquella clienta sólo había una señora mayor esperando a que la atendieran. Sonó el teléfono. El farmacéutico se asomó por la puerta de la rebotica. Es para usted, Helene, exclamó mirándola con expresión de contento. Era la primera llamada para ella que él atendía en todos aquellos años. Yo me encargo, vaya, vaya. El farmacéutico apartó a Helene y ella se dirigió hacia el teléfono.

Sí, ¿diga? Lo debió de decir muy bajo, pues acto seguido exclamó: Sí, ¡diga!

Soy Carl. Helene, tengo que hablar contigo.

¿Ha ocurrido algo?

Necesito verte.

¿Cómo dices?

¿Puedes salir más temprano?

Es miércoles, así que salgo a mediodía. Dentro de un cuarto de hora habré terminado.

Helene tuvo que taparse la oreja izquierda para oír mejor.

Excelente. Carl gritó. Nos vemos en el Romanisches Café.

¿Cuándo?

Un ruido inoportuno la interrumpió.

¡Cariño! ¿A la una en el Romanisches Café?

A la una en el Romanisches Café. Helene colgó el auricular. Se lo había apretado tanto contra la oreja que ahora le dolía la sien. Cuando regresó al mostrador el farmacéutico estaba envolviendo una caja de Veronal y recogiendo las monedas de la señora mayor.

Ya puede cambiarse, Helene, dijo el farmacéutico con amabilidad y una sonrisa cómplice, como si él tuviese la potestad de facilitarle una cita con su amado.

Helene cruzó la Steinplatz. Había llegado el deshielo, el día era desapacible. Helene se preguntó por qué Carl querría verla con tanta urgencia. Podría ser que le hubiese respondido el filósofo de Hamburgo. Poco antes de Navidad el de Friburgo no le había dado una respuesta positiva. Bien era cierto que el *summa cum laude* de Carl le había impresionado, pero no así Hegel. Todos sus puestos de ayudante estaban cubiertos. Helene se detuvo junto a la Fasanenstrasse. Tras ella sonó el timbre de una bicicleta. De pronto pensó que podría ser Carl, que iba en bicicleta sin importarle el tiempo que hiciera. Helene se volvió, pero no era más que un aprendiz de panadero al que la carretera le parecería demasiado embarrada para circular. Helene dio un paso a un lado, se subió a un montículo de hielo cuyos bordes se derretían y dejó pasar al chico. Las ruedas le salpicaron de nieve cenicienta el abrigo. Sólo faltaba la respuesta de Cassirer. En enero le habían dicho a Carl que en Berlín tendría todas las puertas abiertas. Podía elegir, dos catedráticos se lo disputaban. Pero lo que más le gustaría a él sería tener un puesto de investigador independiente. Durante las últimas semanas no había dado la impresión de estar esperando seriamente una respuesta de ese tal Cassirer de Hamburgo. Entonces, ¿qué otra cosa podía parecerle a Carl tan urgente como para no poder esperar hasta la tarde? Tal vez quisiera verla para hablarle de la visita que habían previsto hacer a sus padres el fin de semana. A Helene le asustaba la idea. La tarde anterior casi se habían peleado. Ella decía que no podía ir a ver a sus padres con las manos vacías, que quería comprarles un regalo. A Carl no le había parecido apropiado, pues necesitaban el dinero, y mucho, para otras cosas: comida, libros, por no hablar de una vida en común, una mudanza, una casa de verdad. Helene quería regalarles a sus futuros suegros un pequeño jarrón verde que había visto en el escaparate de Kronenberg, allí delante, en la esquina. ¿Un jarrón verde?, había preguntado Carl descreído, y a Helene le pareció que se estaba burlando de ella. Incluso esa misma mañana, al despedirse, Carl le había dicho que sus padres no esperaban ningún regalo. Después la había besado. Hacía años que ellos sentían curiosidad por conocer de una vez a Helene. Al fin y al cabo, ya sabían que ellos dos no eran precisamente ricos. Dándole la espalda, Carl había juntado los libros que necesitaría esa mañana mientras murmuraba algo. ¿Qué has dicho? Helene tuvo que preguntarlo dos veces, y él se volvió para decir como de pasada: Ellos no saben que vives conmigo. Helene tuvo que tomar asiento. Llevaba más de tres años viviendo con Carl en la buhardilla. Cada mes trataba de comprar con su dinero toda la comida que le fuese posible para consumo común, ya que Carl no aceptaba que ella le pagase un alquiler, pues corría a cargo de sus padres. ¿Qué es lo que tendría que fingir entonces el domingo delante de ellos? ¿Que seguía viviendo con su tía?

Carl había tratado de calmarla asegurándole que iba a decírselo ese domingo.

Sin embargo, a ojos de Helene aquello era lo peor. De ninguna manera podía llevar a casa a su prometida, con lo esperada que era aquella visita, para luego decir durante la comida: Nos conocemos desde hace ya cuatro años, hace dos que nos prometimos y, por cierto, llevamos más de tres viviendo juntos. Helene se frotó los ojos.

A ver, nunca has querido acompañarme a visitarlos, ¿cómo iba a explicarles que vives conmigo pero que no quieres conocerlos?

¿Así que soy yo la culpable?

No, Helene, no se trata de buscar culpables. Les habría parecido de mala educación. ¿Cómo iba a explicarles que no te atrevías a ir?

Helene quiso responderle algo, no le gustaba el hecho de no atreverse a ir. Se frotó los ojos hasta que Carl se le acercó y le sujetó las manos. ¿Quién creían sus padres que lavaba y remendaba su ropa, quién se encargaba de que cenase caliente y llenaba de vida la buhardilla, quién alimentaba a los gorriones de la cornisa y regaba la orquídea que estaba en la vitrina mientras Carl se iba de vacaciones con sus padres todos los veranos por los Monti della Trinità hasta el Lago de Zúrich, donde su padre proseguía con sus investigaciones en el Observatorio Helvético, calculando cicloides y cartografiando manchas solares mientras su madre se iba de concierto con su hijo? Desde que se había casado, su hermana ya no les acompañaba en esos viajes. Carl besó las manos de Helene y le prometió que el domingo lo aclararían todo. Juntos. Era una nadería lo que tendrían que explicar, juntos; al fin y al cabo se trataba de su vida en común y de todo lo que les quedaba por delante.

Al caminar, Helene debía prestar atención para no resbalar. En algunos sitios aún había hielo bajo la nieve derretida. Ante la Gedächtniskirche tuvo que esperarse más rato, los automóviles iban despacio, patinaban sobre la calzada. Carl era un ciclista consumado, sería cauto; también podía ser que hubiese dejado la bicicleta aparcada en la biblioteca. El gran reloj de la Kurfürstendamm marcaba la una menos diez. Helene estaba inquieta; se quedó bajo la marquesina, ante la enorme cristalera del Romanisches Café.

Seguro que Carl iba a darle una buena noticia. A lo mejor le habían ofrecido otra plaza. Todavía estaba indeciso, seguro que le preguntaría cuál le parecía mejor a ella. Pero si había pasado la mañana en la biblioteca, tal y como le había dicho a primera hora, no podía haber ocurrido nada del otro mundo. Helene sonrió nerviosa. De pronto se acordó de cómo Carl, por las noches, interrumpía a veces la lectura para compartir con ella un pensamiento increíble. Helene miró a ambos lados de la Gedächtniskirche, hacia el otro lado del cruce. ¿No estaba viendo a un hombre en bicicleta con una gorra parecida a la de Carl? Pero podría ser que hubiese vuelto mucho antes de la biblioteca y le hubiese llamado desde Viktoria-Luise-Platz. Porque se habría encontrado con el cartero. Y el cartero le habría dado la carta de Hamburgo. Decían que Hamburgo era una ciudad bella. A veces, Helene soñaba que vivía en una ciudad con puerto. Le encantaban los barcos grandes. Le parecía una desventaja innata no haber crecido junto al mar ni en las altas montañas. Éstas sólo las conocía de lejos, y eran montañas pequeñas, las montañas de Lausitz, colinas más bien. Del mar tenía una imagen clara y nítida. Lo había imaginado de los más espléndidos colores para Carl, pero jamás lo había visto.

Helene avanzó un poco, aún bajo la marquesina; giró dando unos pasos hacia la izquierda, hacia la Tauentzienstrasse, mirando a la carretera, tal vez viniera por allí; miró detenidamente a su alrededor, que venga ya de una vez, los cuatro puntos cardinales no bastaban, ella no sabía por dónde vendría. Se acordó de los grandes barcos que había visto en el Elba, cerca de Dresde. El reloj marcaba la una y cinco. De pronto, Helene creyó saber por qué Carl quería verla con tanta urgencia. Aliviada, no pudo contener la risa. Había comprado los anillos. Helene se colocó el sombrero. ¡Cómo no había caído antes! Quería darle una sorpresa, no cabía la menor duda. ¿Acaso quería encontrarse con ella dentro, en el café, y ella no lo había entendido bien? ¿Querría invitarla a comer para celebrarlo. Helene miró a su alrededor. Entrar no era una buena idea porque se perdería la llegada de Carl. Un automóvil hizo sonar el claxon. ¿Es que esa señora con los dos niños no podía ir más rápido? La circulación era cada vez peor, y si encima se sumaba un tiempo como aquél... Helene alzó la mirada hacia el reloj. Eran la una y cuarto. Tal vez alguien le hubiese retenido. No era propio de Carl llegar tarde. Cuando tenían una cita, él casi siempre estaba esperándola en el sitio acordado. Helene volvió a mirar en todas las direcciones; giró unos pasos hacia la derecha, también podría venir por la Budapester Strasse. La plaza que rodeaba la alta iglesia, las aceras, la calle, todo estaba borroso a pesar del sol. Columnas publicitarias, gente haciendo cola ante los quioscos. La nieve a medio derretir hacía patinar los carruajes y a los viandantes; un cochero restallaba la fusta una y otra vez para que su caballo se moviese. Helene cambiaba el peso de un pie a otro, los tenía húmedos y fríos. Se acordó del caballo que se había caído el primer día, nada más llegar a Berlín. ¿Habría muerto? Infarto de corazón, cerebral, pulmonar. Una embolia. Se había propuesto llevar los zapatos esa misma semana sin falta al zapatero. Hoy habría sido un buen día, hoy habría tenido tiempo. Como no tenía un segundo par de botas, habría tenido que esperar en el zapatero a que las hubiese cosido y les hubiera puesto suelas nuevas.

Pocos minutos antes de la una y media, Helene decidió que si Carl no llegaba a y media entraría en el café a mirar. Tal vez quisiera cumplir uno de sus deseos y llevarla por fin a patinar; habría ido a la gran pista de patinaje que estaba al otro lado para informarse de las distintas opciones de alquiler y el precio de la entrada. Debía de ser caro. Las chicas rusas de la clase de Helene hablaban a menudo de la pista de patinaje y de sus nuevas amistades; quedaban allí regularmente para trazar algunas piruetas. Todas eran más jóvenes que Helene, procedían de buenas familias judías. Patinar tenía que ser fantástico. Helene esperó hasta que la manecilla larga estuvo en el seis, el siete y por fin el ocho. Entonces entró.

El café se hallaba muy concurrido. Los clientes estaban sentados en las pequeñas mesas y se multiplicaban al reflejarse en los espejos que llegaban hasta el techo. Era la hora del almuerzo; algunos comían filetes rellenos con patatas, olía a col. Un elegante caballero vestido de negro le hizo una seña a otro, de atuendo llamativamente desaliñado, pantalón ancho y claro, tirantes sobre una camisa sin planchar y sombrero blanco y plano, sólo le faltaba la paleta; a los clientes les gustaba retirarse a uno de los distinguidos reservados. El vino se bebía en copas altas. A Helene se le puso un nudo en la garganta, miró a su alrededor, ciertamente alguna mesa estaba ocupada por un solo cliente, de más o menos edad, pero ninguno era Carl. El reloj situado sobre la barra, enmarcado en madera, marcaba las dos menos cuarto. ¿Por qué le latía tan rápido el corazón? No había razón para preocuparse. Helene salió del café a la Kurfürstendamm, donde se había congregado un pequeño grupo de personas; una señora mayor chillaba sin parar «¡Al ladrón!, ¡al ladrón!». Otros mantenían agarrado a un muchacho, tendría diez o doce años, no más. El chico no se resistía, lloraba. Menudo pillastre, dijo uno de los hombres que lo sujetaban. Pero a la señora aquello le pareció poco y gritó enfadada: ¡A los granujas como tú habría que encerrarlos! ¡Verás cuando llegue la policía!

Helene no quiso seguir esperando. Sabía que Carl ya no vendría.

¿Se trataba tal vez de un malentendido y él le había dicho otra hora? Estaba segura de que había dicho la una. ¿Podría ser que se hubiese referido a otra cosa? ¿A otro lugar? Ya habían quedado allí, en aquella esquina, otras veces. Puede que hoy hubiese querido citarla en otro lugar y, por error, hubiese dicho ese sitio aunque estuviese pensando en otro. Helene no sabía hacia dónde dirigirse ni adónde ir, sentía miedo al tiempo que se decía a sí misma que no había motivo para ello. Se acercó hasta el quiosco a comprar cigarrillos. Era la primera vez que compraba cigarrillos. Necesitaba con urgencia el dinero para el zapatero, pero en ese momento no quería pensar en el zapatero, quería fumar un cigarrillo. No tenía boquilla, así que se lo tendría que fumar sin ella. Dos cerillas se le rompieron antes de que lograse encenderlo. Una hebra de tabaco se desprendió y le supo amarga sobre la lengua. No resultaba fácil sujetarla con los dedos enguantados. Helene ya no sabía en qué dirección mirar. Permanecía quieta en mitad del gentío que pasaba a su lado presuroso, cuya pausa para almorzar probablemente habría concluido, por lo que debían correr de vuelta a sus puestos de trabajo; tal vez alguno hubiese quedado y corría hasta la estación, al otro lado, para tomar un tren hacia el oeste.

El viento le soplaba de cara, poniente, venía de la Gedächtniskirche. Helene quiso respirar hondo, aspirar el humo. Sur, este, norte. Pero antes de que el humo pudiese llegar a lo más hondo de sus pulmones los bronquios se le cerraban y tenía que toser. Así que fumó sin tragarse el humo. De su boca salían nubecillas. El sabor amargo a humo, ligeramente agrio, le produjo una agradable sensación de mareo. Dio unas caladas cortas y rápidas, hinchó los carrillos todo lo que pudo y, al final, dejó caer la colilla sobre la nieve derretida a sus pies, donde se extinguió de inmediato.

Helene no sabía adónde ir para buscar a Carl. Bajó por la Tauentzienstrasse hasta la Nürnberger Strasse, rodeó varias manzanas, pasó junto a su escuela, a la que ya no tenía que acudir desde hacía unos meses, y sólo cuando empezó a oscurecer dobló hacia la Geisbergstrasse. Ya desde el otro lado de la plaza vio el tejado negro, ni el más mínimo atisbo de luz allí arriba, en la buhardilla.

No obstante, subió para comprobar si había estado alguien allí. La puerta de la buhardilla estaba cerrada con llave. La habitación estaba tal y como la habían dejado por la mañana. Helene no se quitó el abrigo. Volvió a bajar la escalera pasando junto al joven que vivía en el tercer piso y que a menudo se olvidaba de la llave, de forma que, con un montón de papel en el que estaría escrito el guión o la obra de teatro en la que estuviese trabajando en ese momento, esperaba sentado frente a la puerta de sus caseros hasta que llegase alguien que pudiera abrirle. Casi siempre tenía un bolígrafo en la mano y garabateaba algo al margen de unos folios mecanografiados hasta el último renglón. Helene bajó por la Bayreuther Strasse hasta Wittenbergplatz y recorrió Ansbacher Strasse para regresar a Geisbergstrasse, hasta Viktoria-Luise-Platz, subir hasta la buhardilla y de nuevo salir a la calle. Entretanto, el realquilado del tercero había logrado entrar.

Helene dejó de preguntarse por qué Carl había querido verla con tanta urgencia aquel mediodía; solamente esperaba que apareciera y pudieran abrazarse. Tenían que haberle entretenido. Helene fumó un segundo cigarrillo, a la tercera vuelta un tercero y, al final, había fumado ocho. Sentía ganas de vomitar; y hambre, ninguna.

Se repetía a sí misma que quería estar en casa cuando él llegara. Cuando llegara cenarían juntos; él le pondría la mano en la mejilla; si tan sólo llegara...

Helene se quitó los zapatos. No quiso molestar a la casera para pedirle agua caliente, así que se sentó en la cama, envolvió sus pies fríos con la manta y trató de leer el nuevo libro que Carl le había traído hacía dos días, pero no logró pasar del primer poema. Lo leyó una y otra vez, cada verso varias veces, recitando para sí los últimos en alto, enfermas de horas lejanas, / y vacías el cuenco del que antes tu yo bebí, y empezando otra vez desde el principio: Lo que será después de aquella hora / en la que esto ocurrió / nadie lo sabe, ninguna noticia / ha llegado jamás de allí. Helene no comprendía más que una fracción de las palabras, sus sentidos se habían quedado prendidos en algún lugar intermedio, entre el pensamiento y la total cerrazón, mientras su corazón, sin embargo, palpitaba y sus ojos se encogían. Como si eso crease una certidumbre que, con la lectura repetida, la penetraba apoderándose de ella. Helene se levantó. Estaba helada. Debajo del lavabo había una cesta de la que colgaba la camiseta interior de Carl que había que lavar. Helene se puso la camiseta, y encima el pijama de Carl. Durante la noche contó los tañidos lejanos. Cuando al alba empezaron a oírse los primeros ruidos en el edificio, Helene se quedó sentada en la cama, junto a la pared, y pensó que tenía que ocurrir algo para que pudiera levantarse, asearse y vestirse. El farmacéutico le había dicho el día anterior: Hasta mañana. No podía hacerle esperar. Helene oyó pasos en la escalera, su escalera, el último tramo, aquel que sólo conducía hasta la buhardilla. Llamaron suavemente a la puerta. Helene sabía que Carl no era olvidadizo, siempre llevaba la llave consigo, no quiso abrir. Llamaron con más fuerza, Helene miró la puerta. A su corazón le costaba latir, estaba agotado tras palpitar durante toda la noche. Helene sabía que no le quedaba otro remedio, tenía que levantarse, se levantó; tenía que ir hasta la puerta, fue hasta la puerta; tenía que abrir, abrió.

En la puerta estaba la casera, aún en bata.

Señorita Helene, dijo mirando de reojo hacia el suelo. Helene se agarró al picaporte, se sentía tan débil que el suelo se combaba levemente y se movía bajo sus pies, giraba, se balanceaba hacia delante y hacia atrás. La casera tuvo que hacer un esfuerzo, a algunas personas no les gustaba tener que hablar tan temprano. Han llamado por teléfono, el señor Wertheimer me ha dicho que su hijo ya no vendrá más, ha sufrido un accidente.

«¿Qué hijo?», fue lo que se le pasó por la cabeza a Helene.

Sabía que el accidentado era Carl, ya lo había intuido antes de oír los pasos en la escalera y de tener que abrir la puerta. Pero ¿qué hijo?, ¿de qué hijo estaba hablando la casera? Helene dijo «sí», no quería mover la cabeza innecesariamente, ni asentir, ni ladearla, al girarla podría caérsele de los hombros.

Le he preguntado al profesor Wertheimer si usted ya estaba informada. Me ha dicho que creía que no. Le dije que yo me ocuparía, que podría subir a decírselo. Él me dijo que no sabía dónde vivía usted, pero que estaría bien si yo pudiera ocuparme. Me preguntó si tenía alguna dirección suya, le respondí que debía mirar. ¿Así que él aún no sabe que usted vive aquí?

Helene se agarró con ambas manos al picaporte.

Ha muerto. La casera lo dijo por si ese dato hubiese pasado inadvertido. Eso venía a decirle.

Helene inspiró hondo, en algún momento tendría que espirar. Sí.

Sujetándose aún con las dos manos al picaporte, Helene fue empujando la puerta hasta que se oyó caer el cerrojo.

Si puedo hacer algo por usted, oyó decir a la casera al otro lado, Helene, no tiene más que decirlo.

Helene ya no contestó. Se sentó en la cama y puso el libro sobre su regazo; no pudo evitar parpadear: Yo conocía tus miradas / y en lo más profundo del regazo / reúnes nuestras dichas / el sueño, el sino. Ahora leía en voz alta, como si estuviese leyéndole a alguien y sólo así el poema lograra salir de ella. Era incapaz de subir o bajar el tono de voz siquiera lo más mínimo. Helene leyó el poema hasta el final, una última vez, la noche se había extinguido. Después cerró el libro y lo puso sobre la mesa. Abrió la ventana. Entró un aire frío. En el cielo se veían los primeros trazos claros del día recién nacido. En ellos brillaba un rosa pálido y delicado. No tenía que quitarse la camiseta de Carl. Helene se aseó y volvió a ponerse el vestido. Los zapatos aún estaban mojados, se había olvidado de meterles papel de periódico. El abrigo olía al humo del día anterior.

Esa mañana Helene no lograría llegar al trabajo. En la última esquina, cuando ya podía ver el familiar letrero de la farmacia, dobló hacia el otro lado. Caminó calle abajo, alejándose de la farmacia. No había tomado ninguna decisión sobre adónde ir, tampoco había pensado adónde podía ir. Se dedicaba sólo a poner un pie delante del otro. Los carruajes circulaban, la gente seguía su camino, el tranvía hacía su recorrido, puede que hasta chirriase y, sin embargo, a Helene le parecía que la ciudad estaba en silencio. No se había quedado sin aliento, simplemente estaba en silencio.

El hecho de que le resultase tan fácil poner un pie delante del otro despertó en Helene un recuerdo que volvió a desaparecer de inmediato. Cruzó varias calles; ya no tenía que mirar a izquierda y derecha. El rosa había iluminado el cielo, ahora el mundo se había zambullido en el rosa, un rosa amarillo, aunque no le quedase bien. Los edificios azules se volvieron violetas. Un instante después ya había llegado la mañana, ni rastro del rosa. El farmacéutico se preguntaría qué le habría ocurrido. Pero ella estaba allí. Podía llamarlo por teléfono y decirle que hoy no le sería posible ir. No le extrañaba que le sorprendiera, pues nunca se ponía enferma, pero hoy, hoy no podía. Helene puso un pie delante del otro. ¿Mañana? ¿Qué día era ése, mañana? ¿Qué podía ser mañana? Helene no lo sabía. Se encontraba frente a la ancha escalera de piedra de la Achenbachstrasse. Otta le abrió la puerta y le dijo que Martha aún estaba durmiendo, Leontine se había marchado hacía una hora, tenía que ir a trabajar.

En la habitación de Martha, Helene tomó asiento junto al lavabo. Sólo pasarían unas horas antes de que su hermana se despertase. Había tenido turno de noche. Helene no esperó. Simplemente se quedó allí sentada y dejó pasar el tiempo. No esperó a Martha ni tampoco a Leontine. Helene ya no esperaba nada. Era tranquilizador que el tiempo, no obstante, pasara.

Más tarde, Martha le trajo un té, algo de comer y llamó por teléfono al farmacéutico de su parte. Cuando Martha estaba sentada se agarraba a la mesa; cuando andaba, rozaba la pared. Helene sabía que a Martha le fallaba el sentido del equilibrio desde hacía un tiempo. Helene observó el humo que salía del vaso de té. Martha dijo algo. Helene bajó la cabeza hasta que el mentón quedó sobre su pecho, ésa era la mejor manera de olerle, a Carl, cuyo olor salía de su escote. Levemente, de forma que Martha no se diese cuenta, levantó un brazo. También en la axila estaba su olor. Estaba pegado a ella a través de la camiseta. Martha le dijo algo en voz más alta, tan alto que Helene no tuvo más remedio que oírla, tenía que beber y también que comer algo. Helene no podía concebir tal cosa.

Era capaz de estar sentada, pero no sabía si podría tragar. Lo intentó; tragó, volvió a dejar el vaso en su sitio. Puede que eso fuese suficiente por aquella mañana, tal vez.

A mediodía se tragó el té frío y se bebió de un trago el agua de la jarra del lavabo. La jarra estaba vacía, el cuello le dolía tras haberlo estirado para beber y tragar. Luego volvió a sentarse sin esperar. Pasaron los días.

Cuando Martha se iba a trabajar, Helene se tumbaba boca arriba sobre la cama y gemía; a veces lloraba en voz baja.

Cuando Martha y Leontine le dijeron que debía ponerse el abrigo, ella se lo puso y las siguió. Martha fue hasta el número once de Viktoria-Luise-Platz y bajó las cosas de Helene, devolvió sus llaves a la casera y le pidió que no les dijera a los padres de Carl que Helene había vivido allí. Los padres de Carl habían pagado el alquiler hasta final de mes.

Helene se había sentado en un banco de la plaza, delante del edificio. Se había puesto a mirar a los gorriones que, en el interior de la fuente vacía, saltaban hasta el borde de los pequeños charcos picoteando en el agua. Se estaban bañando, el agua tenía que estar helada.

Martha y Leontine querían que Helene saliese todo lo posible, que se moviera. Helene se movía. Martha decía que Helene tenía que comer algo; Leontine la contradecía, Helene no tenía que hacer nada por obligación. El hambre volvería por sí sola. Por tanto era bueno que Helene ya no esperase nada, ni al hambre ni a la comida. Llegó el domingo. Helene pensó en la cita que Carl y ella tenían ese día con los padres de Carl. ¿Rezarían sus padres? Dios no estaba allí, ella no oía ninguna voz, no veía ninguna señal. Helene no sabía cuándo sería el entierro. No tuvo valor para ir hasta el teléfono; al fin y al cabo era una desconocida y no quería molestar a la familia precisamente en ese momento. El tiempo se encogía, se enrollaba y se plegaba.

Había pasado el domingo; otros domingos pasarían.

El sol comenzó a calentar, los crocus florecían en los arriates de las anchas avenidas. Leontine y Martha se despidieron; Leontine iba a llevar a Martha a un sanatorio donde pasaría un mes. El equilibrio, «sosiego» sonaba mucho más leve. Tenía que recuperarse y limpiar su cuerpo. Martha lloró al despedirse, sentía mucho no poder estar ahí para su ángel justo en esos momentos. Martha se agarró con fuerza a Helene, la rodeó con sus brazos largos y delgados con tanto ímpetu que Helene apenas pudo coger aire. Pero total, ¿para qué se necesitaba el aire? Helene no opuso resistencia. Leontine tuvo que arrastrar consigo a Martha; Martha pataleó e insultó a Leontine con expresiones que Helene jamás había oído.

¡Ni se te ocurra separarme de mi hermana, ser infame, no me separarás de ella!

Pero Leontine estaba segura de lo que hacía, nada lograría evitarlo; no quería perder a Martha, así que tenía que llevársela de la ciudad, quizá por un mes, puede que dos. Leontine arrastró consigo a Martha, a la fuerza primero, luego con severidad. Helene oyó cómo Leontine, al salir de la casa, trataba de convencer a Martha como si fuese un animal, sin obtener respuesta. En ausencia de Martha, Leontine pareció no querer arrogarse el derecho de alojarse en casa de Fanny. Helene no le preguntó si había vuelto a vivir con su marido.

Helene apenas veía a Leontine. Una vez ésta le trajo a Fanny unas medicinas, otra vino a recoger sus zapatos de invierno, que había dejado olvidados. Helene la acompañó hasta la puerta. Allí Leontine se volvió hacia Helene y le puso la mano en el hombro. Martha me necesita. Sabes que ahora me tengo que ocupar de ella, ¿verdad? Helene asintió, los ojos le escocían. Quiso rodear a Leontine con los brazos, abrazarla, pero sólo se sonrojó. Y Leontine dejó que su mano resbalara del hombro de Helene, abrió la puerta y se marchó.

A partir de entonces Helene empezó a dormir sola en la habitación que daba al patio; volvió a separar las camas. Fue a trabajar a la farmacia y se alegró de que el farmacéutico le diera el pésame de manera contenida. En ningún momento la acribilló a preguntas. No podía imaginar lo inerte que se sentía Helene. En primavera le dijo que cada día estaba más delgada. Helene tomó nota, los vestidos le quedaban colgando, se olvidaba de comer y, cuando le ponían algo delante, no tenía apetito.

Un día recibió una carta de la madre de Carl. Le decía que estaba sumida en la más profunda tristeza, la vida sin su pequeño le resultaba difícil. ¿Evitaría conscientemente hablar de sus otros dos hijos, cuya muerte, según Carl, se empeñaba en negar? Carl estaba enterrado en el cementerio de Weissensee. Los últimos acontecimientos habían provocado algunos cambios en sus vidas. Su esposo había recibido una invitación de Nueva York y creían que esta vez sí la aceptarían. Ninguno de sus hijos vivía ya en Berlín y precisamente esos días su hija estaba mudándose a Palestina con su esposo. Por último, la señora Wertheimer le escribía que sabía que su deseo bien pudiera resultarle extraño, pero que, de todo corazón, le gustaría conocerla a pesar de la muerte de Carl. Él les había hablado de ella lleno de cariño y entusiasmo, estaba tan enamorado que ambos tenían la seguridad de que en la visita prevista para febrero les habría hablado de su próximo compromiso. También pudiera ser que estuviese equivocada y que sólo fuesen amigos... Con aquella carta quería invitar cordialmente a Helene y pedirle que la llamara por teléfono. En caso de que Helene, por cualquier razón, no quisiera hacerlo, lo comprendería y le deseaba de todo corazón mucha suerte en el futuro que tenía por delante.

Helene no quiso. No encontró ni una pizca de voluntad en su interior; pero al igual que la voluntad, el miedo también la había abandonado. Si el deseo de la madre de Carl era de verdad tan vivo, se lo concedería. Helene llamó al Wannsee desde el teléfono de Fanny y concertó una visita a principios de mayo.

Compró unas lilas blancas y emprendió el camino hacia el Wannsee. Un jardinero le abrió el portón. A la entrada de la casa la recibió una criada que le preguntó si podía retirarle algo. Debido al calor, Helene no llevaba ninguna chaquetilla, sólo su finísimo chal de organza, que no quiso entregar a la criada. Ésta tomó las lilas, así que Helene se quedó allí de pie con las manos vacías cuando escuchó una voz a sus espaldas:

Bienvenida.

Buenas tardes. Soy Helene, dijo acercándose a la señora. La madre de Carl extendió su mano.

Soy la señora del profesor Wertheimer, mi marido vendrá enseguida. Cuánto me alegra que haya venido hasta aquí. La rodeaba un delicado halo de aroma floral.

No hay de qué, dijo Helene.

Perdón, ¿cómo dice?

Por unos momentos Helene dudó si se habría expresado mal. He venido encantada. Los párpados de la señora de Wertheimer aletearon ligeramente; por un instante, el movimiento de sus ojos le recordó a los de Carl. Helene miró a su alrededor.

¿Le apetece un té? La madre de Carl condujo a Helene a través del vestíbulo de techos altos. De las paredes colgaban cuadros. Al pasar, Helene reconoció la acuarela de Rodin de la que le había hablado Carl. Quiso darse la vuelta y pararse a verla, pero temía que a la madre no le pareciese apropiado. El cuadro oscuro podría ser español. La madre de Carl, ataviada con una túnica larga y distinguida que recordaba a la vestimenta nocturna de una princesa oriental, avanzó atravesando una habitación contigua de altos ventanales con vistas a un jardín. El rododendro estaba florecido, por el verde oscuro de las hojas lisas asomaban brillantes ramilletes de un delicado color violeta y púrpura. La parte del prado quedaba más alta; estaba salpicado de flores y umbelas sobre las que merodeaban los insectos. Helene sabía por Carl que el jardín llegaba hasta abajo, a orillas del lago, y que disponían de un embarcadero donde estaban anclados el velero y un bote de remos, los cuales supuestamente hacía más de quince años había utilizado el hermano desaparecido en la guerra.

La madre de Carl se dirigió entonces a la sala de al lado, en la que había jarrones chinos de varios metros de altura y muebles estilo *Biedermeier*. La ancha puerta de dos hojas que daba a la terraza estaba abierta. A sus pies tenían el lago. Con la tibia humedad de la primavera les llegaba el olor a hierba recién cortada, seguro que el jardinero andaría por allí aunque no lo vieran. Más que un jardín aquello era un parque un poco salvaje; mirara a donde mirara, Helene no lograba distinguir valla alguna. Sólo los arcos de madera de una rosaleda refulgían blancos desde un arriate circular que había un poco más abajo.

¿Nos sentamos? La madre de Carl retiró una de las sillas y recolocó el cojín para que Helene tomase asiento. La mesa estaba puesta para tres personas. En el centro había una fuente llena de fresas que debían de venir de un país del sur, pues las fresas nacionales aún no habían madurado. Una amplia sombrilla les obsequiaba con su sombra. En los rododendros y en las puntas de los viejos árboles frondosos gorjeaban los pájaros. ¿Sería ése el lugar al que se dirigía Carl los domingos en los que iban al Wannsee y Helene se quedaba sentada leyendo en el café? Helene no se había hecho ninguna idea de adónde iba

Carl exactamente cuando visitaba a sus padres. Por la pared ocre de la casa trepaba una parra, las hojas parecían aún tiernas y suaves. ¿Regresaría Carl de aquel estallido de color cuando iba a recogerla al café? Tal vez se hubiese sentado en esa mesa y en esa silla, y tal vez su mirada, como la de Helene, hubiese recaído en el manzano, que estaba perdiendo las flores. ¿Olería su madre siempre a ese delicado perfume, dulce y asombrosamente ligero? En las enormes macetas y tiestos que había en la terraza las primeras flores de las fucsias empezaban a erguirse y, a lo largo de la escalera que conducía al jardín e iba ensanchándose al bajar, en dirección al lago, crecían enormes helechos de un verde claro, casi irreal. Los colores cegaban a Helene. Se sentó con cuidado, la silla crujió y se tambaleó ligeramente. El mantel tenía bordadas unas flores muy elegantes, ni siquiera Mariechen habría sido capaz de hacerlo mejor. Helene acarició el bordado con delicadeza.

¿Quiere lavarse las manos o refrescarse un poco?

Helene se asustó y se apresuró a responder afirmativamente. De camino al interior de la casa echó una mirada furtiva a sus manos, pero no reparó en ninguna raya de mugre bajo las uñas ni en ninguna otra cosa sospechosa.

El baño era de mármol, hasta la estufa estaba revestida de ese material; el jabón olía a sándalo. Helene se tomó su tiempo. Fuera estarían esperándola. Sobre la repisa de la chimenea había unas gafas de concha. Helene las reconoció. Era como si Carl las acabara de dejar allí para echarse en la tumbona y frotarse los ojos. Cuando Helene hubo encontrado el camino de regreso a la terraza, ya de lejos oyó una voz masculina que le recordó a Carl.

El parecido físico del padre de Carl con su hijo dejó a Helene sin habla; ella asintió a modo de saludo, sus labios compusieron una sonrisa mientras la madre de Carl presentaba a su esposo y mencionaba el nombre de Helene.

Los tres tomaron asiento. No dispongo de mucho tiempo,

anunció el padre de Carl cuando su esposa le sirvió el té. No se lo dijo a Helene, se lo dijo a su propia taza y echó una mirada a su enorme reloj de pulsera.

Es usted muy bonita, dijo la madre de Carl y, con cierto pudor debido a su propio asombro, añadió: Y tan rubia.

Sí, rubia sí que es. El padre de Carl dio un chasquido con la lengua mientras bebía de la taza, sonó como si estuviese enjuagándose la boca con el té.

Y tan bonita, repitió la madre de Carl.

Deja ya a la pobre criatura, Lilly, no haces más que incomodarla.

¿Va usted a la universidad, si no es indiscreción? El catedrático hizo la pregunta sin mirar a Helene. Alcanzó una fresa y se la metió en la boca. Su mujer le acercó un pequeño plato de postre con un cuchillo aún más pequeño, probablemente para que los utilizara la próxima vez y, antes de que Helene pudiera responder, dijo la esposa:

No, Carl ya nos dijo que era enfermera.

¿Enfermera? El catedrático necesitó un instante antes de proseguir. Bueno, como enfermera puede ser muy útil. Una amiga de Ilse...

Ilse es nuestra hija, explicó la madre de Carl.

Pero el padre de Carl no dejó que lo interrumpiera. Una amiga de Ilse también se formó como enfermera, hoy es médico.

En Londres, apostilló la madre de Carl para luego preguntar si quería más té.

Helene se tomó el té; no quería contar que trabajaba en una farmacia ni describir por iniciativa propia el futuro que había imaginado junto a Carl. Habían pensado irse juntos a Friburgo o Hamburgo, donde Helene habría empezado la carrera. Química probablemente, farmacia o medicina. Carl prefería química, ella medicina, aunque tal vez lo más lógico a tenor de su trabajo en Berlín hubiese sido farmacia. Lo único que le faltaba a Helene para ir a la universidad era el dinero, pero, con independencia de esto, la excelsa idea de estudiar se había vuelto muy lejana; a Helene le parecía que ese deseo ya no le pertenecía a ella, sino a una vida anterior. Ella ya no deseaba nada. Los proyectos de futuro que habían concebido juntos, sopesado juntos y escogido juntos ya no existían. Habían desaparecido con Carl. Aquel con quien había compartido su memoria ya no existía. Helene levantó la mirada. ¿Cuánto tiempo llevarían en silencio? El padre de Carl se había comido media fuente de fresas sin utilizar el cuchillo de postre. De la tetera goteó un último poso negro y la alegría y emoción de la madre de Carl, al comienzo tan notorias, parecieron haberse extinguido en aquella mesa.

En marcha pues. El padre de Carl se quitó la servilleta que se había puesto de babero y la colocó junto al platillo de postre y al pequeño cuchillo que no había utilizado.

Mi marido trabaja mucho.

Eso no es cierto, no trabajo mucho, me gusta trabajar. El catedrático puso cariñosamente la mano en el brazo de su señora.

Ahí arriba tiene un pequeño observatorio. La madre de Carl señaló hacia arriba, donde había otra terraza más alta con una barandilla por la que sobresalían varios telescopios.

Pequeño, dijo el catedrático y se levantó. Después de asentir a ambas mujeres iba a despedirse cuando Helene se levantó tras él.

Pueden sentirse afortunados de haber tenido un hijo como Carl. Era una persona extraordinaria. Helene se sorprendió de la alegría y la firmeza que había en su propia voz. Sonó como una felicitación de cumpleaños.

La madre de Carl se echó a llorar.

Era su preferido, dijo el padre de Carl a Helene. Ella no pudo evitar volver a pensar en los otros dos hijos, a los que ninguno de sus progenitores había mencionado una sola vez.

El padre de Carl se detuvo junto a la silla de su esposa, le sujetó la cabeza con ambas manos y la apretó contra sí. Ella ocultaba el rostro tras unas manos largas y finas. Algo en aquel gesto hizo que Helene se acordara de Carl, cómo se le acercaba cuando estaba triste y exhausta, los pies cansados y fríos que él le calentaba.

El catedrático soltó a su mujer. Le diré a Gisèle que os traiga otro té. Helene quiso decir que no, no quería quedarse allí, no podía seguir soportando el silencio ni los colores. Abrió la boca, pero ningún sonido salió de su garganta, y nadie reparó en que se había levantado para sumarse a la marcha del profesor. Él le estrechó la mano, cálida y firme. Le deseó todo lo mejor y desapareció tras la puerta hacia el interior de la casa. Helene tuvo que volver a sentarse.

Mi pequeño, dijo la madre de Carl con una ternura que a Helene le produjo un escalofrío en la espalda. La madre de Carl estrujó su pañuelo encima de la mesa y se quedó observando los pliegues que formaba al soltarlo. Sus largos dedos terminaban en unas uñas ovaladas, cuya media luna brillaba; eran tan uniformes que Helene se quedó mirando fijamente las manos de la madre de Carl.

Él quería casarse con usted, ¿verdad? La madre de Carl miró a Helene con ojos sinceros, unos ojos que querían saberlo todo y estaban dispuestos a oír cualquier cosa.

Helene tragó saliva. Sí.

Las lágrimas resbalaron por el fino y hermoso rostro de la madre. Carl no podía evitarlo, ¿sabe? Había nacido para amar.

A Helene se le pasó por la cabeza la pregunta ¿acaso no lo hacemos todos? Pero seguro que no era así. Seguro que era cierto que algunas personas amaban con más intensidad que otras, y que Carl no podía evitarlo. Helene se preguntó cómo habría ocurrido, dudó si interesarse al respecto, si a la madre le parecería inapropiado e indiscreto que preguntara. ¿Cómo murió exactamente? De otro modo la madre de Carl no podría saber que ese día habían tenido una cita. Que él había muerto camino de encontrarse con ella. Que ella había estado esperándole en vano.

A Helene también le habría gustado saber si Carl llevaba consigo los anillos cuando tuvo el accidente. No se atrevió a preguntárselo a su madre. No tenía derecho. Su última voluntad le pertenecía únicamente a él, puede que a lo sumo a sus herederos, y sus herederos eran sus padres.

Aún había nieve. La madre de Carl se enjugó los ojos con el pañuelo; nuevas lágrimas brotaron y resbalaron por su mejilla, se quedaron colgando del mentón, donde fueron acumulándose hasta que pesaron tanto que gotearon sobre su túnica oriental, donde formaban manchas cada vez más grandes y más oscuras.

Helene levantó la cabeza. Ese día teníamos una cita.

Ni un solo parpadeo, ni una mirada, nada que revelase si la madre de Carl había oído las diáfanas palabras de Helene.

El sol brillaba, dijo la madre de Carl, pero aún había nieve. Resbaló y se dio con la cabeza contra el radiador de un automóvil. El coche no pudo frenar tan rápido. Nos trajeron la bicicleta. Estaba totalmente abollada. La fregué. En los radios había algo de sangre pegada. Sólo un poco. La mayor parte se quedaría en la calzada.

La criada trajo una tetera y preguntó si deseaban alguna cosa más, pero como la madre de Carl no le prestó atención volvió a retirarse.

Las campanillas que aguantaba en la mano aún estaban frescas. El oficial nos trajo todo. Las campanillas, sus gafas, la bicicleta. Llevaba una bolsa con libros. En la cartera había nueve marcos justos, nada de calderilla, ni un *Pfennig*. De pronto, la madre de Carl sonrió. Nueve marcos, me pregunté si alguien le habría quitado dinero de la cartera. Su sonrisa se agotó. Llevaba un rizo rubio dentro. ¿De usted? Murió en el acto.

La madre de Carl se secó los ojos en vano. Era como si el roce del pañuelo le provocase todavía más lágrimas. Se sonó y, con una esquina aún medianamente seca del pañuelo, se limpió el rabillo de los ojos.

Helene estiró la espalda. No podía seguir allí sentada mucho más tiempo, se le había dormido una pierna. Mi más sentido pésame, Frau Professor. Helene oyó sus propias palabras y se asustó de la falsedad que entrañaban. Lo sentía de verdad, quería expresarlo, pero de la forma en la que lo hizo sonó falso, indiferente y frío.

Entonces la madre de Carl levantó la vista y miró a Helene bajo unas pestañas graves y mojadas. Usted es joven, tiene toda la vida por delante. Después asintió, como queriendo dar más peso a sus palabras; su mirada expresaba un cariño que Helene jamás había visto en una mujer. Encontrará un marido que la amará y se casará con usted. Hermoso como usted e inteligente.

Helene sabía que no era verdad lo que la madre de Carl le estaba presagiando, lo que le decía a ella y se decía a sí misma para consolarse. El propio hecho de decirlo llevaba implícita la alusión a un pequeño detalle: Helene podía buscarse otro marido, lo encontraría, nada más fácil que eso. Pero nadie podía buscarse otro hijo. Esta equiparación entre hombre y marido, la lúcida coincidencia de las dos funciones en una persona, la reducción de ésta al lugar que ocupa en la vida de los que la aman le pareció a Helene radicalmente errónea, pero sabía que cualquier movimiento de cabeza y cualquier negación ofenderían a la madre de Carl. Medir la tristeza era imposible en su caso, y habría tenido un punto de crueldad; cada una de ellas lloraba por un Carl distinto.

Tengo que irme, dijo Helene. A pesar de que su taza estaba llena, se levantó. Al deslizarla hacia atrás, la silla emitió un chirrido seco. La madre de Carl se puso en pie; tuvo que recogerse la túnica con una mano. Tal vez hubiese encogido dentro de la prenda. Con la mano señaló hacia la puerta, para que no cupiese ninguna duda de que Helene debía regresar por el interior de la casa. Helene quiso esperarla, pero al parecer ella debía ir delante. Ande, dijo la madre de Carl, no quería que Helene la mirase. Helene la oyó atravesar la sala tras ella, pasar junto a la chimenea, en cuya repisa estaban las gafas de Carl, junto a los grandes jarrones y los bordados en seda enmarcados que Helene no había visto hasta ese momento, escenas en tonos pastel de garzas y mariposas nocturnas, bambús y flores de loto. Llegaron de nuevo al vestíbulo. La obra de Rodin representaba a dos mujeres, dos muchachas desnudas bailando.

Le agradezco mucho la invitación, dijo Helene volviéndose hacia la madre de Carl y tendiéndole la mano.

Somos nosotros quienes debemos agradecer su visita, dijo la madre agarrando el pañuelo con la mano izquierda para poder tenderle a Helene su larga mano derecha, que curiosamente estaba tibia y seca y húmeda al mismo tiempo. Una mano ligera. Una mano que ya no había que sujetar y que ya no quería sujetar nada más.

La criada le abrió la puerta a Helene y la acompañó hasta el portón enrejado.

En cuanto cayó el cerrojo tras ella y pudo caminar calle abajo, junto al bosque y bajo el sol, que resplandecía inmisericorde, Helene se echó a llorar. No encontró ningún pañuelo en su pequeño bolso de mano, por eso de cuando en cuando se secaba las lágrimas con el brazo desnudo. Cuando la nariz le comenzó a gotear, arrancó una hoja de arce y se sonó con ella. Entre el sotobosque había tiernos retoños de roble. Corrió entre los árboles, junto a los troncos con manchas rojas de los pinos, por encima de raíces bulbosas; el suelo arenoso levantaba nubes de polvo.

Trampa nocturna

¿Por qué pensasteis que había muerto? Carl rodeó a Helene con el brazo y se acercó con un suave movimiento. Qué caliente estaba. El cuello de piel de su abrigo tenía un brillo verde. Helene hundió la nariz en el pelo liso, una piel que olía a Carl, a tabaco ligeramente especiado.

Todos lo pensaron. Habías desaparecido.

Tuve que esconderme. Carl no quería seguir hablando. Helene pensó que podría tener motivos cuya existencia ella prefería ignorar. Le alegraba que él estuviese allí.

Sólo le molestaba el gorjeo de los pájaros. Pit pit. Verde liquen. Las cortinas eran de color verde piedra, verde liquen, la luz hacía que el verde se desbordara y las cortinas pareciesen más claras. El corazón de Helene martilleaba. Del exterior soplaba una ligera brisa que tropezaba con las cortinas. No podían ser las cortinas de la habitación que daba al patio, en la planta principal. Imposible. Helene se dio la vuelta, el corazón se le desbocó, se puso boca abajo y el corazón golpeó el colchón, palpitó como si quisiese ir a alguna parte, de aquí allí; si se daba la vuelta para apoyarse sobre la espalda, el corazón quería salírsele, daba un vuelco, tropezaba; Helene tomó aire, respirar profundamente, respirar con calma, domar al corazón, nada más fácil que eso, pero el corazón era demasiado liviano, ya se había disparado. Helene contó un latido tras otro, contó más de cien; el cuello se le encogió, el corazón huía de sus cálculos; se puso los dedos sobre la muñeca, también el pulso estaba disparado, un pulso en reposo de ciento cuatro, cinco, seis, siete. ¿Tenía que reconocer aquel edredón, era suyo? ¿Dónde estaba el ocho? Tenía que ser ya el decimosegundo latido, ciento doce. Cerró con fuerza los ojos, ojos duros, tal vez pudiese regresar, volver con Carl. Pero no lo consiguió. Cuanto más lo deseaba, más se alejaba su sueño hacia un mundo en el que su voluntad no significaba nada. Helene se secó el rostro con la sábana. El colchón tenía algunas manchas de sol. Lunares de luz que dejaba el recuerdo ¿de qué? Taparlo, Helene sumergió su mano en el haz de luz, sentir el sol en la piel, una sensación de verdad agradable. Era una dicha, un día como aquél seguro que le depararía algo bueno. Manchas oscuras en la sábana, mojadas, el sudor había corrido por sus axilas, los poros de debajo de los brazos habían llorado, lágrimas, fino sudor. Helene se levantaría; la esperaban, pues tras el turno de noche ese día no empezaba hasta las dos. Se levantó, ya sólo sudaba un poco, se vistió. La tarde anterior había lavado la ropa y la había colgado sobre la silla, delante de la ventana, para que estuviese seca por la mañana. La ropa olía al jabón de Fanny, todo menos la camiseta interior de él, que seguía llevando puesta, el interior de él era el exterior de ella, donde estuviese él estaba ella ahora, en la noche. No quería que otros oliesen a Carl, la mezcla en la que él y ella se habían convertido con el tiempo.

Fuera el aire estaba lleno de sol, el cartero hacía su recorrido silbando y balanceando la cartera, un ligero vaivén, tal vez ya hubiese repartido todas las cartas; miró de pasada a Helene, silbó amable entre los dientes y empezó a entonar una conocida melodía. Dos niños iban brincando por la acera con sus carteras a la espalda; uno se cayó al suelo, el otro lo había empujado y ahora salía corriendo y riéndose con sorna. Por todas partes había silbidos y aceras y brincos y niños y caminos, no es que hubiese una razón para ello, no tenía nada que ver con Helene en particular, probablemente así sería también si ella no estuviera. Nadie le deseaba nada malo a Helene.

El calor del verano hacía que el aire centelleara sobre los adoquines; era un aire líquido, las imágenes se desdibujaban y los charcos se hacían visibles allí donde llevaban semanas sin aparecer.

Olía a alquitrán, en la acera de enfrente estaban pintando de negro una valla de madera, y el suelo cedía con ligereza bajo los pies de Helene. El tranvía chirrió al tomar la curva, circuló más despacio, el chirrido se prolongó, se oyó el giro, la fricción y la chispa, tardó un tiempo en aplacarse. Últimamente a Helene le gustaba la vaguedad, la inexactitud, estaba siempre pendiente de ello, pero en cuanto creía haberlo reconocido se desvanecía. El calor ralentizaba el ajetreo de la ciudad, reblandecía a sus habitantes, pensó Helene, los volvía dúctiles y suaves, paralizaba a las personas. Cuanto más ligera se volvía Helene, más opresiva le resultaba la pesadez del calor. No le parecía desagradable. El cuerpo de Helene se había vuelto enjuto, no débil. Gracias a las recomendaciones de Leontine había conseguido una plaza en el Hospital de Betania donde, por vez primera tras muchos años, había vuelto a trabajar como enfermera. El farmacéutico se sintió aliviado, liberado casi, pues últimamente apenas había sabido con qué pagarle. Tampoco en el Betania recibía dinero, los primeros tres meses eran de prueba y cobraría el salario en cuanto hubiese presentado todos sus papeles. De forma provisional Helene pidió prestado algo de dinero a Leontine.

Mientras tanto, era amable con todos pero no hablaba con nadie. Buenos días, dijo en la habitación número veintiséis a un hombre abotargado y moribundo. ¿Está usted mejor hoy?

Claro, gracias a las pastillas que me dio anoche logré dejar de preocuparme al fin por la herencia y dormir algo.

A los pacientes les gustaba hablar con ella, no sólo sobre sus dolencias, sino también sobre sus familiares, que alrededor del lecho de muerte eran capaces de mostrar un comportamiento especialmente extraño. Así, la esposa del hombre abotargado ya no se atrevía a acercarse sola a su cama, venía siempre acompañada del hermano menor de su marido, cuya mano unas veces buscaba, otras rechazaba; algo pasaba con las manos de aquellos dos, y el moribundo le confió a Helene que hacía ya algunos años que sabía de la relación secreta entre ambos, pero que no dejaba que se le notase porque quería que ella heredase sin cargo de conciencia. ¿Acaso así no quedaba todo en familia? Ninguno de los pacientes habría osado jamás preguntar a Helene cómo estaba. El uniforme la protegía. La bata blanca era una señal más poderosa que cualquiera de los semáforos que iban instalando en cada vez más cruces de la ciudad y cuya luz llegaba hasta muy lejos, indicando quién debía cruzar y quién detenerse. Al que fuese de blanco le estaba permitido callar, al que fuese de blanco no se le preguntaba cómo le iba. Para Helene la amabilidad era una actitud externa que apenas domeñaba su desesperación, más bien la contenía; el hacerse partícipe del dolor ajeno la sustentaba interiormente. Se preguntó si su abotargado paciente moriría con más facilidad si tuviese la certeza de que su mujer le engañaba con su hermano. Tal vez el moribundo sólo se inventaba tal relación para que la despedida le resultase más fácil. A Helene no le costaba aprenderse los nombres de los pacientes, de dónde venían ni sus historias familiares. Sabía exactamente en qué tono debía preguntar a qué persona, y si un enfermo prefería el silencio lo tenía en cuenta. Una vez que lograba dormirse por las noches, Helene se despertaba por la fricción de sus propios dientes y por el llanto. Sólo cuando soñaba que Carl volvía, la abrazaba, se sorprendía de haberla sumido a ella y a su familia en el pánico y la tristeza y deshacía el malentendido, ya que en realidad no había muerto, Helene dormía bien. Pero despertar después de una de esas noches y regresar a su vida con la llegada de otro día, un día irrefrenable, incuestionable, insoslayable y ni siquiera imaginable, le resultaba difícil. ¿Qué era eso, su vida? ¿Qué debía ser, debía ser algo en realidad? ¿Su vida?

¿Ella? Helene trató de respirar, respirar suavemente, demasiado suave. Su tórax no quería expandirse, apenas entraba aire. Se acordó de la sensación que se tiene al caer de niño, de bruces, a lo largo, cuando el pulmón se encoge por el impacto y respirar se vuelve imposible durante una eternidad, la boca abierta, el aire en la boca, pero el resto del cuerpo estanco, cerrado. Vivir de forma ordinaria, sin llamar la atención, le resultaba sorprendentemente fácil. Estaba sana, podía estirar y doblar cada dedo, los estiró, doblar y estirar todos los dedos de los pies, separarlos mucho hasta que pareciesen una mano demasiado corta, inclinar la cabeza hacia un lado; su cuerpo le obedecía y los trastornos vegetativos en modo alguno la limitaban, Helene podía trabajar aunque el corazón de vez en cuando le diese un vuelco y le costase respirar.

Las demás enfermeras quedaban para ir a bailar, daban paseos nocturnos en barco y siempre le preguntaban a Helene si quería acompañarlas. En el vestuario se probaban pantalones cortos que pretendían lucir en la playa del Wannsee.

Por ejemplo, la joven enfermera a la que todos calificaban de desenvuelta exhibía su cintura sacando el trasero sin ningún recato. Ese gesto le gustó a Helene, no pudo evitar pensar en Leontine, había algo en aquella enfermera que le recordaba a Leontine, el desparpajo con el que se plantaba con su pelo y sus pantalones cortos y enseñaba el trasero al resto de enfermeras mirándolas con una mezcla de gravedad y picardía. Después le llegaba a otra el turno de probarse los escuetos pantaloncitos. También se lo propusieron a Helene, en serio, tenía que ir con ellas algún día a la playa. Helene rechazó la oferta con la excusa de que ya tenía plan. Se inventó una tía a la que debía cuidar, quería que la dejasen tranquila. Los cuchicheos y la suave risa de las enfermeras le agradaban siempre y cuando la dejasen en paz y fuesen el ruido de fondo que acompañaba al silencio; pero en cuanto querían involucrarla o se dirigían a ella exigiéndole una respuesta y que se implicase, aquello le suponía un esfuerzo. Ella tampoco sabía nadar, reveló la enfermera desenvuelta; tal vez supusiera que Helene no sabía nadar y que no quería unirse al resto por vergüenza o por no sentirse incómoda.

Eso no importa, la mayoría de las chicas aprenderá este verano, ¿verdad? Sí, gritaron todas a coro con desenfado. A Helene le gustaban las demás enfermeras, le agradaba su alegría. Ella no quería compasión ni embarazosos silencios, a ninguna le había hablado de Carl ni de su muerte.

En otoño una compañera mayor le dijo a Helene que estaba muy flaca. Esmirriada. Llevaban tiempo observándola. Le preguntaron si estaba enferma. En aquella interrogación Helene escuchó el eco de la palabra «tisis». Surgió un atisbo de esperanza. Helene lo negó, pero la mandaron ir a ver al médico, no querían correr ningún riesgo en la unidad de infecciosos.

Helene no estaba enferma, sólo tenía el pulso algo acelerado y una ligera arritmia. El médico le preguntó si le dolía algo, si había notado algo extraño. Helene le dijo que a veces sentía miedo, así, de repente, pero no sabía de qué. Entonces el corazón le palpitaba muy rápido, tan rápido que le daba un vuelco y parecía no caberle en el pecho. El médico volvió a auscultarla; casi con delicadeza posó el frío metal sobre su pecho, que ya no se erguía suavemente por ninguna parte y bajo el cual se notaban sus costillas; el médico escuchó con atención su corazón y negó con la cabeza. Un ligero soplo, algunas personas lo tienen. Nada grave. En cuanto al miedo, bueno, ¿pudiera ser que obedeciese a una razón concreta? Helene negó con la cabeza. No quería hablar de Carl. Ni decir que desde entonces ya no menstruaba. Tal vez sólo fuese que bebía demasiado poco. ¿A quién le importaba? En primavera había visitado a Leontine en la Charité y le había pedido que la reconociera. Pero Leontine le había asegurado que no estaba embarazada. El sentimiento de decepción le duró poco. ¿Cómo habría alimentado a un niño? Sólo era su corazón, que a veces enloquecía. El tórax, que parecía demasiado estrecho. Su mayor miedo era el miedo al miedo.

Si no hay nada más que reseñar, dijo el médico guiñándole el ojo. Helene intuyó que estaba pensando en los casos de histeria estudiados en Viena. Cuando se hubo vestido, el médico le preguntó con una leve sonrisa si podía invitarla alguna vez a tomar café.

Helene dijo no, muchas gracias, no. Nada más que reseñar. Se dirigió a la puerta.

¿No? ¿Así de fácil? El médico vaciló, no quería darle la mano sin que hubiese aceptado. Helene atravesó la puerta y le deseó un buen día.

Martha habría de permanecer en el sanatorio hasta comienzos del invierno y Leontine buscó un piso para que, a su regreso, no tuvieran que volver a la Achenbachstrasse. Fue así como Helene ya no pudo evitar coincidir a solas con Erich. Le faltaban la fuerza y la voluntad necesarias para estar siempre pendiente, para poder evitar esos encuentros. Él apretaba sus labios contra los de ella, la besaba donde y como quisiera. Ella se resistía, pero sin éxito. Él la arrastraba hasta una habitación, le metía la lengua en el cuello, y una de las últimas veces lo hizo mientras le toqueteaba uno de los pezones con su manaza. Le daba igual que *Cleo* los mirase gimiendo asustado y meneando el rabo con un gesto suplicante más que alegre.

En esos momentos Helene se alegraba de oír a Otta, porque entonces Erich casi siempre la soltaba. Aún era mejor cuando Fanny regresaba de hacer unas breves compras o cualquier otro recado y Erich soltaba a Helene sin mediar palabra. Había días en los que Helene instintivamente no se separaba de Otta, la acompañaba a la cocina y a hacer la compra. Pero había otros días como aquél, en los que Helene se sabía sola en casa, cogía un periódico y se sentaba en el porche que Fanny había mandado acristalar. Unos pasos ligeros se acercaron desde el silencio. Erich llegó, se sentó frente a ella junto a la mesita baja y puso un pie sobre su rodilla, con la pierna doblada formando un ángulo. Mmm. De cuando en cuando emitía sonidos confusos, mmm, como si ella dijese algo, mmm y mmm, asentía él, mmmm, mmmmm, o tal vez fuese un mmm de rechazo, un mmm expectante, mmmmm, mmm, como si fuese un acto reflejo, mmm, como una cobaya, mmm, la miraba mientras ella leía el periódico. Diez minutos sin palabras bastaron, Erich se levantó, le quitó el periódico y le dijo: Yo sé lo que necesitas.

Helene enarcó las cejas, no quería mirarle.

Erich le metió la mano dentro de la blusa. Helene se resistió. Los botones reventaron, el fino tejido que había debajo se rasgó.

Ten cuidado, dijo Erich entre jadeos y se echó a reír, y todos los suspiros antes reprimidos se transformaron en bufidos, en ruidos sonoros; Erich se reía sujetando a Helene por las muñecas, se dejó caer de rodillas y, con la boca mojada y babeante, se abalanzó sobre su pecho desnudo. «Torso», se le vino a Helene a la cabeza, y no pudo evitar pensar en los modelos anatómicos con los que, durante su formación, les habían enseñado el cuerpo humano, donde el corazón palpitaba sin cabeza y sin pensar. Al ponerse en funcionamiento, las extremidades habían perdido su significado. El púrpura y el violeta eran los colores que veía delante de las ventanas.

Helene trató de alejarlo empujándole los hombros, con todo el cuerpo, quería soltarse, pero Erich pesaba como una losa y seguía absorto, chupándole la piel. Él quería exprimirla, su saliva de olor grasiento impregnaba todos los poros de su cuerpo. Como la tenía sujeta por las muñecas y la empujaba contra la butaca, Helene trató de apartarlo encorvando el cuerpo. Sin embargo, era como si cualquier movimiento suyo lo volviese a él más salvaje. Impetuoso, le lamió el rostro con la lengua, recorrió su cuello hasta llegar al pecho. Helene se quedó paralizada. Ya te tengo, ya te tengo, balbucía Erich sin descanso.

Venía a regar los ciclámenes, dijo de repente una voz por encima de ellos. El tono de Fanny no era precisamente grave, sino chillón y diáfano. Sostenía en la mano una regadera de latón, pequeña, con la boquilla alargada. Al momento golpeó a Erich con la regadera en la cabeza. Él no se desplomó, pero dio un respingo que evitó que el siguiente golpe alcanzase a Helene, la regadera salió volando y fue a parar al suelo. Erich le había soltado las muñecas.

Fanny gritó. Helene no logró entender con exactitud qué decía. Algo que ver con Roque, esto no es la casa de tócame Roque, probablemente era eso lo que había gritado. El púrpura comenzó a definirse, pero los ciclámenes estaban en su máximo esplendor y no dejaban caer sus hojas. Helene se cerró la blusa con ambas manos, se levantó y se fue rauda a su habitación. Allí apretó sus frías manos contra sus mejillas encendidas, algo le golpeaba el cráneo desde dentro, era demasiado blando, demasiado dura la frente.

Oyó a Fanny y a Erich pelearse hasta bien entrada la noche, pero aquello no tenía nada de particular. Helene se iba a trabajar, regresaba a casa y evitaba encontrarse con Fanny.

Helene maldecía su existencia, se avergonzaba de llevar una vida que le hacía respirar, trabajar y, con el paso del tiempo, volver a tomar líquidos y dormir sin que ella pusiese de su parte. Se avergonzaba porque podía hacer algo para evitarlo, sabía cómo provocar la muerte, rápido y sin llamar la atención. ¿Qué suponían unas ligeras náuseas o un dolor si eran finitos? Helene sabía que no quería ser encontrada por sorpresa, no quería que especulasen sobre ella ni sobre su muerte, no quería que Martha ni Leontine ni nadie que ella no conociese, de quien no se acordase, tuviese que plantearse ninguna responsabilidad ni sentimiento de culpa con motivo de su muerte. Al fin y al cabo, la vida y el recuerdo de los demás no merecían ningún interés, también había que decir adiós a eso, cada uno era el único responsable de sí mismo. Cuántas veces había tenido en sus manos aquellas sustancias, administrándolas en pequeñas dosis, analgésicas unas y sedantes otras. La caja de Veronal que había sacado de la farmacia por si acaso había desaparecido de la pequeña maleta de color granate. Helene no sospechaba tanto de Otta, más bien creía que era Fanny la que husmeaba entre sus cosas cuando ella no estaba y quien, al ver la caja, no habría podido resistirse. Pero en el hospital había suficiente. No sólo morfina y barbitúricos, la inyección de un poco de aire, si se hacía correctamente, bastaba para provocar la muerte. A Helene vivir le parecía un pervivir absurdo, un sobrevivir involuntario, un sobrevivir a Carl. Cuando quería controlar la sensación de vergüenza porque le parecía un gesto de arrogancia y una coquetería avergonzarse de una vida estando en posesión de ella, se decía a sí misma que el recuerdo de Carl retenía por unos momentos su absoluta desaparición, la postergaba. Aquella idea le gustaba: mientras ella viviera y pensase en Carl con amor, al igual que su familia, mientras así fuera, quedaría un mínimo rastro de su existencia. En ella, con ella y a través de ella. Helene decidió que vivía para honrarle a él. Algún día volvería a reír y a estar alegre sólo por amor a él. Aunque él no ganase nada con ello. Helene no creía en un reencuentro en otro mundo; ese otro mundo bien podía existir, pero no con el vínculo terrenal entre una sola alma y un solo cuerpo con la constante necesidad de unirse a otros, de deshacer y diluir la condenación eterna a una existencia única, individual. De ahí su pensamiento, su lenguaje, de ahí sus abrazos. Helene se encontraba ante una encrucijada y una contradicción. No quería pensar, ni hablar ni abrazarse con ninguna otra persona, con nadie más. Sin embargo, quería pervivir a Carl, no sobrevivir a él, sino pervivir, pues qué otra cosa quedaba de él que su recuerdo. ¿Cómo iba a ser posible pervivir sin pensar ni hablar ni abrazar? Lo que importaba era no interrumpir el mecanismo de la vida, es decir, dormir lo mínimo y necesario y comer lo mínimo y necesario, y Helene se sentía aliviada porque su puesto en el hospital dividía cada día en unidades manejables y regulares; igual que el péndulo de un reloj hacía parecer al tiempo ordenado, el trabajo en el hospital hacía que la vida de Helene pareciese ordenada. No tenía que pensar cuándo la vida tocaría a su fin, bastaba con cumplir sin temor las horas de entrada y de salida del hospital. Entre una cosa y otra Helene tomaba temperaturas, tomaba pulsos y desinfectaba los distintos instrumentales. Sujetaba las manos de moribundos, parturientas y solitarios, cambiaba vendajes, compresas y pañales, su trabajo era útil.

Vivía por inercia, de un cuadrante semanal a otro.

En busca de un piso, Helene pasó junto a la iglesia de San Pablo Apóstol; la puerta estaba abierta, y Helene cayó en la cuenta de que hacía años que no había pisado una iglesia. Entró. El olor a incienso pendía de la sillería. Estaba sola. Helene avanzó y se sentó en el segundo banco; juntó las manos y trató de recordar el principio de alguna oración, pero por más que se esforzaba, no le venía ninguna a la cabeza.

Querido Dios, susurró, si estás ahí, Helene se atascó, ¿por qué a Dios se le trataría de tú? Podrías enviarme una señal, murmuró, una pequeña. De sus ojos brotaron lágrimas. Aparta de mí la autocompasión y el dolor, dijo, por favor, añadió. Las lágrimas cesaron, pero el dolor en el pecho permaneció, algo le cerraba los bronquios y le hacía respirar con dificultad. ¿Por cuánto tiempo aún? Helene escuchó con atención, pero fuera únicamente se oía el traqueteo de un autobús. Al menos sólo una cosa: ¿cuánto tiempo he de estar todavía aquí? Nadie respondió; Helene se quedó escuchando bajo la amplia nave.

Si estás ahí, empezó otra vez, pero entonces pensó en Carl y siguió sin saber cómo continuar la frase. ¿Dónde iba a estar Carl? Oyó pasos a sus espaldas. Se dio la vuelta. Una madre había entrado con su hijo pequeño. Helene inclinó la cabeza y apoyó la frente en las manos. Hazme desaparecer, susurró; en sus palabras ya no había autocompasión, Helene no sentía más que un puro deseo de salvación.

¿Dónde?, escuchó decir con voz aguda al niño que estaba tras ella.

Ahí, dijo la madre, allí arriba.

¿Dónde?, no lo veo. El niño comenzó a impacientarse y a gemir. ¿Dónde?, no puedo verlo.

Es que no se le puede ver, dijo la madre, no con los ojos, tienes que mirar con el corazón, hijo mío.

El niño había enmudecido. ¿Estaría mirando con el corazón? Helene observó fijamente las muescas del banco de madera, sintió miedo; ¿cómo podía pedirle algo a Dios después de haberle olvidado durante tanto tiempo? Perdóname, susurró. Carl no había muerto para que ella se consumiera por él. Había muerto sin motivo alguno. Sería capaz de llevar una vida así, con la esperanza de una respuesta inexistente. Helene se levantó y abandonó la iglesia. Camino de la salida se sorprendió a sí misma buscando aún alguna señal, señales de la existencia de Dios y de su propia salvación. Fuera lucía el sol. ¿Sería aquello una señal? Helene se acordó de su madre. Tal vez todos los objetos que se encontraba, las raíces de los árboles y los plumeros, fuesen señales para ella. Eso no es ninguna bobada, oyó la voz de su madre, que una vez le dijo: Dios no necesita más que la memoria y las dudas de los hombres.

El alquiler de las buhardillas y las habitaciones que Helene iba mirando era demasiado caro. Le faltaba el dinero, y siempre que se presentaba ante alguna patrona le preguntaban por su marido y por su padre. Por no ser una carga para Fanny y poder esquivar mejor a Erich, Helene solicitó una habitación en una residencia para enfermeras.

Faltan sus papeles, le advirtió amablemente la enfermera jefe. Helene respondió que desde Bautzen había llegado la noticia de un incendio que había arrasado todo. La enfermera jefe sintió lástima y permitió que Helene ocupase una habitación con la condición de que consiguiera nueva documentación cuanto antes.

Martha regresó del sanatorio y se fue a vivir a un piso con Leontine. Trabajaban tanto que Helene las veía cada dos o tres semanas, a veces incluso después de meses.

La crisis económica seguía alcanzando nuevas cotas máximas. Nadie quedaba indemne. Se había comprado y vendido, especulado y pescado gangas, todos hablaban de que en ese preciso momento no estaban dispuestos a sufrir pérdidas, pero todavía no se había encontrado el truco para evitar sufrir algo. Fanny celebró el cumpleaños de Erich. Lo hizo por todo lo alto. Fue el que más celebró, más incluso que el suyo propio, la fiesta en su honor sería más fastuosa que todas las celebradas hasta la fecha. Durante los meses previos Erich se había separado varias veces de Fanny y, sin embargo, siempre volvía a aparecer; también esta vez, con ocasión de su cumpleaños. Fanny había cursado una amplia invitación entre amigos y desconocidos, unos que sólo conocía Erich y otros ignorantes de que ella era algo más que su pareja de tenis.

Helene no había querido ir, pero Leontine y Martha insistieron. Tal vez las dos tuviesen cargo de conciencia por no haber podido ocuparse de Helene durante tanto tiempo.

A Helene la invitación de Fanny le pareció un amago de reanimación, una medida para mantener y prolongar la vida, una alusión deplorable a invitaciones pasadas. Los invitados aún iban suntuosamente vestidos, las piedras de cristal cintilaban, seguían hablando de apostar a los caballos y de los índices bursátiles, más de setenta mil quiebras en ese año, y se acababa de rebasar la cifra de seis millones de parados, encendieron una pipa de opio, frente a sólo doce millones de trabajadores, no era de extrañar que tuviesen que reducirse los salarios hasta en un veinticinco por ciento; también se intercambiaron ideas y opiniones sobre la quiebra del teatro Piscator, Helene no quiso escucharlo. ¿Tenía que sentirse mal por tener un puesto de trabajo? Una vida sin el metrónomo de sus actividades en el hospital era inconcebible. Helene tampoco dirigió la mirada hacia Baron y su famosa Pina, con la que se había casado hacía dos años y desde entonces no hacía más que discutir, no sobre brillantes ni boas de plumas, ahora se peleaban por un vestido que Pina había comprado sin el consentimiento de él con el dinero que no tenían. Baron la acusó de pedir dinero prestado a sus amigos y traicionar la comunidad de bienes matrimoniales. Ella lo negó todo, pero pronto estiró los brazos y exclamó: ¡Lo confieso, he robado! Te has empeñado en saberlo, así que ésta es la verdad: robado. Soy una ladrona. En los almacenes Kaufhaus des Westens. ¿Y qué? Helene miró al resto de invitados, se miró los zapatos y se observó las manos. Una de las uñas tenía un reflejo oscuro y Helene se levantó de la *chaise longue* en la que había estado sentada tranquilamente a solas hasta hacía un momento y dobló los dedos tanto como pudo, los enrolló para que nadie pudiese ver la uña con el borde negro y salió hacia el pasillo, donde tuvo que esperar a la entrada del baño. En cuanto se hubo abierto la puerta y el baño quedó libre, Helene entró a toda prisa. La estufa estaba encendida y Helene abrió el grifo, el agua caliente salía blanca y humeante, se frotó con el cepillo de uñas bajo el chorro de agua. El jabón comenzó a hacer espuma, Helene frotó, enjabonó, frotó y enjabonó. Sus manos enrojecieron, las uñas se volvieron cada vez más blancas. También se lavó la cara, y como le picaba a lo largo de la columna tuvo que lavarse también el cuello, al menos lo que le fue posible sin tener que desvestirse. Alguien llamó a la puerta. Helene sabía que debía cerrar el grifo, sus manos estaban rojas, calientes y limpias, y más rojas y más calientes y más limpias, no le resultaba fácil. En la bañera, debajo del grifo, se veían las vetas azuladas y amarillo verdosas que dejaban los restos de agua. ¿Qué sales habría arrastrado y sedimentado allí el agua con la cal?

De regreso junto al resto de invitados, Helene acababa de decidir que se marcharía —no en vano tenía que estar en la residencia de enfermeras antes de las diez, porque luego ya no se permitía la entrada hasta las seis, la hora en que regresaba el turno de noche–, cuando de pronto tuvo ante sí a un joven sonriente. Parecía que él la conocía, pues le sonreía impertérrito desde lo alto.

Nuestro querido Wilhelm, dijo Erich apareciendo por detrás de aquel joven.

Déjame adivinar, dijo Wilhelm, déjame adivinar cómo se llama.

Lleva toda la noche adivinando nombres, explicó Erich dando unas palmaditas en el hombro de su amigo. Erich se rió. Su nombre es Hanussen.

Wilhelm apartó la mano de Erich de su hombro. Qué dices de Hanussen.

Sólo ha acertado una vez, y ni siquiera con una dama. Erich clavó los ojos en Helene.

Wilhelm no se dejó intimidar por su amigo y escrutó a Helene con la mirada. No se preocupe, no es más que un juego. Wilhelm se inclinó hacia un lado, como si Helene llevase el nombre escrito en un letrero junto a la sien. Luego asintió. Alice. Se llama Alice.

Erich se rió. Fanny, que se había unido a ellos, se secó las lágrimas de sus ojos irritados y pidió a Erich que le sirviera una absenta. Él no reaccionó a la petición de Fanny, tenía la mirada clavada en el rostro de Helene, taladrando sus ojos, sus mejillas, su boca.

¿Y? ¿No es una moza de las que a ti te gustan? Willy adora a las chicas rubias. Erich dio unas palmaditas en el hombro de su amigo, como si fuese una chuleta que hubiera que ablandar. Puede que no tenga mucho donde agarrar, pero es rubia. Erich se rió, creía haber hecho un chiste.

La simple mirada de Erich delataba cómo se abalanzaría sobre Helene si estuviesen a solas. Wilhelm seguía inocentemente de pie, dándole la espalda a su amigo; en sus ojos había algo parecido a la sorpresa y el puro asombro.

Al menos tiene usted una belleza cautivadora, señorita, balbució Wilhelm. Alice. Me desvelará su nombre, ¿verdad?

Helene se esforzó en sonreír con amabilidad; por encima del hombro de Wilhelm vio a lo lejos el reloj del pasillo, el reloj de pie blanco marcaba las nueve y media. Helene quería marcharse.

¿Ya, tan pronto? Wilhelm no lo podía creer. Pero si la fiesta no ha hecho más que empezar. ¿No irá a abandonarme justo ahora?

Con su amable sonrisa Helene dijo: Tengo que irme.

La residencia de enfermeras, Erich recorrió sus dientes con la lengua, luego dio un chasquido tras pasársela por encima de los labios con un gesto obsceno. Vive en la residencia de enfermeras.

Una monja, ¡Virgen María! Wilhelm se lo creyó al instante.

Bobadas. Erich le interrumpió. Nada de Virgen, alcornoque, es enfermera.*

Enfermera. Wilhelm lo pronunció con miedo, como si no hubiese ninguna diferencia sustancial entre una monja, la Virgen María y una enfermera. La acompañaré.

Gracias, no se moleste. Helene dio un paso hacia un lado y trató de sortear a aquel joven grandón llamado Wilhelm. Él la acompañó hasta la puerta, la ayudó a ponerse el abrigo y dejó que se fuera dedicándole varios saludos.

Al día siguiente, en el hospital, Helene tuvo de pronto ante sí a Wilhelm. Enfermera, le dijo, debe ayudarme.

A Helene no le apetecía compartir risas ni intercambiar miradas, quería realizar su trabajo; había que hacer las camas de la habitación número veinte, y el paciente de la treinta y uno, que no podía ir al servicio solo, había tocado el timbre hacía diez minutos.

* La confusión de Wilhelm viene originada porque en alemán, la palabra *Schwester*, hermana, puede referirse tanto a una monja como a una enfermera. *(N. de la T.)*

Enfermera Alice, me sentaré aquí, en este banco. Por mí puede usted avisar al vigilante o al jefe de servicio. Esperaré hasta que termine su turno. No tardará mucho, ¿verdad?

Helene dejó que se sentara y se fue a hacer su trabajo. Durante más de dos horas tuvo que pasar junto a él, las mujeres que se encontraban en el cuarto de enfermeras cuchicheaban. Ese caballero tan elegante que estaba en el pasillo sería un admirador. Qué hombre tan distinguido, qué hermosa planta con ese pelo rubio y los ojos azules. Una de las enfermeras se detuvo al lado de Wilhelm y empezó una conversación. Más tarde, al pasar junto a Helene, le dijo: Avísame. Si tú no lo quieres me lo quedo yo.

A Helene le habría gustado decirle que podía quedarse con lo que quisiera, pero le resultaba cansino responder a aquel cuchicheo. La lengua sencillamente le pesaba demasiado en la boca. Mientras limpiaba el miembro y el trasero de un hombre mayor, a pesar de la carne viva y del forúnculo reventado, de las numerosas heriditas purulentas que ella curaba con pomada y polvos de talco, no pudo evitar pensar en Carl y en que él no vendría a recogerla. Jamás. A Helene le dolía el cuello, se le estaba encogiendo, se le ponía un nudo en la garganta. Con los dedos llenos de pomada y talco, Helene no pudo limpiarse el ojo.

Enfermera, sus manos son tan suaves y sanadoras que pregunto siempre por usted, para saber si está de turno. Ha nacido para esta profesión, ¿lo sabe, enfermera Helene? El hombre que se hallaba tumbado en la cama dándole la espalda a Helene y que, a su entender, tendría que gritar de dolor cuando ella le hacía las curas, se retorció para al menos poder mirar hacia donde estaba la enfermera. Estiró su mano hacia ella y le tiró de la manga. Allí, con la mano señaló hacia su mesilla de noche. Mire, enfermera Helene, allí en el cajón hay algo de dinero, cójalo.

Ella negó con la cabeza, le dio las gracias, pero no quería

dinero. Siempre que alguien le metía algo en el bolsillo ella lo devolvía. Rara vez encontraba en los bolsillos de la bata monedas que alguien le habría metido sin que se diese cuenta. Ese hombre llevaba dos semanas ingresado, su estado empeoraba. Se sintió decepcionado al ver que Helene no quería aceptar su dinero. Tómelo, le ordenó. Si usted no lo hace, otra enfermera lo robará.

Pues que lo haga. Helene cerró el bote de talco, extendió el edredón sobre el enfermo y se llevó la palangana al lavabo, donde limpió la loza y se lavó las manos. A sus espaldas gimió otro paciente que no podía aguantar más. Helene se acercó a su cama. Necesitaba la chata y le pidió a Helene que se quedase con él, porque no podía arreglárselas solo. En la cama contigua otro hombre se quejaba de dolor, gemía con una voz ronca, oprimida, por la que Helene sabía que estaba resistiéndose todo lo que podía.

Cuando dos horas más tarde Helene colgó la bata en su taquilla y se puso la falda, el jersey y la chaqueta, Wilhelm seguía esperando pacientemente en el banco del pasillo.

¿Que si quería ir a tomar un café? Helene estuvo de acuerdo, no era cuestión de querer, sino de oponer la mínima resistencia. Al llegar a la puerta quiso abrir su paraguas, pero se le atascaba. Entre risas y sin reparar en la lluvia, ni mucho menos en sus esfuerzos con el paraguas, Wilhelm le contó algo sobre el acoplamiento del *Volksempfänger*, un receptor de radio pensado para el pueblo y que en pocos meses se presentaría en sociedad en la Gran Feria Alemana de Radiodifusión. De altavoz a altavoz, dijo Wilhelm extendiendo mucho los brazos para demostrarle hasta qué punto no podían abarcar los nuevos avances tecnológicos. A Helene le gustaba su entusiasmo. Fueron hacia la orilla del canal del Spree. Mediante el acoplamiento de la alta frecuencia se lograba generar la receptividad necesaria. Helene no entendía ni una palabra, pero por educación se detuvo cuando él lo hizo en mitad de la frase, tratando de hacerle entender con gestos cómo era la estructura de aquel aparato.

En ese punto, Helene supo que era ingeniero, pero no quedaba claro si estaba hablando de inventos propios o ajenos. Ella seguía sin entender de lo que hablaba; le gustaba escucharle, ver cómo se secaba la lluvia de la frente con el pañuelo, al fin y al cabo a ella seguramente le costaría imaginarse el alcance de la accesibilidad y las dimensiones del traspaso de información, pero al final todas las personas recibirían la misma información al mismo tiempo, sabrían de acontecimientos que, de otro modo, sólo llegaban a conocer con esfuerzo y varios días de retraso a través de los periódicos. ¿Y de cuál de ellos? Ahora ya había demasiados. El movimiento despectivo de la mano de Wilhelm fue amable, pero firme. Su alegría tenía algo de contagioso, Helene no pudo reprimir una sonrisa. Había logrado abrir el paraguas. Le preguntó si quería que lo compartieran.

Por supuesto, dijo Wilhelm quitándole el paraguas de las manos para que ella no tuviese que estirar el brazo. Wilhelm sabía que las muchachas dulces necesitan cosas dulces, así que se fue directo a una pequeña pastelería. Había café y tarta de manzana. Helene no quería ni lo uno ni lo otro, pero tampoco quería mostrarse remilgada, no quería llamar la atención de modo innecesario. Sin poder pasar por alto el orgullo que transmitía su voz, Wilhelm le dijo que en las próximas semanas comenzaría la producción en serie para poder tener suficientes unidades que vender con motivo de la feria. Luego le preguntó entre risas qué opinaba del nombre *Heilsender*. Es sólo una broma, dijo, había nombres mejores.* Helene no entendió el chiste, pero le agradaba escucharle hablar con aquella autosuficiencia.

---

* Juego de palabras con la voz *Heilsender*. La expresión *Heil* se refiere tanto al saludo hitleriano como a la raíz del verbo sanar. *Sender* se refiere en este caso al aparato emisor. *(N. de la T.)*

Su sonrisa ocultaba el cansancio que en ese momento, frente al café y la tarta, se adueñó de ella tras una larga jornada en el hospital. Le pareció que, durante su encuentro con Wilhelm lo haría todo bien con tal de mirarle atentamente, enarcar unas veces las cejas en señal de sorpresa y asentir otras. Las palabras «emisor» y «receptor» adquirían un significado especial cuando ella le escuchaba de ese modo. Un vendedor de periódicos entró en la pastelería, donde había congregadas pocas personas, pero el muchacho se quitó la gorra y alzó su sonora voz. Los titulares de los diarios vespertinos especulaban sobre los instigadores del incendio del Reichstag.

Durante aquellas semanas, tanto en el tranvía como en el metro iba creciendo un estado de sorda indignación. Allí donde la gente coincidía, con rostros enrojecidos por el frío y abrigos demasiado cortos, pues tal vez otro de los niños había necesitado una chaqueta, se oían quejas, protestas y discusiones. No tenían por qué soportar aquella situación por más tiempo. No había por qué aceptarlo, no durante más tiempo, no iban a permitir que hicieran con ellos lo que quisieran. Los ánimos de hombres y mujeres estaban soliviantados.

Wilhelm iba a buscar a Helene al hospital siempre que podía; arrestaban a un comunista tras otro; Wilhelm se iba de paseo con su querida y rubia Alice y la llevaba a la pastelería. Decía que le gustaba ver cómo se comía la tarta, siempre daba la impresión de que llevaba días sin comer nada en condiciones. Helene callaba, asustada. No estaba segura de querer saber lo que pensaba Wilhelm mientras la veía comer. La comida se había convertido para ella en un engorro, solía olvidarse de hacerlo hasta la noche. La tarta de manzana no le gustaba, lo que ocurría era que quería tragársela cuanto antes, quitársela de en medio. Wilhelm le preguntó si quería que le pidiese otro pedazo. Ella negó con la cabeza y le dio las gracias. Sus hoyuelos son encantadores, le dijo Wilhelm mirándola embelesado. A Helene no le gustaba sentirse incómoda. Él le preguntó si le gustaba ir al teatro, o al cine. Helene asintió. Hacía mucho que no iba al cine, no tenía dinero. Sólo en una ocasión había acudido, cuando Leontine y Martha le preguntaron si quería ir con ellas. No había podido contener las lágrimas durante la proyección y se había sentido incómoda. Antes no lloraba en el cine. Así que negó con la cabeza.

¿Sí o no?, preguntó Wilhelm.

No, dijo Helene.

Wilhelm le pidió que fuesen a bailar. Un día en el que resistirse le supuso demasiado esfuerzo, Helene accedió y fueron a bailar, y él tomó su rostro con ambas manos, la besó en la frente y le dijo que se había enamorado.

Helene no estaba contenta; cerró los ojos para que no la observara. Wilhelm lo interpretó como un gesto grácil, de conformidad, como un avance de su inminente entrega. Sólo podía ser bueno que Wilhelm desconociese la pasión con la que Helene había correspondido y atraído los besos de Carl. Las camisas pardas de las SA asaltaron el Bloque Rojo de Wilmersdorf, donde arrestaron a varios escritores y artistas; quemaron algunos de sus libros, y llegó la primavera, y quemaron más libros. Helene se enteró por Martha de que Baron estaba entre los detenidos. Pina quiso averiguar como fuera algo sobre los motivos de la detención y localizó a todos sus conocidos para pedirles que la ayudaran. Un día decían que tenía contactos con el Partido Comunista, al siguiente que había repartido octavillas para los socialdemócratas. Wilhelm no esperó a comprobar si Helene correspondía a sus sentimientos, su propio deseo lo llenaba por completo, eso le bastaba. La seguía llamando Alice, aunque hacía tiempo que sabía que se llamaba Helene. Alice, ése era el nombre que él le había puesto.

En primavera el partido nacionalsocialista, recién aupado al Gobierno, organizó un boicot; se trataba de dejar en la miseria a las bocas inútiles y a ciertos parásitos matándolos de hambre; nadie debía comprar en comercios judíos ni llevar sus zapatos a un zapatero judío, nadie debía ir a un médico judío ni dejarse asesorar por un abogado judío. No podía ser que el hombre alemán no tuviese trabajo mientras otros nadaban en la abundancia, explicó el jefe de servicio a sus enfermeras. Ellas asintieron, a algunas les vino a la cabeza un ejemplo concreto de reparto injusto. La enfermera desenvuelta, cuyo origen judío era de todos conocido, había recibido por sorpresa la carta de despido la semana anterior. Nadie la buscó, nadie la echó de menos. ¿Acaso no venía de una familia acomodada? ¿Qué necesidad tenía de trabajar? Tras su desaparición, no se habló más de ella. Su lugar lo ocupó otra enfermera. En realidad se hablaba mucho de expansión, del pueblo y del espacio merecido.

Wilhelm recogió a Helene cuando acabó su turno; ella, como siempre, había trabajado diez horas y, sumando los dos descansos, había pasado once en el hospital; la llevó del brazo hasta la pastelería y, aunque ya eran las seis de la tarde, pidió café y tarta. Acercó a Helene hacia él por encima de la mesa, debía guardarle un secreto. Él no era simplemente el responsable de construir la 4a de Berlín a Stettin, ya lo vería, ¡algún día llegarían hasta Königsberg! Los ojos de Wilhelm brillaron. Luego bajó aún más el tono: Pero el secreto era el siguiente, la elección había recaído justo en él. Había recibido el encargo de entregar al aeropuerto de Stettin el aparato de radio desarrollado bajo su supervisión e instalar el emisor radiogoniométrico en un mástil extraordinariamente alto. El aeropuerto iba a ser ampliado para la *Luftwaffe*. Wilhelm estaba pletórico, no se mostraba orgulloso, sino más bien intrépido y audaz. Sus ojos avistaban la aventura y prometían vivirla. Con la mayor naturalidad, Wilhelm tomó el tenedor de postre, pinchó un trocito de tarta y se lo acercó a Helene a la boca. Su campo de actuación se había desplazado tanto hacia Pomerania que le habían sugerido trasladar allí su residencia.

Helene asintió; no envidiaba a Wilhelm por su vitalidad y

entusiasmo, por creer que podía hacer algo importante en favor del pueblo, de la humanidad y, en particular, del progreso tecnológico. Le gustaba su alegría, la ligereza con la que se reía y se golpeaba los muslos sin la menor consideración, pero era agradable, como las risitas de las enfermeras.

¿No te alegras? Wilhelm se lo preguntó a Helene dejando caer el brazo con el que sostenía el tenedor al ver que ella no cambiaba el gesto ni abría la boca para comerse la tarta.

Por favor, no me preguntes. Helene levantó los ojos de la taza de café y dirigió la mirada hacia la ventana y hacia el exterior.

Claro que sí, tengo que preguntártelo, dijo Wilhelm. No quiero renunciar a ti en el futuro, dijo mordiéndose los labios, pues se había propuesto guardar tamaña confesión para un momento concreto después de cierta pregunta. Sin embargo, Helene pareció no haber oído su confesión.

En la primavera siguiente, cuando Wilhelm regresó de Pomerania tras un largo mes de trabajos de planificación, compró dos anillos de compromiso en la joyería de la estación y fue a recoger a Helene al hospital. Le puso el anillo delante de la nariz y le preguntó si quería ser su esposa.

Helene no era capaz de mirarle.

Pensó qué debía responder; sabía cómo hacerlo, el brillo, la sonrisa, era muy fácil, sólo había que levantar las comisuras de los labios y abrir mucho los ojos, tal vez con esa mímica fuese posible sentir un instante de felicidad.

Estás sorprendida, ¿verdad?

Una cosa como yo no debería existir, dijo Helene de pronto.

¿Qué quieres decir con eso? Wilhelm no entendía a qué se refería.

Quiero decir que no tengo papeles, ni certificado de pureza de sangre, nada, Helene se echó a reír, y si los tuviera, bajo confesión de la madre pondría «mosaica».

Wilhelm miró a Helene con dureza. ¿Por qué dices eso, Alice? Tu madre vive en algún lugar de Lausitz. ¿Acaso tu hermana no dijo que era un caso difícil? Sonó como si estuviese enferma. ¿Le tienes cariño, significan algo para ti sus festividades? Wilhelm sacudió la cabeza en señal de incredulidad, una expresión de petulancia y confianza asomó en su rostro: Sígueme, cásate conmigo y permítenos empezar una nueva vida.

Helene continuó en silencio. Alguien como Wilhelm no conocía el peligro ni los obstáculos. Helene no lo miraba, sentía una extraña rigidez en la nuca; si negaba con la cabeza, él la llamaría cobarde, miedica. Ella quería quedarse. Pero ¿dónde?

¿Me estás diciendo que desconfías de mí porque soy alemán? ¿Porque nací de una madre alemana y de un padre alemán y ellos a su vez de padres y madres alemanes?

No desconfío de ti. Helene negó con la cabeza. ¿Cómo podía Wilhelm interpretar sus dudas como un gesto de desconfianza? Ella no quería que se enfadase. Dudó un poco, qué otro remedio le quedaba. También su madre era alemana, sólo que ahora para Wilhelm ser alemán era sin duda otra cosa, algo que, según las ideas modernas, se expresaba mediante rasgos raciales y había que demostrar teniendo la sangre adecuada.

Tu nombre es Alice, ¿me oyes? Si lo digo yo, es así. Y si no tienes certificado de pureza de sangre yo te conseguiré uno, créeme, uno sin tacha, uno que no despierte ninguna duda sobre tu sana procedencia.

Estás loco. Helene se asustó. ¿Era posible que Wilhelm estuviese aludiendo a las nuevas leyes, según las cuales en el hospital era obligatorio registrar y denunciar toda malformación con el fin de evitar a cualquier precio una descendencia con enfermedades hereditarias? ¿Y acaso determinadas enfermedades nerviosas y mentales, como la que según las sospechas de algunos vecinos sufría su madre, no eran también consideradas hereditarias y debían evitarse a toda costa? El primer mandamiento era derrochar salud, y el que no tuviese salud ni pudiese derrocharla debía morir lo antes posible, antes de que el pueblo alemán corriese el riesgo de resultar mancillado por el contagio o la contaminación de una descendencia enferma.

¿No me crees? Lo haré todo por ti, Alice, todo.

¿A qué te refieres con una sana procedencia? Helene sabía que no obtendría de Wilhelm una respuesta convincente.

Una procedencia limpia, mi esposa tendrá una procedencia limpia, eso es todo lo que quiero decir. Wilhelm estaba exultante. No pongas esa cara de enfado, cariño, ¿quién puede tener un corazón más limpio y puro que la encantadora mujer rubia que tengo enfrente?

A Helene le asombró aquella opinión. ¿Se debía tal vez al rechazo físico por su parte?

La gente está haciendo las maletas y marchándose de Alemania. Lucinde, la amiga de Fanny, va a acompañar a su marido a Inglaterra, dijo Helene.

El que no demuestra cariño por sus bosques y por su madre tierra hace bien dándole la espalda a su país. Por mí pueden irse. Que se larguen todos. Nosotros tenemos cosas que hacer aquí, Alice. Salvaremos la nación alemana, nuestra patria y nuestra lengua materna. Wilhelm se arremangó. No nos merecemos caer en la miseria. Con estas manos, ¿las ves? Ningún alemán debe quedarse ahora mano sobre mano. Las quejas y el desaliento no son nuestro estilo. Tú serás mi mujer y yo te daré mi apellido.

Helene negó con la cabeza.

¿Lo dudas? No irás a rendirte, Alice, no me digas eso. Wilhelm la miraba firme e incrédulo.

Wilhelm, yo no merezco tu amor, no tengo con qué corresponderte.

Eso ya llegará, Alice, estoy seguro. Wilhelm habló de forma libre y clara, como si todo se basase en un acuerdo, en una decisión que los uniría; nada de lo que había dicho Helene parecía irritarle, ni siquiera crearle cierta inseguridad. Su voluntad triunfaría, la voluntad, voluntad absoluta. ¿Acaso ella no tenía voluntad? Por supuesto que cualquier mujer necesita cierto tiempo después de una pérdida como ésa, dijo Wilhelm. Tú y ese chico queríais casaros. Pero ya hace años de eso, y debes poner fin de una vez al luto, Alice.

Helene escuchó las palabras con las que Wilhelm trataba de persuadirla, le parecieron estúpidas y descaradas a un tiempo. Su superioridad y el tono conminatorio de aquellas palabras la llenaron de indignación. Había palabras que era mejor no utilizar. Algo del heroísmo de Wilhelm le resultaba sospechoso, algo le parecía en esencia erróneo. Al instante, Helene se asustó de sí misma. ¿Estaba siendo una envidiosa? Wilhelm era optimista, podría aprender de él. Helene lamentó tanto su irritación como su rechazo. ¿Acaso no era su luto por Carl, un sentimiento «propio de mujeres» según el amable calificativo de su pretendiente, lo único que hacía que le costara tanto soportar el brillo y las ganas de vivir de Wilhelm?

¿En qué estás pensando, Alice? El futuro está rendido a nuestros pies, no pensemos sólo en nosotros, pensemos en el bien común, Alice, en el pueblo, en nuestra Alemania.

Ella no quería parecer pusilánime y en ningún caso mostrar amargura. La vida no la había ofendido, no existía ningún Dios que pretendiese hacerle expiar sus culpas. Wilhelm quería lo mejor para ella, lo mejor para él, y eso ella no podía tomárselo a mal. ¿Cómo podría sentir ella ese orgullo? Al fin y al cabo, él tenía razón, debía retomar su vida, y pudiera ser que la atención y los cuidados de los enfermos no ayudasen mucho. Estando sola le faltaba una filosofía de vida, de lo que debía y podía ser. Para ello tendría que dedicarse a una persona, y ¿por qué no a alguien que sólo deseaba lo mejor para ella, que se alegraría de obtener un «sí» y que quería rescatarla? En definitiva, era evidente que Wilhelm sabía lo que quería, le tomaba la delantera a su propio objetivo, y no es que estuviese a punto de creérselo, él creía de verdad en ello. En su boca la palabra «Alemania» sonaba a solución. Nosotros. ¿Quiénes éramos nosotros? Nosotros éramos alguien. Pero ¿quién? Seguro que volvería a aprender a besar, sobre todo a percibir un olor y que le gustara, a abrir los dientes y los labios y a sentir los movimientos de otra lengua en su boca, tal vez se tratase de eso.

Wilhelm cortejó a Helene sin descanso. Era como si cada negativa le imprimiese renovado brío. Se sentía nacido para hacer grandes cosas, preferiblemente para salvar a otros, y lo más importante para él era convencer a ese ser, a sus ojos tímido y grácil, para que empezaran una vida en común.

Gracias a mis contactos tengo dos entradas para la Ópera Kroll. Querrás ver las primeras imágenes de televisión, ¿no?

Helene no se dejó convencer. Esa semana tenía turno de noche prácticamente todos los días, no había nada que hacer.

Cuando Martha le dio la noticia de que Mariechen no había podido evitar cierto incidente y que la policía de Bautzen había ido a recoger y se había llevado consigo a una mujer que primero lloraba y después se puso a alborotar en el Kornmarkt, Helene se inquietó. Leontine llamó por teléfono a Bautzen, habló primero con Mariechen, luego con el hospital y, por último, con las autoridades sanitarias. Le explicaron que Selma Würsich había sido trasladada al Palacio de Sonnenstein, en Pirna, donde averiguarían qué mal padecía y, a través de unas nuevas pruebas, determinarían si su enfermedad era o no hereditaria.

Helene recogió sus cosas y Wilhelm vio que había llegado su oportunidad. No dejaría que fuese hasta allí sola, debía saber que necesitaría de su compañía.

En el tren, Wilhelm se sentó enfrente de Helene. Ella reparó en la seguridad con la que él la contemplaba. Wilhelm tenía unos ojos hermosos, muy hermosos. ¿Cuántos años llevaba sin ver a su madre? ¿Diez, once? Helene temía no reconocerla, ver qué aspecto tendría y si ella reconocería a su hija. Wilhelm le cogió la mano. Helene inclinó la cabeza y apoyó el rostro en la mano de Wilhelm. Qué caliente estaba. El hecho de que Wilhelm se encontrase a su lado le pareció un regalo. Helene le besó la mano.

Mi valiente Alice, dijo él. Helene escuchó la ternura de su voz y, sin embargo, no sentía que aquellas dulces palabras se refiriesen a ella.

¿Valiente? De eso nada, dijo negando con la cabeza. Tengo muchísimo miedo.

Entonces él le puso ambas manos sobre los hombros y acercó tanto la cabeza de Helene a su pecho que ella estuvo a punto de resbalar del asiento. Mi dulce niña, ya lo sé, dijo, y ella sintió su boca en la frente. Pero no tienes que llevarme siempre la contraria. Estás yendo a verla, y eso es valiente.

Otra hija habría viajado muchos años antes; otra hija no habría dejado a su madre en la estacada.

No podías hacer nada por ella. Wilhelm acarició el cabello de Helene. Su olor no era desagradable, sino casi familiar. Helene intuía, sabía casi que sus palabras pretendían ser un consuelo. Se abrazó a él. ¿Qué le podría gustar de Wilhelm? Que alguien la sufriera, tal vez.

A Helene le autorizaron visitar a su madre con un permiso especial de las autoridades sanitarias que Leontine había tramitado con Pirna vía Bautzen.

El recinto era muy amplio, y de no ser por las altas vallas, uno casi podía imaginarse cómo residirían allí los reyes siglos atrás disfrutando de las vistas; allí donde el Wesenitz desde el norte y el Gottleuba desde el sur desembocaban en el Elba se extendía un hermoso paisaje a sus pies. El sol radiante y el agudo gorjeo de los pájaros tenían algo de irreal. ¿Y allí estaba su madre ingresada como paciente bajo custodia?

Un enfermero condujo a Helene y Wilhelm escaleras arriba y después bajaron por un largo pasillo. Unas puertas enrejadas se abrieron y volvieron a cerrarse tras ellos. La sala de visitas se encontraba al final de aquella ala.

La madre estaba sentada con un pijama de enfermo en el borde del banco. Tenía el pelo totalmente cano, pero por lo demás se la veía igual que siempre, no había envejecido nada. Cuando Helene entró, ella volvió la cabeza hacia su hija y le dijo: Te lo dije, ¿no es cierto?, tendrás que cuidarme. Para empezar fuera de aquí, unas manos me han revuelto las vísceras. Y eso que no hay vástagos dentro de mí, olmos que dan peras. Nada se mezcla. El médico dice que tengo hijos. No pude sacárselo de la cabeza. Se escurrieron y huyeron. Esos hijos no se tienen. Tendrían que crecerle a uno de la cabeza, desde aquí hasta aquí. La madre se golpeó la frente con la palma de la mano y justo después en la coronilla, de nuevo en la frente y en la coronilla. Vaciado, así de fácil.

Helene se acercó a su madre. Tomó una de sus frías manos. Piel y huesos. Aquella piel envejecida estaba blanda, áspera y blanda por fuera, blanda y lisa por dentro.

No la toque. El enfermero que se hallaba en la puerta vigilando la visita amenazó con acercarse.

¿No tienen aquí enfermeras? Helene gritó, asustada por el volumen de su propia voz.

Sí, también hay enfermeras. Pero hay ciertos pacientes con los que se necesita más fuerza, no sé si me explico.

Podría ser, podría ser que te mordiera, podría ser que te mordiera, podría ser que te arañara, pequeños y finos arañazos. La madre cantaba con la voz de una niña.

Te he traído una cosa. Helene abrió el bolso. Un cepillo, un espejo.

Si me permite, dijo el enfermero estirando la mano. Yo me encargo de guardar las cosas y custodiarlas. Por razones de seguridad los pacientes no pueden tener aquí ningún objeto personal.

Pero la madre ya se había hecho con el cepillo y empezó a pasárselo adecuadamente por el cabello. Entre la montaña y el bajo bajo valle había una vez dos liebres comiendo la verde verde hierba. Cantaba sin dejarse intimidar, tarareando con la voz de la muchacha que una vez fue.

El enfermero dio un pisotón. Ya era suficiente.

Sabe Dios de dónde le vienen todas esas canciones.

El enfermero agarró el cepillo y se lo arrancó a la madre de la mano. El espejo resbaló por su regazo y se rompió al chocar contra el suelo. Y eso también, exclamó el enfermero mientras recogía el espejo y los cristales rotos. En cuanto le hubo quitado a la madre el cepillo y el espejo ella se dejó resbalar por el banco hasta el suelo. Se echó a reír. Aparecieron huecos negros. Helene se asustó al ver los dientes que le faltaban a su madre. Su risa parecía un gorgoteo y ya fue incapaz de tranquilizarse.

No tiene ningún sentido, señorita, ¿no lo ve?

¿Qué quiere decir usted con «sentido»? Helene lo preguntó sin volverse a mirar al enfermero, se agachó y puso la mano en la cabeza de su madre, tenía el pelo gris, seco y estropajoso. Ella no se resistió, siguió riendo. Mi madre no está loca, no como ustedes creen. No tiene por qué estar aquí. Quiero llevármela.

Lo siento mucho, aquí tenemos unas normas que debemos cumplir. No puede llevarse a esta mujer así como así, aunque usted fuese su madre no está autorizada a hacerlo.

Ven, madre. Helene sujetó a su madre por las axilas y trató de levantarla.

El enfermero se acercó de un salto a las dos y separó a madre e hija. ¿No me está oyendo? Son las normas.

Quiero hablar con el responsable. ¿Cuál era su nombre? ¿Nitsche?

El profesor se encuentra en una importante reunión.

¿Ah, sí? Entonces esperaré a que acabe.

Lo siento, señorita. Tampoco entonces podrá hablar con él. Ha de pedir una cita por escrito.

¿Por escrito? Helene rebuscó en su bolso, encontró el cuaderno de notas negro que Wilhelm le había regalado hacía pocos días y arrancó una página. De sus propias manos le venía el olor de su madre, su risa, su miedo, el sebo de su pelo y el sudor de sus axilas. Con el lápiz escribió: Estimado Señor Catedrático.

Señorita, por favor. ¿Quiere que la retengamos a usted también? Creo que el profesor estaría ciertamente interesado, al fin y al cabo está investigando la transmisión de estas enfermedades. ¿Cuál era su nombre?

Un respeto, joven; había llegado el momento de Wilhelm, que decidió inmiscuirse. Ahora mismo dejará marchar a la señorita. La joven es mi prometida.

El enfermero abrió la puerta. Wilhelm extendió el brazo hacia Helene. ¿Vienes, cariño?

Helene sabía que no le quedaba otra alternativa. Tomó el brazo de Wilhelm y ambos se dirigieron hacia la puerta. Al final del pasillo oyeron tras de sí un grito estridente. No estaba claro si procedía de un animal o de una persona. Helene tampoco logró distinguir quién había gritado; podía haber sido su madre. Otro enfermero les abrió la puerta. Wilhelm y Helene recorrieron el siguiente pasillo en silencio. La quietud de aquel sitio era turbadora, tenía algo de finitud.

En el tren de regreso a Berlín Wilhelm y Helene se sentaron sin hablar. El tren atravesó un túnel. Helene notó que Wilhelm estaba esperando que le diese las gracias.

Por favor, le dijo, no vuelvas a llamarme «cariño».

Pero es que lo siento así. Wilhelm tenía los ojos clavados en el rostro de Helene. Mañana debo irme de nuevo una semana a Stettin. No quiero seguir dejándote sola en Berlín.

¿Por qué iba a estar sola? Mis pacientes me esperan, me necesitan.

¿Crees que en Stettin no hay pacientes esperándote? Los encontrarás en todo el mundo. Pero como yo sólo hay uno. Alice, mi dulce niña, tu contención es noble, pero a decir verdad me vuelve loco. Tiene que acabar de una vez por todas. Te necesito.

Helene le agarró la mano. No tienes que convencerme, dijo y le besó la mano. Le gustaba escuchar que alguien la necesitaba. ¿Cómo iba a hablar de ese sentimiento?

¿Con qué papeles voy a casarme contigo?, susurró. No tengo nada, ni uno.

Eso se puede arreglar, aseguró Wilhelm de pasada. ¿No me dijiste una vez que manejaste máquinas de imprenta?

Helene negó con la cabeza. El papel, los tipos adecuados, sellos y lacres. Los documentos no son nada fáciles de imprimir.

Deja que yo me ocupe de ello, ¿de acuerdo?

Helene asintió; era bueno que él pudiera ocuparse de eso. Wilhelm mencionó a un hermano en Gelbensande que desde que se había casado llevaba una granja, pero que sabía cómo confeccionar papeles.

En el hospital llevaban tiempo advirtiendo a Helene que debía presentar de una vez sus papeles, el carnet, al menos su partida de nacimiento y las de sus padres, preferiblemente el libro de familia, eso era lo que necesitaban. Helene había dicho que no tenía carnet, y una y otra vez se hacía la sorprendida y decía que había olvidado la documentación. Le pusieron un plazo. Debía presentar los papeles antes de fin de mes; de lo contrario la despedirían.

En el momento en que sacó de la cesta una manzana con la piel algo arrugada, la frotó contra su falda blanca y la cortó y despepitó con el cuchillo para darle un cuarto a Wilhelm, Helene cayó en la cuenta de que nunca se había imaginado cómo sería una boda; pero cuando su mirada alcanzó la lejanía, hasta el valle del Oder y los montes colindantes, hasta los terrenos del puerto y el Dammscher See para luego acercarse y pasearse por los arriates de la Hakenterrasse hasta llegar al Oder, donde justo acababa de atracar uno de los barcos de vapor blancos que invitaban tanto a los que llevaban sombrillas como a los que llevaban paraguas a dar un paseo, pues ese temprano día de mayo cada cual se había decidido por un clima distinto; sólo entonces cayó en la cuenta. Una boda era eso. Helene se cerró el abrigo que le colgaba suelto sobre los hombros desnudos. Hacía fresco, se olía el mar en el aire, la cercanía de la costa. Se lamió los labios y creyó saborear la sal. Por la mañana, el funcionario del Registro Civil había incluido al viento en sus deseos, pues el matrimonio era un puerto seguro frente a esos aires, y la mujer debía brindar al marido que la protegía un hogar acogedor y seguro. El funcionario se había reído y les había aconsejado tomarse un aguardiente ese temprano día de mayo. Un viento frío les soplaba de frente. Wilhelm masticaba la manzana, masticaba con fuerza, y Helene oía el roce de sus dientes, el jugo acumulado entre ellos, la saliva, el ansia; él se adelantó, escrutó a Helene con la mirada, le retiró de la cara un mechón ondeante y la besó en la frente. Ahora tenía derecho a hacerlo, eso y mucho más. Una gaviota rió. Por el camino que quedaba un poco más abajo, una mujer joven empujaba un carrito de niño, lo empujaba adelantando la cintura, golpe a golpe, al niño lo llevaba en brazos, muy pegado a ella; el niño lloraba, a su alrededor ondeaba un pañuelo ancho, ella trataba de envolver a la criatura con él, pero el pañuelo volvía a ponerse horizontal respecto al viento y el niño lloraba, como si tuviese hambre o le doliera algo.

Es increíble, ¿no? Wilhelm miró hacia abajo.

Seguro que le duele la tripa.

Me refiero al tráfico que hay aquí. Con el trozo de manzana en la mano y el brazo estirado, Wilhelm señalaba un barco muy largo. Pronto a través de nuestra autopista llegarán hasta aquí toneladas de remolacha de Mecklemburgo, que se cargarán en barcos e irán al resto del mundo. Este año batiremos el récord de 1913, el volumen de bienes estibados alcanzará su cota más alta, ocho millones y medio de toneladas, una barbaridad. Nada mejor que haber suspendido la internacionalización de nuestras vías marítimas. Versalles no puede imponernos qué hacer con nuestros ríos. Wilhelm se levantó y estiró el brazo, señalando hacia el noroeste. Mira ese mamotreto de ahí delante. En las próximas semanas terminarán la segunda fase, es el mayor silo de Europa. Wilhelm seguía de pie, admirado, admirado y orgulloso, con los brazos en jarras, no cabía duda de que el silo era tan suyo como él del propio silo. Luego volvió a sentarse. Helene torció la boca y apretó los labios, sólo con esfuerzo logró reprimir un bostezo. Cuando Wilhelm se ponía en marcha era difícil interrumpir su regocijo ante las nuevas conquistas y desarrollos tecnológicos. ¿Ves el mástil que tiene ese barco de ahí, a la derecha? Es una antena, con ella podemos captar ondas radiofónicas, emisoras, y con aquel otro mástil podemos emitir.

¿Para qué?

Para comunicarnos mejor, Alice. Por allí a lo lejos viene el *Rügen*, dos chimeneas, caray, la naviera Gribel no se anda con chiquitas. Wilhelm dejó caer el brazo y se apoyó con él en la hierba. Miró a Helene. Ella sintió cómo la recorría con los ojos y se detenía en su rostro.

La perspectiva de la inminente noche de bodas la incomodaba. Llevaba todo el día notando las alegres miradas de Wilhelm, que ella había logrado sortear. Ahora tenía que entrecerrar los ojos, porque allí, en la colina, había mucha claridad y hacía viento. Helene le devolvió la mirada.

¿Me regalas una sonrisa? Wilhelm le levantó el mentón con un dedo.

Ese día, Wilhelm le pareció más grande que de costumbre, cuando se había puesto en pie hacía un momento e incluso ahora que estaba sentado la sobrepasaba. Helene se esforzó en sonreír.

Wilhelm no se había dejado confundir. Cuando en septiembre se promulgó la Ley para la protección de la sangre, él no lo mencionó ni una sola vez. Sus esfuerzos para conseguir los papeles para Helene se habían demorado, ella había tenido que dejar de trabajar en el Betania y le habían ordenado abandonar la residencia de enfermeras. De regreso a casa de Fanny, Helene se alegró de que, al parecer, Erich hubiese abandonado a Fanny definitivamente. Wilhelm se citaba con Helene tanto como podía. Se disculpaba por haber tardado tanto y a veces le daba algún dinero que ella, aliviada por no depender tanto de Fanny, guardaba en su monedero. En una ocasión, Wilhelm mencionó que un compañero suyo había solicitado el divorcio porque no quería que siguieran acusándolo de ultraje a la raza. Helene se preguntó si se lo diría para que fuese consciente del riesgo que él estaba corriendo o si, sencillamente, era la expresión de una incipiente maniobra de ocultación. No en vano lo dijo como si no hubiese nada más lejos de su intención que considerarse un ultrajador de la raza. Poco después se habían encontrado junto al Lietzensee, cerca del dique sobre el que cruzaba la carretera. Las hojas de los plátanos, lisas y amarillas, cubrían el suelo. Lo prometido es deuda, dijo Wilhelm y le dio un sobre a Helene. Ella se sentó en un banco junto a un tronco jaspeado. Wilhelm tomó asiento a su lado. La rodeó con el brazo y la besó en el oído. Helene abrió el sobre, dentro había una acreditación como enfermera y un cuaderno con reflejos de color bronce, una libretita, un certificado de pureza de sangre algo gastado, pero casi nuevo. Aún olía. Helene lo hojeó. Se llamaba Alice Schulze, su padre era un tal Bertram Otto Schulze de Dresde y su madre una tal Auguste Clementine Hedwig, de soltera Schröder.

¿Quiénes son estas personas? El corazón de Helene latía de forma regular; no pudo reprimir una sonrisa, pues aquellos nombres le sonaban tan nuevos, desconocidos y prometedores; esos nombres debían pertenecerle, ser suyos.

No preguntes. Wilhelm le puso una mano en la boca.

¿Y si alguien me pregunta?

Los Schulze eran nuestros vecinos de Dresde. Gente humilde.

Wilhelm quiso poner fin a sus explicaciones en ese punto, pero Helene no le dejó en paz. Le hizo cosquillas en el mentón diciéndole «sigue» y sonrió, pues sabía que Wilhelm rara vez le negaba algo.

Nosotros éramos nueve, ellos sólo tuvieron un hijo, una niña. Alice solía jugar sola en la calle hasta que anochecía. Lo que más le gustaba era venir a nuestra casa y sentarse a la enorme mesa, pero no quería comer, quería estar sentada allí, nada más. Un día sus padres corrieron la voz de que Alice se había escapado. Los niños ayudamos a buscarla, pero Alice siguió desaparecida. Tú te pareces un poco a ella.

¿Yo he desaparecido? Helene se echó a reír, la idea de ser una desaparecida la divertía.

Tenía más o menos tu edad. Todos en nuestra calle creían

que a Alice la habían matado sus padres. ¿Cómo si no podían afirmar que la niña se había escapado?

¿La mataron sus padres?

Wilhelm levantó con el índice el mentón de Helene, le gustaba hacerlo cuando ella se ponía demasiado seria. Simplemente nos extrañaba que ellos siguiesen viviendo como siempre, sin la menor señal de luto. Ni siquiera quisieron dar parte a la policía. Todos jugamos con la idea de acudir a la comisaría. Alice no empezaría a ir a la escuela hasta el verano, así que su ausencia tampoco llamó la atención de ningún maestro. Pero bueno, ¿no murieron también algunos de tus hermanos? Hubo mucha gente que murió sin estar documentada. Poco después la madre se cayó por las escaleras y se mató. El marido vivió hasta hace un año, llegó a cumplir muchos años, siempre fue un viejo.

¿Y se supone que ésos han de ser mis padres?

Querías saberlo. Wilhelm se frotó las manos, tal vez tuviese frío. Ya no hay nada que hacer, ya lo sabes.

¿Y sus antepasados? Los abuelos, los bisabuelos..., aquí hay un montón de nombres que nadie conoce.

Existen, dijo Wilhelm. No había dicho nada más, le había quitado el certificado de pureza de sangre y se lo había metido enrollado en el bolsillo interior de su abrigo. Luego la tomó de la mano y le propuso que se casaran en Stettin, donde hacía unos meses había alquilado un piso en la Elisabethstrasse; además los sellos y tampones de Dresde no llamarían tanto la atención como en Berlín.

Helene asintió, siempre había deseado ver un puerto grande, de los de verdad. Antes de Navidad se mudaron a Stettin. Despedirse de Martha y Leontine no resultó fácil. La última noche habían quedado en casa de Leontine; las gruesas cortinas de terciopelo estaban corridas, Leontine ofreció whisky irlandés y cigarrillos negros, según ella la ocasión lo merecía.

Si te escribo, ¿a partir de ahora he de escribir a Alice?, preguntó Martha. Leontine terció entre risas para decir que nadie podía rescindir una relación de parentesco de forma unilateral. Te escribiré todas las semanas, prometió Martha, bajo el nombre de Elsa y con una dirección de Bautzen.

Wilhelm había inscrito a Helene en el Registro Civil de Stettin, donde certificaron su compromiso y se llevó a cabo la proclama matrimonial. Permitió que durmiese en el pequeño cuarto que estaba junto a la cocina, ella se alegró de su consideración. La boda tendría lugar a primeros de mayo. Helene no debía trabajar, Wilhelm le daba dinero, ella hacía la compra y le dejaba los recibos encima de la mesa; ella cocinaba, lavaba y planchaba, calentaba la casa. Estaba agradecida. Si Wilhelm quería cenar filetes rellenos, Helene podía pasarse media mañana de carnicería en carnicería hasta dar con la carne adecuada. Wilhelm no quería que comprase en la Bismarckstrasse, donde Wolff. Por muy amable que fuese y por mucho que tuviese los mejores precios. No se debe apoyar a ese tipo de gente, decía Wilhelm, y Helene sabía qué quería decir con «ese tipo» y temía que pudiese espiarla para comprobar si acataba sus órdenes. Una vez se encontraron por casualidad, Helene acababa de salir con dos libros bajo el brazo de la biblioteca del Rosengarten cuando Wilhelm la llamó desde la otra acera y le dijo que se acercara. Echó una mirada fugaz a los libros. Buber, ¿es de lectura obligada?, *La hora y el conocimiento*, uhh, qué miedo. ¿Y qué conocimiento esperas encontrar?, le preguntó riéndose. Luego le puso el brazo por encima del hombro y le dijo al oído: Hay que tenerte vigilada. No quiero que vayas a esa biblioteca. La biblioteca del pueblo está a un paso. Seguro que podrás recorrer el par de metros que hay hasta el parque Grüne Schanze.

Si Wilhelm le dejaba una camisa a la que le faltaba un botón, Helene iba de una mercería a otra hasta encontrar no ya el botón correcto sino que, si era necesario, regresaba a la primera mercería, donde había una docena entera de botones ade-

336

cuados, de forma que los cambiaba todos a cuenta del que se había caído. Al hacerlo, Helene sentía una gratitud que la embargaba de alegría.

En una ocasión, Wilhelm le dijo que sólo al entrar en casa se daba uno cuenta de lo sucio que estaba el pasillo de la escalera. Lo decía como un cumplido. Eres maravillosa, Alice. Únicamente hay algo de lo que debo hablarte, dijo mirándola con severidad; nuestra vecina de la planta baja me ha dicho que la semana pasada te vio entrar en la mercería de la Schuhstrasse. ¿Bader se llama? Helene notó su propio sonrojo. Baden, Herbert Baden, llevo comprando ahí desde Navidad, tiene muy buen género, esos botones no los había en ningún otro sitio. Wilhelm no miró a Helene, bebió un gran trago de cerveza y le dijo: ¡Por Dios, Alice, pues compra otros botones! ¿Eres consciente de que estás poniéndonos en peligro? No sólo a ti, a mí también.

A la mañana siguiente, en cuanto Wilhelm se hubo marchado, Helene se puso manos a la obra. Restregó y fregó la escalera desde la azotea hasta la entrada principal. Por último enceró el suelo hasta que estuvo brillante y todo lo que llevaba puesto olía a cera. Por la noche, cuando Wilhelm no hubo reparado en la escalera limpia, Helene no dijo nada. Le gustaba tener algo que hacer, no es que se le diese bien obedecer, es que le gustaba. Qué podía haber mejor que la firme perspectiva de algo que debía cumplirse, tareas, recados para cuya ejecución lo único preocupante era el tiempo, que pudiese no bastar. Helene también sabía en qué pensar: betún marrón y para cenar tocino entreverado. Lo que más le gustaba era resolver las labores pendientes antes de que Wilhelm se disgustase o echase algo en falta. Cuando él volvía de trabajar, decía que para ser feliz le bastaba con saberla en casa y tenerla cerca. Últimamente la llamaba «mi hormiguita». Sólo faltaba un detalle, le había dicho sonriendo, pero había esperado a que llegara mayo.

El viento viró en la Hakenterrasse y, viniendo desde abajo,

les dio de lleno en la cara. Wilhelm no quiso que cortase y despepitase la segunda manzana, deseaba morderla directamente. Helene le dio la manzana entera.

Y ese grandote de ahí, ¿no es increíble? Wilhelm sacó sus prismáticos y siguió al enorme carguero; su silencio duró más que de costumbre. Helene dudó si decirle que se estaba congelando, le pondría de mal humor, aunque él de todos modos ya había torcido el gesto. El nombre es un poco molesto, Arthur Kunstmann. ¿Sabes quién es Arthur Kunstmann?

Helene negó con la cabeza, insegura. Wilhelm volvió a mirar por los prismáticos. La mayor naviera de Prusia. Bueno, eso ya es otra cosa.

¿Por qué?

Fritzen & Sohn ganan más. De repente, Wilhelm gritó: ¡Adelante, chicos! Se palmeó los muslos como si alguno de los que estaban remando allá abajo pudiera oírle. Nuestros chicos son demasiado lentos. Wilhelm dejó caer los prismáticos. ¿No te interesa? Con asombro y algo de lástima miró a Helene, quien a aquella distancia sólo pudo reconocer a duras penas que lo que había allí abajo, en la orilla de enfrente, era una trainera de ocho. ¿Le prestaría tal vez los prismáticos para que ella pudiese compartir su entusiasmo? Pero no, Wilhelm había llegado a la conclusión de que a Helene no le interesaba el remo, así que volvió a encajarse los binoculares en los ojos y a vitorear. Gummi Schäfer y Walter Volle, ellos ganarán. ¡Vamos, vamos! Qué pena que tenga que ver desde aquí las últimas paladas, en agosto me encantaría estar en Berlín.

¿Nuestros chicos? ¿Ganar para qué? ¿Qué más te da? Helene trató de no prestar más atención al llanto del bebé y siguió la mirada de Wilhelm en dirección al agua.

No lo entiendes, pequeña. Somos los mejores. El bello sexo no entiende de competiciones, pero cuando Gummi gane el oro, ya verás la que se monta.

¿Qué se va a montar?

Alice, cariño. Wilhelm dejó caer los prismáticos y miró a Helene con dureza. Lo había dicho en tono amenazante, solía hacerlo en broma cuando ella le preguntaba demasiadas cosas. Helene no pudo sonreír. Sólo de pensar en la noche que les esperaba, su primera noche juntos como marido y mujer, a Helene hasta la mirada más sencilla dejaba de salirle. Tal vez él interpretase su pregunta como si estuviese poniendo en duda lo que decía y cuestionando también su ilusión. Ciertamente su mujer no debía dudar de él, debía respetarlo y callarse de vez en cuando para contentarle. Un poco de júbilo tampoco estaría mal, un poquito nada más, un grito de júbilo suave, alegre, femenino, eso seguro que le habría gustado mucho a Wilhelm. A Helene le parecía que se ponía contento cuando ella asentía en señal de admiración y, básicamente, aceptaba lo que él decía. ¿Y por qué no podía aceptar algo de vez en cuando? La noche anterior Wilhelm se había quejado un poco, tal vez no estuviese más que un poco irritado porque era la víspera de la boda. Con la mirada puesta en el periódico le había dicho que a veces le asaltaba la sospecha de que su querida Alice era un ser incapaz de sentir alegría. Al ver que a Helene no se le ocurría ninguna respuesta y que seguía limpiando la cocina en silencio, añadió que no sólo era falta de alegría lo que creía advertir en ella de cuando en cuando, sino también aspereza.

Wilhelm miraba por los prismáticos. Helene se avergonzaba en secreto. ¿Cómo iba a malograrle la contemplación de la belleza el día de su boda? Helene permaneció en silencio y se preguntó seriamente qué sería lo que querría decir y qué pasaría si los remeros alemanes ganaban en los Juegos Olímpicos que tendrían lugar dentro de pocas semanas. También se preguntó por qué Martha ya no respondía a sus cartas, y decidió escribir a Leontine. En Leontine se podía confiar; fue por el martes de carnaval cuando ésta le había escrito lo contenta que estaba de comunicarle que, seguramente, podría conseguir que su madre saliera de Sonnenstein. Por suerte, la anciana Mariechen había resistido en casa y se alegraría mucho de la vuelta de su señora. Leontine había firmado como Leo y Helene se sintió aliviada; releía la carta y el nombre de Leo una y otra vez y era feliz.

El barco de pasajeros atracó junto al muelle, las gaviotas lo rodearon, seguro que con la esperanza de que los excursionistas arrojasen por la borda algo comestible. De la chimenea salía un humo negro. Helene notó una gota en la mano. Wilhelm abrió una botella de cerveza y le preguntó si no iba a beberse su limonada. Helene negó con la cabeza. Sabía que esa noche tendría que entregarse a él, por completo, de una forma en la que él aún no la había poseído. Eso le ponía contento. Helene caviló despacio, a grandes saltos. Pensó que esa noche no podría llevar su vieja y querida camiseta interior. Si se hubiesen quedado en Berlín, podrían, o más bien deberían, haber dado una fiesta, pero ¿a quién habrían podido invitar? Martha, Leontine y Fanny no habrían sido la compañía adecuada, pues pronto se habría sabido que algo pasaba con los papeles de Helene; tal vez a Martha se le habría escapado una risita al oír las palabras del funcionario del Registro Civil. También hubiese podido ocurrir que apareciese Erich para interrumpir la ceremonia. Era mejor irse muy lejos y evitar tales celebraciones.

Helene alcanzó la bolsa de papel de la cesta y metió la mano. Comiendo pasas era feliz.

Después harían un pequeño recorrido por el puerto en el *Hanni* o en el *Hans,* dependiendo de cuál de los dos barcos de pasajeros, ambos con muchos años y auténticos edificios encima, tuviese sitio. Todos los niños de Stettin conocían las chimeneas de rayas de la naviera Maris, hacía tiempo que Helene deseaba viajar en cualquiera de ellos.

En marcha. Helene envolvió el cuchillo y los restos de manzana, puso la botella de cerveza vacía en la cesta y tapó todo con la manta. Iniciaron el descenso hacia el baluarte. Wilhelm la agarró de la mano y Helene dejó que fuese tirando de ella.

A espaldas de Wilhelm cerró los ojos, debía llevarla como si fuese ciega. ¿Qué podía pasar? Helene sintió un enorme cansancio, una tremenda debilidad, se habría dormido en ese mismo instante, pero ni siquiera había transcurrido la mitad de su día de bodas. Wilhelm compró dos billetes para el *Hanni*, que llegaba hasta Gotzlow. El barco se balanceaba, Helene se llevaba de cuando en cuando la mano a la boca para que nadie la viese bostezar.

Durante el recorrido, con el viento y los crecientes movimientos del barco no hubo ninguna conversación entre Wilhelm y ella; no era ya que el vínculo entre ambos hubiese disminuido, es que había desaparecido, se había roto. Eran dos desconocidos sentados juntos mirando cada uno en una dirección.

Cuando Wilhelm le pidió al camarero una salchicha con mostaza, volvió a dirigirle la palabra a Helene: ¿Tienes hambre? Helene asintió. Aunque estaban sentados bajo cubierta, el agua golpeaba desde fuera contra las ventanas, por las que resbalaban ríos perlados y el cielo parecía roto; Helene se había mareado con el vaivén y tenía los pies fríos. Todo en aquel barco estaba tan sucio, los asideros de las barandillas estaban pegajosos, hasta el plato en el que le habían servido a Wilhelm la salchicha parecía conservar, a ojos de Helene, el cerco amarillento de la mostaza del cliente anterior. Helene tuvo que hacer esfuerzos para no hacérselo notar a Wilhelm ¿De qué serviría? La salchicha le gustaba. Helene se disculpó para ir a lavarse las manos. Tanto balanceo le ponía a uno enfermo si no lo estaba ya. Helene fue agarrándose de barandilla en barandilla. ¿Cómo se le podían haber olvidado los guantes? Una excursión sin guantes era toda una aventura. Tal vez Wilhelm se hubiese reído de ella y le hubiese preguntado por qué llevaba guantes en mayo, guantes en una boda para la que había renunciado al tradicional vestido de novia y, cabezota como ella sola, había preferido un traje de falda y chaqueta blanco, en su opinión bastante sencillo. Pero en la puerta de la pequeña cabina tras la que Helene esperaba encontrar junto a la trampilla un recipiente para lavarse las manos había un letrero de FUERA DE SERVICIO, así que tuvo que regresar sin hacer sus necesidades. En el barco ya estaban con los preparativos para el atraque, se lanzaban las amarras, unos hombres gritaban a otros y el vapor fue arrastrado hasta el muelle por dos fortachones grumetes. Helene notó un picor en el cuello.

¿Esposa mía, nos vamos a comer y luego a casa? Wilhelm la agarró de la mano al bajar. Sus palabras sonaron como el preludio de una obra de teatro, además lo dijo inclinándose ante ella. Helene sabía por qué. Desde la cita que tenían en el Registro Civil aquella mañana hasta el picnic del mediodía y ahora durante todo el recorrido por el puerto, pasando por la pequeña excursión que habían hecho a Braunsfelde en su nuevo automóvil, donde le había enseñado una zanja en la Elsässer Strasse que pronto albergaría los cimientos de su casa, Wilhelm se había aplicado mucho en mostrar paciencia. Helene se sentó en el automóvil, se anudó su pañuelo nuevo alrededor de la cabeza, aunque era un coche cubierto, y se agarró al tirador de la puerta. Wilhelm encendió el motor.

No tienes por qué ir siempre agarrada al tirador.

Pero quiero hacerlo.

La puerta podría abrirse, cariño. Suéltalo.

Helene obedeció, temía provocarle innecesariamente si seguía llevándole la contraria.

Wilhelm había reservado una mesa en el restaurante que estaba al pie del palacio, pero nada más dar los primeros mordiscos a su codillo de cerdo dijo que ya tenía suficiente. Si ella no quería tomar nada más, pediría la cuenta. Pidió la cuenta y llevó a su mujer a casa.

Ella había hecho la cama por la mañana, el lecho conyugal que él había encargado hacía una semana.

Wilhelm le dijo que fuese a su habitación y se cambiase allí. Ella fue a su habitación y se cambió. Llevaba un camisón blanco que había adornado en las últimas semanas con pequeñas rosas y esbeltas hojas trepadoras, motivos que en su día Mariechen le enseñó a bordar. Cuando regresó, él había apagado la luz de la habitación. Le vino una fuerte vaharada de agua de colonia. El dormitorio estaba a oscuras. Helene fue avanzando a tientas.

Aquí estoy, dijo él riéndose. Extendió la mano hacia ella. No tengas miedo, cariño, dijo acercándola hacia él sobre la cama. No te dolerá. Le desabrochó el camisón, quería sentir sus senos, los palpó a ciegas durante un rato, hacia arriba, hacia abajo, hacia un lado, hasta la espalda y vuelta otra vez, como si no encontrase lo que buscaba; después le quitó las manos del pecho y rodeó su trasero. He encontrado algo, dijo. Se rió de su propio chiste y ella notó su mano áspera entre las piernas. Luego percibió unas sacudidas rítmicas, sus ojos se iban acostumbrando a la oscuridad, él respiraba débilmente, casi sin hacer el más mínimo ruido; las sacudidas se volvieron más fuertes, era obvio que preparaba su miembro, tal vez no estuviese lo bastante erecto o prefiriese aliviarse sin la intervención de Helene. Ella sentía cómo su mano le golpeaba una y otra vez el muslo, estiró el brazo y le tocó.

Bien, dijo él, bien. Lo dijo en medio de la oscuridad, seguía respirando casi sin hacer ruido y Helene se asustó, ¿se referiría a él o a ella? Helene buscó con su mano la de él, quería ayudarlo, su sexo estaba duro; su miembro, caliente. Ella tenía la nariz junto a su pecho, no era un lugar para quedarse, el agua de colonia le irritaba las mucosas, ojalá pudiera cerrar la nariz, respirar por la boca, por la boca, la boca junto a su tripa, algún que otro pelo en la boca no le molestaba, Helene inclinó la cabeza, más abajo la cosa sólo podía mejorar, lo buscó con los labios. Olía a orina y sabía salado y agrio e incluso un poco amargo; le dio una arcada, pero él repetía «bien, bien» y «no tienes por qué, mi niña», pero ella ya estaba succionándole el miembro y dando chasquidos, chupándoselo; luego le ofreció su lengua, él la agarró de los hombros y la subió a su altura, tal vez su forma de chupar le resultase desagradable. ¿Alice? Su nombre trajo el eco de una duda, como si no estuviese seguro de quién tenía a su lado. Ella buscó su boca y se arrodilló encima de él. Alice. La indignación pareció adueñarse de Wilhelm. La sujetó de los hombros, la lanzó debajo de él y apretó con la mano temblorosa, gimiendo ahora tan alto como si hubiese perdido el control, el miembro seguía entre las piernas de Helene.

Esto se hace así, dijo penetrándola. Bien, añadió, y de nuevo, bien.

Helene trató de incorporarse, pero él la empujó contra el colchón y se puso de rodillas, probablemente para poder verse, ver cómo la penetraba, dentro y fuera, una mano apoyada en el hombro de ella, con fuerza, Helene no se podía dar la vuelta y, de pronto, él suspiró en voz alta y se desplomó sobre ella, exhausto. Su cuerpo pesaba mucho.

Helene notó el rostro encendido. En ese momento se alegró de que Wilhelm hubiese apagado la luz. A él le parecía una bobada que las personas llorasen. Él respiraba de forma tranquila y acompasada, Helene se sorprendió a sí misma contando, contando sus respiraciones y, para distraerse, se puso a contar los latidos de su corazón, que estaba sobre el suyo propio.

Estás sorprendida. Él le retiró el cabello de la frente. ¿Qué me dices ahora?

Su voz sonaba suave y orgullosa, le preguntaba como si estuviese esperando una respuesta muy concreta y muy especial.

Me gustas, dijo Helene. Le sorprendió haber dado con aquellas palabras. Pero eran verdad, lo decía en general y a pesar de la última hora. Le gustaba la vehemencia con la que él creía en sí mismo. Sin embargo, Helene no podía evitar pensar en Carl, en sus manos, que formaban un solo cuerpo con las suyas, un cuerpo que unas veces tenía dos cabezas, otras ninguna; en sus labios suaves y su miembro algo más pequeño, casi puntiagudo, que estaba grabado en su pensamiento y en sus movimientos.

Y ahora te enseñaré otra cosa. Wilhelm le habló con voz de maestro. Se tumbó de espaldas, agarró a Helene por la cintura y se la puso encima. Aquí, así. Empezó a moverla. Un poco más rápido, eso es.

A Helene le molestaba tanta palabrería. Le costaba esfuerzo tener que escucharle una y otra vez, escuchar lo que decía y volver a olvidarlo, olvidarse de sí misma, olvidarse de sí misma hasta no ver ni oír.

Ahí. Ten cuidado. Ahora coge tu mano, aquí, sujétame fuerte.

Helene, agotada, no logró reprimir una sonrisa. Era una suerte que él no pudiese verla. Él empujaba mientras le hablaba, palabras cortas, indicaciones. Ella no quería llevarle la contraria, no quería provocarle. Él le pellizcó las caderas, buscaba un apoyo para poder moverla encima de él.

Así está bien.

Helene dejó que la moviese durante un rato. Cuanto menos quería hacer ella, más parecía gustarle a él. Una marioneta, pensó Helene, no le gustó la idea, pero no sabía cómo arrebatarle los hilos de las manos. De pronto levantó su trasero y se alejó de él.

Ten cuidado, exclamó, suspiró. Estaba a punto, se quejó.

Helene le agarró las manos queriendo sujetárselas, pero él se soltó, se la quitó de encima, la puso debajo y volvió a abalanzarse sobre ella. Al igual que un martillo percute un clavo en la pared, golpe a golpe, él fue introduciendo de manera rítmica su sexo en ella. No se oía otra cosa, sólo su martillo, el edredón y el colchón. Un gemido agudo y él cayó rodando de lado. Helene se quedó mirando fijamente la oscuridad.

Él estaba tumbado de espaldas y daba chasquidos de placer. Esto es el amor, Alice.

Ella no supo qué responder. Sin mediar palabra, él se volvió hacia ella, la besó en la nariz y le dio la espalda. Perdóname, le dijo mientras se tapaba con el edredón, pero no puedo dormir con el aliento de una mujer en la cara.

Helene tardó mucho en dormirse, no le interesaba saber qué mujeres le habían respirado dónde y cuándo en la cara; su semen fluía fuera de ella como si fuera un arroyo y se le quedaba pegado entre las piernas, y luego fue como si no hubiera dormido más de dos minutos cuando volvió a sentir sus manos en las caderas.

Así me gusta, sí, dijo dándole la vuelta. Luego se arrodilló encima de ella, la atrajo hacia sí y la penetró.

Escocía. Él apoyaba con todas sus fuerzas su manaza en su espalda, tanto, que le dolía, la percutía por detrás, sobre el colchón. Sí, muévete, no te me escaparás.

Helene le golpeó la rodilla con todas sus fuerzas, tanto que le hizo gritar.

¿Qué pasa? La agarró por los hombros e hicieron una pausa. ¿No te gusta?

¿Quieres que te enseñe cómo me gusta a mí? Helene lo preguntó en defensa propia, no se le había ocurrido ninguna respuesta, no había querido ofenderlo, pero él asintió. Sí, enséñamelo. Ella se acercó a él, a su enorme cuerpo, él estaba de rodillas en el colchón, sentado sobre los talones, el miembro pesado y flácido sobre sus robustos muslos. ¿Quieres que me tumbe? Había cierto tono de burla en su voz, tal vez sólo se sintiese inseguro.

Helene dijo sí, sí, túmbate. Ella se agachó sobre él, olisqueó su sudor más allá del pecho y del agua de colonia, un sudor que olía a algo extraño. Alcanzó la sábana y le secó el sudor y la frente, los muslos, primero por fuera, luego por dentro. Él estaba boca arriba, el cuerpo rígido, como si diera miedo.

Con la lengua le lamió la piel hasta que él se echó a reír.

Le pidió que parara, que le hacía cosquillas. Así no se hace, dijo.

Ella le agarró de las manos y las llevó hasta su pecho, plano, donde permanecieron indecisas, sin saber qué hacer. Helene se tumbó encima de él y empezó a moverse, apretando un cuerpo contra el otro; buscó con los labios su piel, le rozó con los dientes, yemas de los dedos suaves y uñas, restregó su sexo y aprovechó la excitación creciente para sentarse sobre él. Lo cabalgó inclinándose hacia delante para estar más cerca de él, luego se echó hacia atrás para sentir el aire; escuchaba su aliento, su ansia, y ella también la sentía.

Pero ¿qué me haces? La pregunta de Wilhelm sonó a sorpresa, casi a desconfianza. Eres un animal, una auténtica bestia. Luego le sujetó el rostro con las manos y la besó en la frente. Mi mujer, dijo. Se lo dijo a sí mismo, reforzándolo y asegurándose. Mi mujer.

¿No le gustaría su boca? Helene se preguntó por qué no la besaba, evitaba su boca. Él se levantó y salió. Helene oyó el rumor del agua, se estaba aseando.

A su regreso se tumbó junto a ella, pesado y vacilante, y le preguntó con voz ronca: ¿Puedo encender la luz?

Claro. Helene sintió un agradable escalofrío, se había tapado con el edredón hasta la barbilla. Bajo la luz Wilhelm parecía estropeado; las sombras mostraban arrugas que Helene aún no había visto en él. Probablemente él también descubriese en ese momento surcos en ella, pequeñas hendiduras, hoyos, cráteres desconocidos hasta ese momento.

He de preguntarte algo. Él se había tapado con el otro edredón. La miró muy serio. La escrutaba con los ojos, ¿tenía miedo?

Hay varios métodos, dijo ella, no te preocupes.

¿Métodos?

Para evitar un embarazo, añadió.

No me refiero a eso. Wilhelm estaba visiblemente confundido. ¿Por qué habría de querer evitar un embarazo? ¿O por qué habrías de querer evitarlo tú? No, lo que te quiero preguntar es otra cosa.

¿Qué?

Acabo de salir a asearme.

¿Y?

Bueno, cómo decirlo... Normalmente tendría..., habría..., así que pensé..., debería... Como para insuflarse valor le levantó el mentón con el índice. No has sangrado.

Helene miró su rostro, desconcertado y tenso. ¿Es que esperaba que tuviese la menstruación o que sangrase por algún otro motivo? Entonces fue ella la que enarcó interrogante una ceja. ¿Y?

Tú misma sabes lo que eso significa; él la miró ofendido. Eres enfermera, así que no te hagas la ingenua, haz el favor.

No he sangrado, no. Si lo hubiera hecho me habrías hecho daño.

Pensaba que aún eras virgen. La nitidez de la voz de Wilhelm sorprendió a Helene.

¿Por qué?

¿Por qué? ¿Te estás burlando de mí? Te dejo tres años tranquila, te consigo un certificado de pureza de sangre, nos prometemos, ¡maldita sea!, ¿cómo se me ha ocurrido? Escucha, cómo iba a saber que... Wilhelm se puso a gritar. Se había sentado en la cama y daba puñetazos en el colchón delante de Helene, ella se echó hacia atrás sin querer. Entonces vio que se había puesto un calzoncillo, uno corto, blanco; allí estaba, sentado en calzoncillos, y volvió a golpear el colchón. Entre la costura de la pernera y el muslo distinguió su miembro, que estaba allí como indiferente, apoyado en su muslo, y que sólo había saltado ligeramente cuando él había golpeado el colchón. ¿Que por qué lo pensé, preguntas? Me pregunto por qué lo hice. ¡Qué guarrada tan hipócrita todo esto! ¡Qué idiotez! Volvió a aporrear el colchón y su miembro flácido saltó dentro del calzoncillo. ¿Qué ocurre, de qué te asustas? ¿Es que tienes miedo? Wilhelm negó con la cabeza, su tono se volvió más bajo y soberbio. Tus lágrimas no son más que puro teatro, pequeña. Wilhelm sacudió la cabeza con amargura, resopló amargamente por la nariz; fue un resoplido seco que no albergaba más que desprecio, la miró con desprecio. Volvió a negar con la cabeza. Seré estúpido, dijo golpeándose la frente con la palma de la mano, qué necio soy. Silbó entre dientes. ¡Menudo paripé! Negó con la cabeza, dio un resoplido seco y negó con la cabeza.

Helene quiso saber qué le irritaba tanto. Debía ser valiente. ¿Por qué...?

Esto es increíble, ¿no te das cuenta? Wilhelm la interrumpió, no la dejaría empezar una sola frase ni emitir el más mínimo ruido, por tímido que fuera. ¿Qué es lo que quieres de mí, Helene?, preguntó gritándole, ladrándole.

¿Era la primera vez que le llamaba Helene? Dicho por él su nombre sonaba como una palabra extranjera. La extrañeza con la que miró a Helene hizo que se sintiera sola. Estaba tumbada en su lecho conyugal, con el edredón por la barbilla, los dedos que tenía debajo se habían encogido en forma de frías garras, zarpas que ya no podía abrir aunque quisiera, tenía que sujetar el edredón que la cubría, que escondía su cuerpo de él; el ligero escozor de los labios vaginales no era grave, estaba en su lecho conyugal, el que se había comprado para casarse con una virgen, en el que quería enseñar a amar a una virgen. ¿Quién había creído que era? ¿Qué malentendido les había hecho acabar juntos en aquella cama?

Wilhelm se levantó. Recogió su edredón, se lo echó sobre los hombros y salió de la habitación. Cerró la puerta tras de sí; ella debía quedarse allí, sola. Helene intentó pensar en algo que tuviese sentido. No le resultó precisamente fácil. Frau Alice Sehmisch, dijo a la oscuridad y a sí misma. Tenía los pies tan fríos como sus garras, zarpas y garras, frío en mayo.

Cuando todo estuvo en silencio, Helene se escabulló hasta la cocina, se lavó las manos, puso agua a hervir y, en una palangana esmaltada, mezcló agua fría y caliente y un chorrito de vinagre; se agachó sobre la palangana y se lavó. Un poco de jabón no le haría ningún mal, ¿tal vez algo de yodo? Cogió el agua con la cuenca de la mano y fue palpando en busca de sus labios, su abertura, los pliegues lisos y delicados; se enjuagó, enjuagó lo de él fuera de sí. Agua blanda, agua dura. Se lavó durante mucho tiempo, hasta que el agua se quedó fría, después se lavó las manos en el fregadero.

De vuelta a la cama seguía teniendo los pies fríos. En cualquier caso no podía dormir, así que no le importó levantarse y preparar el desayuno. Había comprado huevos, a Wilhelm le gustaban, pero no debían estar demasiado crudos. ¿Hablaría con ella? ¿Y qué le diría?

Durante la primera media hora en la que Wilhelm se levantó, se aseó, se afeitó y se peinó pareció que no iba a volver a hablarle, pudiera ser que nunca más. Helene pensó en las notas que le escribiría de ahí en adelante y en las que le escribiría él a ella. Podrían practicar la lengua de signos. Él le escribiría notas en las que pondría los recados que debía hacer y lo que quería de cena. Ella le escribiría por qué no había conseguido anguila y que la pescadera tenía ese día lenguados de oferta. A Helene se le daba bien callar, ya lo vería.

Wilhelm se había sentado a la mesa y tomado un sorbo de café. ¿Esto es café de verdad? Lo dijo de repente y Helene asintió. Ella sabía que nada le gustaba más que el café auténtico. Ese tipo de café había llegado justo después de los automóviles, seguro que antes que los mástiles radiogoniométricos de los barcos, sólo respecto al momento en que aparecieron los remeros y los saltadores de esquí Helene estaba un poco insegura.

Pensé que para celebrarlo. La primera mañana de casados.

Buena idea, dijo él, luego asintió con fingida admiración y sonrió a la fuerza. Sonrió para sí mismo, sin alzar la mirada hacia ella.

¿Me equivoco o huele a pan tostado?

No te equivocas, respondió Helene, que dio un paso a un

lado, abrió la tapa del tostador y le dio un trozo de pan marrón oscuro.

¿Qué tal si te sientas?

Helene obedeció, retiró su silla y se sentó frente a él.

Menuda pieza, reconoció Wilhelm. Había gato encerrado. Negó con la cabeza. Ningún sentido del honor. Y para esto me he ensuciado las manos falsificando papeles y te he conseguido una maldita identidad. Wilhelm sacudió la cabeza y mordió el pan tostado.

En ese momento Helene intuyó el oprobio que debía sentir.

Lo intentaremos de todos modos. Helene pronunció la frase con la esperanza de que el asunto de la virginidad en breve le resultase ridículo.

Wilhelm asintió. No pienso dejar que me pongas los cuernos, eso que quede claro. Le tendió la taza para que le echara la leche.

Wilhelm le había conseguido los papeles, había delinquido, así que ahora ambos podían tenerse miedo, cualquiera podía delatar al otro. Por primera vez Helene comprendió la diferencia fundamental entre ambos. Él pertenecía a la sociedad de bien, era alguien, había logrado construir algo. Wilhelm tenía algo que perder: su reputación, su honor, al que sin duda iba unido el de su mujer, su fe y su pacto con un pueblo, con una nación alemana a la que pertenecía su sangre y a la que él pretendía servir con su sangre.

Podríamos ir de excursión a Swinemünde, Helene empezó la frase por puro miedo, pues temía que, de lo contrario, Wilhelm se diese cuenta de lo que estaba pensando, de cómo el horror y la vergüenza y la nada se apoderaban de ella.

Hazme un favor, Alice, dame libre hoy. Sé que te encanta el mar y el puerto, pero no me digas que no te bastó con el paseo en barco de ayer.

La noche no ha sido fácil, dijo Helene tratando de mostrarse comprensiva.

Olvidada. La noche está olvidada, ¿me oyes?, Wilhelm luchaba por mantener una voz firme y Helene descubrió unas lágrimas en sus ojos. Sintió lástima. No sabía que...

¿Qué? ¿Qué es lo que no sabías?

Helene no pudo decírselo. Se avergonzaba de su insensatez. Nunca se le había ocurrido que el amor de Wilhelm pudiera basarse en su pureza.

Yo ya he estado con mujeres, pero el matrimonio, Wilhelm negó con la cabeza sin mirar a Helene, el matrimonio es otra cosa. Wilhelm se mordió el labio, probablemente intuía que en aquella cuestión ya no lograrían ponerse de acuerdo. Esta noche ha habido momentos en los que eras un animal, una gata salvaje.

Una lágrima se escapó de su ojo. Del ojo de un hombre al que Helene nunca había visto llorar.

Le habría gustado abrazarlo pero ¿qué consuelo le quedaba a ella?

Así que tú ya has estado con muchos... Wilhelm la miró con desprecio; a ella le costaba mantenerle la mirada, una mirada que luego se volvió más suave, y en sus ojos afloró una súplica, obviamente quería que le dijera que él era único, un amante extraordinario, no uno cualquiera, el único.

Helene estiró los dedos, los encogió, los estiró, se oyó un fuerte crujido. Quiso lavarse las manos. ¿Qué importaba mentir un poco? Lo vio al fondo de la mesa, aún tenía tiempo. Era fácil. Él no se daría cuenta. Ella negó con la cabeza y bajó la mirada. Al abrir despacio los ojos vio cómo él se esforzaba en creerla.

Wilhelm se levantó, llevaba puesta la camisa que ella le acababa de planchar por la mañana. Al parecer tenía que ir a trabajar. Le rozó el hombro, agradecido y furioso al mismo tiempo. Inspiró y espiró profundamente, luego le dio unas palmaditas en la espalda. Buena chica. Miró el reloj. Después he de volver a la obra, los obreros bajan la guardia el fin de semana. Vamos a tener una reunión confidencial, si esperas en el coche, puedes venir.

Helene asintió, Wilhelm le agarró de la muñeca. Pero primero vamos a la cama. En su rostro había una expresión de ligero triunfo. ¿Era aquello que veía en sus ojos el capricho nacido del enfado, el despecho y el ansia? ¿Y acaso un marido no tenía derechos sobre su mujer? Wilhelm la empujó hasta el dormitorio, corrió las cortinas, con una mano se desabrochó el pantalón y con la otra fue a por su falda. Levántatela, le dijo.

Helene así lo hizo, lo cual no fue fácil. La acababa de coser hacía pocas semanas siguiendo el patrón de una revista, la falda se estrechaba hacia abajo y tenía una pequeña abertura, había encontrado una tela muy bonita, un algodón de color crema con flores azules, era una falda atrevida que terminaba estrechándose entre la pantorrilla y el tobillo. Wilhelm se impacientó y respiró hondo. Enseguida lo habría logrado y la falda estaría lo bastante arriba. Se acordó de que la colada llevaba demasiado tiempo en lejía, de que aún tenía que limpiar el pescado para el almuerzo, de que pronto debería poner al fuego la sopa si por la noche querían cenar potaje de judías y de que no había conseguido ajedrea. Wilhelm le ordenó que se arrodillase sobre la cama.

El 27 de septiembre llegó el gran día. Era el día que no sólo Wilhelm esperaba con tanta impaciencia como el que más, sino el día que toda Alemania estaba esperando.

Ya de mañana, cuando Helene se acababa de vestir, la mirada de Wilhelm se posó en su culo. Él la cogió por las caderas y le pasó la lengua por la boca. Eres la primera mujer a la que me gusta besar, ¿sabes? Helene sonrió insegura y fue a coger su bolso. A Wilhelm cada día le gustaba más verla insegura. Como ella se había dado cuenta de esta predilección, de vez en cuando se hacía la insegura. Nada más fácil que eso. Enséñame tus ligas, ¿llevas esas con pequeñas anclas? Wilhelm palpó bajo el grueso tejido de lana buscando el liguero.

Tenemos que irnos, Wilhelm.

No te preocupes, estoy pendiente de la hora. Lo dijo con dulzura y se movió con suavidad. Especialmente antes de salir y muy especialmente un día como aquél, Wilhelm no quería marcharse de casa sin haberla poseído al menos un momento. Agarró su falda, la deslizó hacia arriba y le bajó las bragas todo lo que pudo; ella no correspondía a su deseo de que llevase las bragas por encima de las ligas. Helene notó cómo la penetraba y, mientras se regodeaba dentro de ella con breves sacudidas rápidas, no pudo evitar pensar que Carl la había desvestido hasta el último día. Había acariciado sus pechos, sus brazos, sus dedos. Después de la primera noche, a Wilhelm le bastaba con subirle la falda.

No llevaba ni un minuto penetrándola cuando la empujó contra la mesa. Helene aún tenía el bolso colgado de la muñeca. Wilhelm paró de repente y luego le dio una palmada en el culo. Al parecer había terminado. Ella no supo si se había corrido o si se había quedado sin ganas.

Podemos irnos, dijo Wilhelm. Se había vuelto a subir el pantalón que se le había caído y se había abrochado el cinturón. Se miró en el espejo. Se abrió la camisa y se restregó una cantidad generosa de agua de colonia por el pecho.

Helene quiso lavarse, pero Wilhelm le dijo que, sintiéndolo mucho, no había tiempo para eso. Sus continuos lavados le sacaban de quicio, añadió. Luego echó mano de su abrigo y se lo puso. Frente al espejo comprobó su aspecto con el abrigo puesto. Del bolsillo interior sacó un pequeño peine y se lo pasó por la cabellera.

¿Crees que está bien así?

Claro, dijo Helene, estás muy elegante. Ella se acababa de poner el abrigo y estaba esperando.

¿Qué es esto de aquí atrás? Wilhelm torció el cuello para poder verse mejor por detrás.

¿El qué?

Esto, hombre. ¿No ves una arruga rara? Además el abrigo está lleno de pelusas. ¿Te importaría...?

Claro que no, dijo Helene, que cogió el cepillo de la repisa y lo pasó por el abrigo de Wilhelm.

Aquí también, por las mangas. No tan fuerte, pequeña, es un tejido delicado.

Por fin se pusieron en marcha. Las bragas de Helene estaban mojadas, Wilhelm salía de ella en forma de fluido mientras él caminaba unos tres metros por delante hacia el automóvil. Puede que también hubiera algo de sangre, hacía tres meses que había vuelto a sangrar, y le tocaba al día siguiente, tal vez ese mismo día.

La inauguración de la autopista del Reich fue una celebración eterna con discursos y alabanzas, promesas de futuro, por Alemania y por el *Führer*. *Heil*. Helene creía que todos a su alrededor se sorprenderían por su fuerte olor a semen, al semen de Wilhelm. Había días en los que el olor de su semen parecía que llevase una marca. Estaba claro que Wilhelm no lo percibía. Él estiró el brazo y, con el torso henchido, permaneció junto a ella inmóvil durante horas. Ese día se hacía pública su obra más importante hasta la fecha. Se dio las gracias a todos los trabajadores, también a los que habían arriesgado su vida y a quienes la habían perdido. Dónde la habían perdido no se mencionó. Tal vez uno se había caído de un puente y otro había acabado bajo una apisonadora. Helene se imaginó las distintas formas de morir. En cualquier caso era una muerte heroica, del mismo modo que la construcción era en sí misma una hazaña. La referencia al descenso en el número de parados debía servir para subrayar la constatación de que con la construcción de esta y posteriores autopistas Alemania estaba combatiendo con éxito el desempleo. Cuando Wilhelm tuvo que dar un paso adelante para que le entregasen su distinción, no se volvió para mirar a Helene, probablemente las palmaditas en el hombro de todos sus compañeros se lo impidiesen. Wilhelm estrechó manos, levantó el brazo hacia el cielo y miró a su alrededor con cierto orgullo, parecía tan excitado que se olvidó de sonreír. Tal vez considerase el lugar y la ocasión demasiado sagrados como para atreverse a mostrar una sonrisa. Con voz firme dio las gracias; dio las gracias a todos, desde la patria alemana hasta la secretaria del primer club automovilístico femenino. *Heil*, *Heil*, *Heil*, a cada uno su *Heil*, un *Heil*, el *Heil*. A diferencia de los seis caballeros que habían sido homenajeados y condecorados antes que él, Wilhelm no había aprovechado ni la más mínima ocasión para dar las gracias a su esposa. Tal vez fuese porque no tenían hijos, al fin y al cabo sus predecesores podían dar las gracias a sus familias por el especial apoyo prestado durante ese tiempo.

Tras el banquete y antes de que los invitados de honor partiesen para hacer un recorrido en convoy, Helene se despidió, al igual que la mayoría de esposas. No en vano debía preparar la cena y hacer la colada. Al despedirse, Wilhelm le dijo que esperaba volver a casa antes de las seis, pero que no lo esperase si no llegaba puntual. En un día como aquél podía hacerse tarde.

Helene, no obstante, esperó. Había preparado sopa de cebada con zanahorias y tocino, el plato preferido de Wilhelm, especialmente para ese día. Las patatas se quedaron frías, el hígado fresco y las cebollas estaban junto al fuego, listos para freír. Como ella detestaba la cebada y el hígado y no había manera de comérselos ni de tragárselos, a Helene le pareció absurdo recalentar la sopa avanzada la noche. Escribió dos cartas con destino a Berlín: una a Martha alias Elsa y otra a Leontine; quería saber por qué no tenía noticias de Martha. Después escribió una tercera carta con destino a Bautzen, llevaría el matasellos de Stettin, pero como remitente sólo puso su nombre, «Helene», el cual escribió con una letra infantil y garabatosa para que el funcionario de correos supusiera que se trataba del cariñoso saludo de una niña pequeña y no levantase sospechas. Aún no les había comunicado a su madre y a Mariechen que había adoptado un nuevo apellido ni que se había casado. Con Martha y Leontine había convenido que una noticia semejante podría inquietar a su madre sin necesidad, así que Helene escribió que se encontraba bien y que había viajado a Stettin por razones profesionales, para buscar allí el puesto que en Berlín en esos momentos no encontraba. Además se interesaba por el estado de su madre y les pedía que le respondiesen como siempre a la dirección de Fanny. Helene abrió el secreter de Wilhelm y sacó el cofre del dinero. Sabía que a él no le gustaba que manejara el dinero sola, pero después de aquella ocasión, hacía tres meses, en la que le había pedido dinero para su madre y él la había mirado atónito y le había dicho que, al fin y al cabo, él no conocía a esa gente y no contaba con que Helene siguiera considerándolos parientes, sabía que no le daría nada para su madre. Podía deberse a una administración deficiente o a una posible expropiación, pero el caso era que Helene no sabía por qué razón en los últimos tiempos las rentas procedentes de Breslau habían dejado de llegar a Berlín. Lo último que le había dicho Martha era que sólo podía mandar dinero a su madre cada tres meses, no les alcanzaba para nada. En una de las cartas que envió a Berlín, Mariechen les pedía envíos en especie, necesitaba jabón duro y alimentos, no importaba que estuviesen secos, guisantes, fruta, avena y café, por no hablar de telas para hacer vestidos. Helene sacó de la caja un billete de diez, vaciló, un segundo billete la tentaba encima de un tercero. Pero Wilhelm contaba el dinero. También para esos diez tendría que inventarse una historia creíble. La mentira más fácil era contarle que había perdido la misma cantidad que él le había dado la noche anterior, pero Helene ya había dicho una vez que había perdido el dinero. Sacó el billete de diez, lo metió en el sobre con destino a Bautzen y lo cerró pegando la solapa. Si el dinero llegaba y adónde llegaba exactamente era otra cuestión; ni siquiera sabía adónde había ido a parar su última carta.

Helene cosió, planchó y almidonó los cuellos de Wilhelm antes de irse a la cama rozando la medianoche. Wilhelm llegó pasadas las cuatro de la mañana. Sin encender la luz, se dejó caer en la cama junto a Helene, con el uniforme puesto, y se puso a roncar apaciblemente. Helene distinguía entre sus ronquidos: estaba el ronquido más grave y ligero del Wilhelm relajado, el ronquido obstinado del que había trabajado duro sin conseguir aún su objetivo, cada ronquido era especial y le revelaba a Helene el estado de ánimo de Wilhelm. Ella le dejó roncar, se acordó de su hermana y se preocupó un poco, no en vano pudiera ser que Martha no se encontrase bien de salud, a lo mejor les había ocurrido algo a ella y a Leontine y nadie avisaba a Helene porque, oficialmente, nadie sabía que existía una hermana, ni mucho menos su nombre.

Al cabo de una hora los ronquidos de Wilhelm se volvieron nerviosos, de pronto enmudecieron y él se levantó, saltó de la cama y salió a la escalera. A su regreso, Helene escuchó atentamente dándole la espalda, esperando que volviese a roncar. Pero el ronquido no empezaría. En su lugar notó de repente la mano de Wilhelm en la cadera. Helene se volvió hacia él y le llegó un vaho de cerveza, aguardiente y perfume dulce. Ya lo había olido antes, pero no tan fuerte.

Qué gran día para ti, debes de sentirte aliviado. Helene le puso la mano en la nuca, el pelo recién rapado era especial al tacto.

Puf, aliviado. Ahora es cuando empieza lo bueno, pequeña, ahora empieza todo. Wilhelm ya no podía articular claramente las palabras, metió la mano entre las piernas de Helene y apretó con los dedos sus labios vaginales. Ven aquí, le dijo cuando ella fue a quitarle la mano. Ven, fierecilla, coñito dulce, ven aquí. Empujó los brazos de Helene hacia un lado y le dio la vuelta. Ella se resistió, eso lo excitaba, tal vez creyese que se resistía para él, para atraerlo, para ponerle caliente. Menudo culo, dijo él. Helene se sobresaltó.

En cierta ocasión Wilhelm le había dicho que toda maldita mujer se creía capaz de ver dentro del corazón de las personas, pero él podía ver dentro de sus vergüenzas, podía mirar en lo más profundo de su sexo, en la sima tal vez más honda de su cuerpo, la más jugosa, una sima que sólo le pertenecía a él, una sima que ni siquiera ella podría ver jamás, de una forma tan inmediata, tan directa. Le dijo que él y sus compañeros acababan de estar con una puta; Helene había olido el perfume de flores. Incluso el espejo sólo permitía tal visión colocándolo en un cierto ángulo. Una mujer nunca lograría dominar ese panorama, así que mientras tanto podía mirar en todos los corazones que quisiera.

Al acabar, Wilhelm le dio unas palmaditas en el trasero. Ha estado bien, suspiró, muy bien. Después se desplomó sobre el colchón y se volvió hacia un lado; luego iremos a Braunsfelde, murmuró.

También podríamos ir a ver el mar, propuso Helene.

Mar, mar, mar. Siempre quieres ir al mar. Si allí sopl, sopl, Wilhelm no pudo reprimir la risa, sopla viento frío.

Pero si casi es verano aún, ayer seguro que estuvimos a veinte grados.

Ts, ts, ts, ts, ts. Wilhelm estaba en mitad de la cama dándole la espalda a Helene y chascando la lengua. Mi esposa la caprichosa. Debería llamarte así, caprichosa. La sabelotodo, ¿verdad? Pero da igual. Iremos a Braunsfelde.

¿Está terminada la casa?

Sí, la casa está terminada, pero no nos la vamos a quedar.

Helene no dijo nada, tal vez fuese una de las bromas que ella no solía entender a la primera.

¿De qué te extrañas? Vamos a Braunsfelde para reunirnos con el arquitecto y los compradores. Firmamos todo. Fin de la historia.

Estás de broma.

A ver si esto de las bromas sí que va a ser una cuestión de raza, pequeña. Wilhelm se volvió hacia ella. No nos estamos entendiendo. ¿Por qué habría de comprar una casa aquí si los nuevos proyectos aún no se han firmado?

Helene tragó saliva. Él jamás había utilizado la palabra «raza» para referirse a ellos de forma tan clara.

Hay reformas importantes proyectadas en Pölitz, eso estaría bien. Wilhelm se puso a roncar, el ronquido empezó inmediatamente después de la última palabra. Para Helene era un misterio cómo una persona podía quedarse dormida en mitad de una frase.

Tras el largo invierno, Wilhelm empezó a sufrir molestias en la piel. Habían cenado, Helene había recogido la mesa y Wilhelm se había aseado con la manopla. Helene pensó en cómo empezar la conversación, una conversación importante para ella.

Son asquerosas estas impurezas, ¿no te parece? Wilhelm estaba frente al espejo y se miraba la espalda por encima del hombro, alternando el derecho con el izquierdo. A pesar de sus anchas espaldas, no le resultaba fácil verse por detrás. Se pasó la palma de la mano por la piel, los hombros, la nuca. Aquí detrás tengo una auténtica bola, mira.

Helene negó con la cabeza, a mí no me molestan. Estaba de pie junto al fregadero, lavando la loza en una palangana.

No, a ti no. A Wilhelm se le escapó una sonrisa atormentada. A ti te da igual el aspecto que tenga. Wilhelm no podía quitar ojo de su espalda. ¿Esto se puede curar?

¿Curar? Pero con la espalda tan fuerte y hermosa que tienes, ¿qué es lo que quieres curar? Helene fregaba el fondo de un cazo en el que, desde hacía semanas, las salsas se pegaban y se quemaban. Los granos se tienen o no se tienen, dijo mientras enjuagaba el cazo con agua limpia.

Pues sí que estamos apañados. Wilhelm se puso una camiseta interior, inclinó la frente hacia el espejo y se palpó la piel.

Un poco de cinc te vendría bien. Helene no estaba segura de si quería oír su consejo. No pudo evitar pensar en lo otro, en aquello de lo que quería hablarle. A solas, cuando se había dicho a sí misma la primera frase a modo de anuncio, de noticia, de simple sucesión de palabras, había sentido cómo la sangre se le disparaba hacia el rostro. En comparación con eso, los granos le daban exactamente igual, nunca le habían supuesto un problema. ¿Asco?, eso era otra cosa. La vez que vio las larvas en la herida de su padre aquello la sorprendió. Cómo se enroscaban y se retorcían en la carne. Tal vez sólo se imaginase el recuerdo, tenía buena memoria, pero no era infalible. Pero

¿asco? Helene pensó en el asombro que había sentido al ver la herida de su padre. La lesión de un cuerpo. Los judíos son como gusanos, el parásito soy yo, Helene lo pensó, no lo dijo. Los cuerpos y los cuerpos del pueblo no eran en absoluto comparables. Tal vez pudiera mitigar el sufrimiento de Wilhelm.

¿Me reventarás el grano? Wilhelm le sonrió, inseguro y confiado, ¿a quién si no iba a pedirle ese favor?

Por supuesto, si eso es lo que quieres. Helene enarcó las cejas, estaba fregando la sartén. Pero no es que ayude mucho, la piel queda herida y salen más granos.

Wilhelm volvió a quitarse la camiseta, se puso delante de ella, muy cerca, y le enseñó la espalda.

Helene colgó la sartén en el gancho, se quitó el delantal y se lavó las manos. Se puso a ello.

La piel de Wilhelm era gruesa, tenía grandes poros, una piel firme y muy clara.

Wilhelm inspiraba entre dientes, tuvo que pedir a Helene que pusiera más cuidado. Ya basta, dijo de pronto y se volvió hacia ella.

Helene vio cómo Wilhelm iba poniéndose una prenda tras otra y cómo por último alcanzaba sus zapatos, comprobaba detenidamente si estaban bien limpios y se los calzaba. Era obvio que tenía pensado salir. Ya era tarde.

Vamos a tener un hijo.

Helene se había propuesto firmemente decírselo esa noche. Algo había salido mal, era imposible que ella hubiese errado en las cuentas. Helene se acordaba. Tuvo que ser la noche en la que Wilhelm había llegado tarde a casa y la había sacado de su sueño. Sabía que aquel día era arriesgado, había tratado de apartarlo de ella, pero sin éxito. Después se había lavado durante horas y preparado un enjuague con vinagre, pero evidentemente no había servido de nada. Al no venirle el periodo, un fin de semana en el que Wilhelm se había ido a Berlín por trabajo y no había querido que ella lo acompañara bajo ningún concepto, había comprado una botella de vino tinto y la había apurado hasta la última gota. Después había cogido agujas de tricotar para clavárselas. En algún momento empezó a sangrar y se quedó dormida. Pero ya no le vino el periodo. Lo sabía desde hacía semanas, había considerado otras opciones. En Stettin no conocía a nadie y hacía meses que no llegaban cartas de Berlín. Una vez quiso llamar a Leontine. Nadie respondió. Cuando pidió el número de Fanny a la operadora le dijeron que ese número ya no estaba asignado. Probablemente Fanny no habría podido pagar los recibos. No quedaba más salida que la certidumbre. Wilhelm alzó la mirada que tenía puesta en los zapatos.

¿Vamos?

Helene asintió. Había esperado, primero temido, luego tal vez confiado en que Wilhelm se diese unas palmadas en el pecho; creía que él nada ansiaba más que aquello.

Wilhelm se levantó y cogió a Helene por los hombros. ¿Estás segura? La comisura del labio le temblaba, eso era orgullo, el primer signo de alegría, una sonrisa.

Totalmente.

Wilhelm le retiró el cabello de la frente y miró el reloj. Habría quedado y alguien estaría esperándole. Me alegro, dijo. Mucho. De verdad, mucho.

¿En serio, mucho? Helene alzó la mirada hacia Wilhelm; dubitativa, buscaba sus ojos. Cuando lo tenía delante, debía inclinar mucho la cabeza hacia atrás para poder mirarle a los ojos, y, una vez en esa posición, sólo era posible si él se daba cuenta de que lo estaba mirando y bajaba la mirada. Esta vez no lo hizo.

¿A qué viene esa pregunta? ¿Es que no lo esperabas?

Es que suena como si no te alegraras.

Wilhelm echó un segundo vistazo a su reloj. Tus dudas son desesperantes, Alice. A cada momento esperas una cosa distinta. Ahora tengo que irme urgentemente a una reunión. ¿Seguimos hablando más tarde?

¿Más tarde? Tal vez fuese una de esas reuniones confidenciales de trabajo que, en las últimas semanas, le hacían salir de casa cada vez con más frecuencia.

Por Dios, ahora no es el momento. Si vuelvo demasiado tarde, entonces mañana.

Helene asintió mientras Wilhelm se disponía a descolgar su abrigo y el sombrero del perchero.

Apenas se oyó el cerrojo de la puerta, Helene se sentó en la mesa y enterró el rostro en sus manos. No pudo reprimir un bostezo. Los últimos meses habían consistido en esperar; había esperado correo de Berlín, había esperado que Wilhelm regresara de su trabajo y ella pudiese oír sus palabras, tal vez no hablar con alguien, pero sí al menos oír sonidos. Cada vez que le había pedido que le dejase presentar una solicitud de empleo en el hospital él se había negado. A ojos de Wilhelm, las palabras «tú eres mi mujer» eran argumento suficiente. Su mujer no tenía que trabajar, su mujer no debía trabajar, él no quería que su mujer trabajara. Bastante tenía con la casa. ¿O acaso te aburres? Eso le había preguntado una vez para luego decirle que no estaría mal que volviera a limpiar los cristales, seguro que hacía meses que no se habían limpiado. Helene así lo hizo, aunque acababa de limpiarlos hacía un mes. Los restregó con papel de periódico estrujado hasta que las ventanas resplandecieron y sus manos estuvieron secas, resquebrajadas y grises a causa de la tinta. Las únicas personas con las que Helene intercambiaba alguna palabra durante el día eran la verdulera, el carnicero y, a veces, la pescadera que estaba más abajo, en el baluarte. El tendero no hablaba con ella, al menos no decía otra cosa que no fuera el precio. El saludo y la despedida de Helene quedaban sin respuesta. La mayor parte de los días transcurrían sin que ella dijese más de tres o cuatro frases. Por las noches, Wilhelm no se mostraba especialmente locuaz. Si se quedaba en casa y no volvía a salir, cosa que en los últimos tiempos sólo ocurría una o dos noches por semana, respondía con monosílabos.

Helene estaba sentada a la mesa y se frotó los ojos. Un inmenso cansancio se apoderó de ella. Aún tenía que planchar las camisas de Wilhelm y escurrir la ropa de cama. En la fresquera que había bajo el poyete de la ventana guardaba el hueso para la sopa. Una pequeña bolsa de aire reventó en su vientre. ¿Sería aire? No había comido nada indigesto ni flatulento. Tal vez fuese el bebé. ¿Sería así como se notaban los movimientos del bebé? Mi bebé, susurró Helene. Se puso la mano en la tripa. Mi bebé, no pudo reprimir una sonrisa. No había otra salida, tendría un bebé. Tal vez fuese hermoso tener un niño. Helene pensó en cómo sería. Se imaginó a una niña de cabello negro, con el pelo tan oscuro y los ojos tan radiantes como los de Martha y la risa tan negra como la de Leontine. Helene se levantó, echó las camisas de Wilhelm al caldero de la colada y lo llevó al fuego. Luego lavó las zanahorias, las ralló y las puso a cocer con el hueso en una cazuela llena de agua. Una hoja de laurel y un poco de pimienta de Jamaica. Helene peló la cebolla, le metió un clavo y la añadió al caldo. Después limpió el apio, lo partió en dos y lo metió entre las zanahorias y el hueso. Por último limpió el puerro y la raíz de perejil. No debía olvidarse de añadir el puerro más adelante. No le gustaba que se reblandeciese por estar toda la noche en remojo y que al día siguiente se deshiciera en cuanto tratase de sacarlo.

Cuando Wilhelm llegó a casa, Helene ya estaba dormida. A la mañana siguiente era domingo y, ya que Wilhelm no sacaba el tema del bebé por iniciativa propia, Helene dijo: Nacerá a principios de noviembre.

¿Cómo? Wilhelm estaba cortando el pan con mermelada con cuchillo y tenedor, una manía en la que Helene había reparado hacía poco. ¿Acaso el pan que ella le había cortado no le parecía limpio por venir de sus manos?

Nuestro hijo.

Ah, te refieres a eso. Wilhelm masticaba de forma que se

podía oír su saliva. Masticó durante un buen rato. Tragó y puso los cubiertos a un lado.

¿Quieres otro café? Helene tenía la cafetera en la mano y se disponía a servirle.

Wilhelm no respondió, a menudo se olvidaba de hacerlo, Helene le sirvió el café.

¿Sabes una cosa? Creo que...

Escucha, Alice. Estás esperando un hijo y eso está bien. Si ayer dije que me alegraba es que me alegro, ¿me entiendes? Me alegra que pronto tengas compañía.

¿Pero?

No me interrumpas, Alice. De verdad, qué mala costumbre tienes. No somos una pareja, eso también lo sabes. Wilhelm tomó un sorbo de café, dejó la taza sobre la mesa y cogió una segunda rebanada de pan del cestillo.

Seguro que se refería a su unión, al matrimonio, ella como mujer y él como marido. Había algo en aquella descendencia que a él le molestaba. Si Helene aceptaba que se alegraba, era evidente que lo hacía sólo por ella, por la perspectiva de que pronto tuviese compañía y dejase de molestarle. Pero por su parte no se alegraba de tener un hijo. En su rostro no había alegría ni orgullo. No querría tener un vínculo con la raza impura. Helene sabía que montaría en cólera si ella le sacaba el tema. Él no quería hablar de ello, sobre todo no con ella.

No me mires así, Alice. Sabes a lo que me refiero. Tú crees que como de tu mano, pero te equivocas. Podría dejar que te pudrieras, pero si no lo hago es porque esperas un bebé.

Helene sintió cómo se le ponía un nudo en la garganta, sabía que tenía que callarse, pero no pudo. ¿Porque espero un bebé? Espero un hijo tuyo, un hijo nuestro.

No te pongas así, ¿me oyes?, gritó Wilhelm dando un puñetazo tan fuerte sobre la mesa que las tazas tintinearon sobre los platillos.

Tú has concebido ese hijo, Wilhelm.

Eso es lo que tú dices. Wilhelm apartó tanto los platos grandes como los pequeños a un lado; no la miró, en su voz había más indignación y justificación que implicación. De pronto se acordó de algo. La burla asomó a su rostro. ¿Y quién me dice a mí que tú no te acuestas con otros, que no eres una, una...? Entonces Wilhelm se levantó, no acababa de dar con la palabra adecuada para insultarla. «Perra», ¿de verdad no se le ocurría? Tenía los labios rígidos y podían verse los dientes, dispuestos en rectas hileras, una sobre otra. Le ponía enfermo, simplemente enfermo. Te diré una cosa, Alice: Tengo derecho, ¿me oyes?, tengo todo el derecho a aprovecharme de ti. También tú lo has disfrutado, reconócelo. Pero nadie te ha dicho que tuvieras que quedarte embarazada.

No, dijo Helene en voz baja negando con la cabeza, eso nadie me lo ha dicho.

Pues entonces. Wilhelm se agarró las manos por detrás de la espalda y empezó a caminar de un lado a otro. Deberías ir pensando poco a poco cómo vas a alimentar a tu cría. Yo solo no estoy dispuesto a manteneros a ti y a tu hijo.

A Helene no es que le disgustase oír eso, cuántas veces le había pedido permiso en los últimos meses, cuánto le gustaría volver a trabajar en un hospital. Echaba de menos a los enfermos, la certeza de que lo que hacía ayudaba a alguien, de que ella era útil. Pero en ese momento Helene no encontró la calma necesaria para hablar de ello. Tenía que decir otra cosa, él se le echaría al cuello, pero tenía que decírselo. Helene alzó la mirada y la dirigió hacia él. Sé por qué no permites que me pudra. Porque has falsificado mis papeles, porque no puedes dejar que me pudra sin que tú salgas perjudicado.

Wilhelm se abalanzó sobre Helene, ella se protegió la cabeza con las manos, él la agarró por los brazos, la sujetó con fuerza y la obligó a levantarse de la silla. La silla cayó al suelo y sonó un crujido. Wilhelm la empujó por la cocina hasta la pared. La empujó contra el muro, soltó una mano para, con la palma, apretarle la cabeza hasta que le dolió. Nunca, ¿me oyes?, nunca vuelvas a decir eso. Eres una víbora. Yo no he falsificado nada, nada en absoluto. Te conocí como Alice. A mí no me importa de dónde has sacado esos papeles. Nadie te creerá, eso que quede claro. Yo diré que me has mentido, Helene Würsich.

Sehmisch, me apellido Sehmisch y soy tu mujer. Helene no podía mover la cabeza, se revolvía y se giraba bajo las fuertes manazas de Wilhelm.

Él le puso la mano en la boca, sus ojos centellearon: Cierra el pico. Él esperó, ella no pudo decir nada porque él estaba apretándole la mano contra la boca. Tú te callas, que quede claro. No lo repetiré dos veces.

Una tarde de septiembre Wilhelm había invitado a dos compañeros con los que estaba trabajando en las grandes obras de Pölitz. Helene no debía enterarse de las reformas y los proyectos previstos, sólo de pasada pillaba alguna que otra cosa, pero se cuidaba de no preguntar a Wilhelm. Con esos dos compañeros probablemente estaría planificando la nueva estructura del recinto. Había que alojar a los trabajadores, necesitarían sitio en el *Lager* para varias cuadrillas. La instalación de hidrogenación precisaba un plan de diseño y ejecución que, además de la estructura para el tratamiento químico, contemplase una logística de abastecimiento y de tráfico razonable. Wilhelm presentó a Helene a sus dos compañeros como su esposa. Ella había preparado por orden suya una anguila en salsa verde y estaba sirviendo a los tres hombres sentados a la mesa.

¡Más cerveza!, gritó Wilhelm levantando su botella vacía sin volverse hacia Helene. Estuvo a punto de golpearle la tripa con la botella. Helene la recogió. ¿Los señores desean algo más?

Uno de los dos aún no había terminado, el otro asintió, sí, adelante, la cerveza nunca es suficiente.

Vaya, Wilhelm, tu mujer sí que sabe cocinar.

La anguila en salsa verde era la especialidad de mi madre, dijo el otro con nostalgia.

Cualquiera es bueno en algo, Wilhelm se rió y bebió un buen trago de su botella. Su mirada rozó fugazmente el delantal de Helene. Ahí está creciendo algo, dijo riéndose y llevando envalentonado una mano al pecho de Helene. Ella se echó hacia atrás. ¿Lo habrían visto y oído sus compañeros? Helene se dio la vuelta, nadie debía ver que se había ruborizado.

¿Y para cuándo es? El compañero más joven miraba su plato, como si se lo preguntase a la anguila.

Alice, ¿para cuándo es? Wilhelm estaba exultante, divertido, se dio la vuelta para ver a Helene, que en ese momento ponía las últimas patatas humeantes en una fuente que luego colocó sobre la mesa.

Dentro de seis semanas, Helene se secó las manos con el delantal y alcanzó el cucharón para servirles las patatas a los hombres.

¿Sólo seis semanas? No estaba claro si Wilhelm se sorprendía de verdad o simplemente lo fingía. Qué barbaridad, cómo pasa el tiempo.

¿Y aun así has solicitado un puesto en Berlín? El compañero de más edad se mostró sorprendido. Helene no sabía nada de que Wilhelm hubiese tramitado una solicitud para Berlín.

En los tiempos que corren te necesitan en todas partes, Königsberg, Berlín, Frankfurt, Wilhelm brindó con sus compañeros. Pronto habremos terminado en Pölitz, así que hay que ir pensando en lo siguiente.

Tienes razón, dijo el compañero más joven y bebió de su cerveza.

Helene sirvió las patatas por último en el plato de Wilhelm. Todavía humeaban, puede que en la cocina hiciese demasiado frío, tendría que poner otra brasa. Desde que Helene estaba embarazada había dejado de pasar frío y se daba cuenta tarde de que en la casa se había ido el calor.

Déjalo, Alice, del resto ya nos encargamos nosotros. Puedes retirarte. Wilhelm se frotó las manos sobre el plato humeante.

Tenía razón, los hombres tenían la cena servida y Wilhelm sabía dónde estaba la cerveza; él mismo podía levantarse y traer otra ronda. Al salir de la cocina Helene oyó cómo les decía a sus compañeros: ¿Os sabéis el de Renate Rosalinde y la alambrada?

Los compañeros empezaron a gritar antes de que Wilhelm pudiese continuar.

Ella le pregunta a un veraneante: ¿Qué te parece mi vestido nuevo?

Es maravilloso, responde el cabo, casi parece una alambrada.

Los hombres se rieron a carcajadas. Helene montó la tabla de planchar en el dormitorio contiguo.

¿Una alambrada?, pregunta la hermosa muchacha, ¿y eso por qué? Pues hombre, responde el cabo con una mueca y revolviendo los ojos, porque protege el frente sin ocultarlo de las miradas.

Risas. Helene oyó el tintineo de las botellas y cómo daban golpes sobre la mesa. Uno de los compañeros, probablemente el de más edad, dijo: Lo ganado, ganado está.

La risa de Wilhelm se imponía a la de sus compañeros.

Helene sacó del cesto la camisa que Wilhelm se pondría al día siguiente y la planchó. Semanas atrás le había regalado una plancha eléctrica por su cumpleaños. Era increíblemente ligera, se deslizaba tan rápido sobre los tejidos que Helene tenía que acordarse de planchar más despacio. Al lado se reían a carcajadas, una y otra vez Helene oía un tintineo de botellas. La criatura que llevaba en el vientre pataleó, empujó contra su costilla derecha, le dolió el hígado y Helene se llevó una mano a la redondez de su tripa para comprobar lo dura que estaba. Probablemente fuesen las nalgas, que le costaba mover del lado izquierdo hacia el derecho, por eso el bulto iba recorriendo la tripa. A veces la cabecita le presionaba tanto la vejiga que Helene tenía que salir todo el rato a la escalera. A Wilhelm le molestaba que utilizase el orinal durante la noche. Si tenía ganas tendría que salir. El largo goteo en que se había convertido su chorrito durante las últimas semanas debía de resultarle insoportable a Wilhelm, tal vez ella le diese asco. Desde la discusión que habían tenido en primavera, Wilhelm no la había vuelto a tocar, ni una sola vez. Al principio, Helene pensó que simplemente se había enfadado un poco, pero que sus ansias pronto regresarían. Lo conocía bien, sabía a la perfección con qué frecuencia le asaltaba el deseo, la insaciable lascivia. Sin embargo, al cabo de los días y de las semanas Helene fue consciente de que ya no era a ella a quien deseaba. Helene rara vez se preguntaba si esto se debería al hecho de que estuviese esperando un bebé y él no quisiera acostarse con una mujer encinta para no molestar a la criatura y porque su cuerpo cada vez le gustaba menos, o bien porque la consecuencia de su ansia le parecía tremenda y aterradora; era consciente de haber concebido un niño. En una ocasión Helene se había despertado rozando el alba y le había oído roncar suavemente al otro lado de la cama en medio de la oscuridad. Su edredón se movía de forma acompasada hasta que, llegado el momento, pudo escucharse la insinuación de un soplido agudo y cómo expulsaba el aire acumulado. Helene se había hecho la dormida, y no sería la última vez que escuchase aquellos ruidos. No le daba pena, tampoco se sentía decepcionada. Una agradable indiferencia respecto a su marido se apoderó de Helene. Otras noches las pasaba fuera hasta tarde y, al percibir claramente un olor dulzón a perfume cuando él entraba a trompicones en la habitación y se desplomaba sobre la cama, Helene sabía que había estado con otra mujer. También esas noches se hacía la dormida. Le parecía bien con tal de que se dejasen en paz. Durante el día, cuando Helene regresaba de la compra, después de haber limpiado, puesto a remojo y tendido la primera colada, le gustaba leer media hora. Todas las personas necesitan de vez en cuando un descanso, se decía. Estaba leyendo un libro sobre un chico que va a un instituto para formar sirvientes. El instituto se llamaba Benjamenta. Pensar bien y opinar bien. La completa extinción de la propia voluntad, qué idea tan deliciosa. En varios pasajes Helene no podía evitar reírse a carcajadas para sus adentros, en silencio. Jamás se había divertido tanto con un libro. Cuando se reía la tripa se le ponía muy dura y firme, el útero se tensaba, pues como enorme músculo protegía al pequeño de cualquier sacudida violenta. Había sacado el libro prestado de la biblioteca prohibida del Rosengarten, pues en la biblioteca del pueblo ya no tenían más libros de esa editorial. Helene pensó en la risa negra y encantadora de Leontine, en la tierna delicadeza de los labios de Carl, en sus ojos, su cuerpo. No era nada fácil pasar el brazo por encima de la enorme tripa, tampoco podía ya, como tanto le gustaba, ponerse un cojín entre los muslos y, tumbada boca abajo, tratar de hacer determinados movimientos; su tripa estaba demasiado gorda como para que pudiese tumbarse sobre ella, ahora simplemente se acariciaba sin pensar en nada.

Fue en mitad de la noche cuando a Helene le despertó un tirón en el vientre. Wilhelm estaba pasando el mes de noviembre en Königsberg, donde tenía que abordar y planificar varios proyectos de construcción. De nuevo volvió a tirar y la tripa se le puso dura. Helene encendió la luz, eran las tres de la mañana. Con un baño caliente era posible frenar o adelantar ciertos partos. Helene hirvió agua y la echó en la tina de cinc en la que sólo Wilhelm solía bañarse algunas veces. Helene se metió dentro y esperó. Las contracciones se hicieron más frecuentes. Trató de palparse, pero el brazo no le alcanzaba para rodearse la tripa y la mano no le llegaba lo bastante dentro de la abertura, lo único que podía sentir era la carne suave, abierta. Helene contó los intervalos: cada ocho minutos, cada siete minutos, de nuevo cada ocho minutos. Añadió agua caliente. Siete minutos, siete y medio, seis minutos. Los intervalos eran cada vez más cortos. Helene salió de la tina y se secó. Sabía dónde quedaba el hospital. Había pasado varias veces por allí con un permiso falso en el bolsillo en el que había tratado de falsificar la firma de Wilhelm con la intención de pedir trabajo. Aunque le había dicho que fuese pensando en cómo alimentar a su cría, Wilhelm se oponía a que Helene buscase un trabajo fijo en su estado. Antes o después él se habría enterado y probablemente la habría sacado del hospital por las orejas. Ya una vez le había dado un tirón de orejas tras enfurecerse porque a ella se le había pasado por alto una arruga de la camisa. Le había agarrado la oreja con

dos dedos y la había arrastrado desde la cocina hasta el dormitorio. De nuevo una contracción, los tirones eran tan dolorosos
que Helene se dobló sobre su vientre sin que se notase. Cogió
la camiseta interior de Carl del armario, que había estado allí
todo ese tiempo sin que Wilhelm se diese cuenta, porque dejaba que fuese Helene quien le preparase la ropa. Se puso la camiseta de Carl; el tejido se estiraba a la altura de la tripa y se
encogía. Había que respirar a pesar de la contracción, respirar
profundamente. Se puso unos calzones largos, contracción, el liguero, que se le hincaba bajo la tripa, contracción, medias, contracción, encima el vestido. No debía olvidarse del certificado
de pureza de sangre ni del libro de familia, sacó ambos del secreter de Wilhelm. También tomó algo de dinero. Por la noche
helaba, las aceras estaban congeladas, Helene debía poner mucha atención para no resbalar, por nada del mundo podía perder el equilibrio. En la calle desierta Helene tenía que pararse
cada pocos metros. Respirar, respirar profundamente. ¿Qué suponía ese dolor? Helene se rió, era finito, su hijo iba a nacer,
ese día, su pequeña, su pequeña niña. Helene siguió un poco
más y volvió a pararse. Le pareció como si la cabeza del bebé
ya estuviese colocada entre sus muslos, apenas podía andar con
las piernas cerradas. Respirar profundamente y seguir así. Helene fue avanzando despatarrada sobre el hielo, a pisotones.

En el hospital la ayudó una matrona que la palpó con cuidado; primero la tripa, que enseguida se puso rígida, dura como una piedra, la contracción se prolongaba. Y después con la
mano en la vagina.

Aquí está la cabecita.

La cabecita, ¿ha dicho cabecita? Helene no pudo reprimir
la risa, se rió nerviosa e impaciente.

La matrona asintió. Sí, ya noto el pelo.

¿El pelo? Helene respiró hondo, muy hondo, aún más hondo, hasta dentro de la tripa. Sabía cómo tenía que respirar, pero
la matrona se lo dijo en ese momento.

¿Quiere tumbarse, señora Sehmisch?

A lo mejor sí. Respirar, respirar, respirar; respiración suelta, respirar hondo, mantener y soltar.

¿No quiere llamar a su marido para que al menos venga a recogerla?

Ya se lo he dicho, está en Königsberg. Respirar hondo. Helene se preguntó cómo se sentiría un feto con todo tenso y duro a su alrededor. Tal vez aún no sintiese nada. ¿Cómo empezaba el ser? ¿Se es si no se siente? Respiración profunda. No tengo ningún número de allí. Regresará a finales de mes.

La matrona rellenaba su ficha.

Disculpe, estoy mareada.

Es bueno que vaya otra vez al baño. La matrona le mostró dónde estaba el servicio. Helene sabía que las náuseas eran un buen síntoma, no podía demorarse mucho más. Se estimulaba un determinado nervio. *Nervus vagus.* Siete centímetros de dilatación eran tres menos de lo necesario. La estimulación del sistema parasimpático, qué otra cosa podía ser.

Una vez de vuelta, Helene tuvo que tumbarse en la camilla. Debía ponerse cómoda, pero todo le resultaba incómodo. El médico quería que estuviese boca arriba. Las contracciones comenzaron a espaciarse, ya sólo las tenía cada cuatro minutos, cada cinco, luego de nuevo con más frecuencia. Helene sudaba, respiraba y empujaba. Quería ponerse de lado, levantarse, ponerse en cuclillas. La matrona la sujetaba.

Siga así, bien tumbadita.

Helene había perdido la referencia temporal, se había hecho de día, en lugar de la matrona de la noche había entrado otra. Es un dolor bueno, se dijo Helene, un dolor bueno; apretó los dientes, no quería gritar, de ninguna manera, seguro que no tan alto como la mujer de la cama de al lado, que ya había parido a su niña. Helene apretó, escocía, tenía los ojos llenos de lágrimas.

Tiene que respirar, respirar, así que respire. La voz de la matrona sonaba extrañamente distorsionada. Pero sí estaba respirando.

Va a conseguirlo, vamos, vamos, va a conseguirlo. Entonces la matrona adoptó el tono de una sargenta. Helene deseó no haber ido al hospital. No soportaba a aquella enfermera y su tono marcial. Vamos, vamos, otra vez, inspirar, mantener, mantener. ¿No me oye? ¡Tiene que mantener, no empujar! Y ahora para colmo la sargenta se ponía rabiosa. Helene no se preocupaba por acatar sus órdenes, pariría como ella quisiese, la sargenta no tenía que ordenarle nada. Respirar, respirar hondo, seguro que estaba bien, y empujar, claro, empujar, empujar, empujar. La matrona le palpó alrededor de la vagina, palpó y Helene sintió un arañazo, como si estuviese clavándole las uñas y removiendo la carne blanda, la carne dada de sí, completamente indefinida, absolutamente maleable. Pero ¿a qué se dedicaba la sargenta con las manos? Helene notó presión en el intestino, tanta que supo que la matrona no hacía otra cosa que recoger excrementos, sangre y heces en las manos de la sargenta. No había tiempo para avergonzarse, tenía que respirar.

Entonces la sargenta le dio una palmada en el brazo y la agarró de él. Pare, tiene que dejar de empujar, de lo contrario se desgarrará por completo.

Helene lo oyó pero no escuchó con atención; pues que se desgarrara, por ella que lo hiciera del todo, que se desgarrara lo que tuviera que desgarrarse, algo quedaría y el bebé ya saldría. Helene respiró, era un dolor bueno pero ¿por qué dolía tanto? No, eso le habría gustado decir, notaba la lengua en el paladar, nnn, no lo diría, nunca, no debía llamar la atención, jamás.

¡Respire! La sargenta obviamente estaba perdiendo la paciencia. ¡Grite, vamos, empuje ahora, sí!

El «sí» fue escueto; las manos de la sargenta, rápidas; el médico enderezó algo entre los muslos de Helene, un ligero crujido. El médico asintió. Allí estaba la cabeza.

¿La cabeza? ¿La cabeza está fuera? Helene no podía creerlo. Notó algo gordo entre las piernas, algo que no le pertenecía, ya no, lo notó por primera vez, ya no sólo dentro de ella, el cuerpo de su bebé, sino también junto a ella. El médico no le prestó ninguna atención. Helene fue palpando con la mano hacia abajo. Quería coger la cabecita. ¿Aquello eran pelos? ¿Los pelos del bebé?

¡Fuera esas manos! A Helene le apartaron el brazo, la sujetaron por la muñeca y la agarraron muy fuerte. Tiene que respirar, ¿me oye? La sargenta se inmiscuyó. Y en la siguiente contracción, empuje. Respire hondo, coja aire, ¡ahora! Helene también lo habría hecho sin la orden de la sargenta.

Algo se deslizó hacia fuera con un impulso. La matrona lo tomó en sus manos con destreza.

Allí estaba el bebé. ¿Qué aspecto tenía? ¿Estaba gris? ¿Vivo? Se lo llevaron de inmediato. ¿Sólo respiraba o había llorado? Lloró. Helene oyó llorar a su hijo y quiso abrazarlo. Se dio la vuelta tratando de ver algo. Los delantales blancos y pardos de las enfermeras le tapaban la vista, no veía más que espaldas. Lo lavaron, lo pesaron y lo vistieron.

Mi bebé, susurró Helene. De sus ojos brotaron lágrimas, ella veía las batas de las enfermeras y de la matrona. Mi pequeña. Helene estaba feliz. La matrona volvió y le ordenó que volviera a empujar.

¿Otra vez?

Creo que usted es enfermera.

Pero ¿por qué otra vez? ¿Aún hay más?

La placenta, señora Sehmisch. Y ahora empuje fuerte de nuevo. «Señora Sehmisch», Helene sabía que se refería a ella. Obedeció la orden.

Tuvo que esperar una eternidad antes de que le trajeran al bebé. Tres ciento cincuenta, todo un hombretón. La enfermera de la maternidad le entregó a Helene el pequeño paquete. Helene miró a su hijo; los ojos eran dos ranuras arrugadas, la boca muy pequeña aún, tenía un surco encima de la nariz, un profundo surco, y en la nariz un montón de puntitos blancos. Se puso a llorar. Helene apretó al bebé contra sí. Mi pequeña, mi dulce niña, dijo Helene. Qué pelo largo y negro tan hermoso, qué suave y liso.

Tiene que sujetarle la cabecita por aquí. La enfermera le colocó la mano correctamente. Helene sabía cómo había que sujetar a un bebé, pero no le importó que la enfermera le corrigiera, en absoluto. Por ella podía tomarle la mano y estrujársela. Nada ni nadie podían alterar la felicidad de Helene.

¿Quiere darle de mamar al niño?

Helene miró estupefacta a la enfermera. ¿Al niño?

Sí, a su hijo, digo que si quiere darle el pecho.

¿Es un niño? Helene miró el pequeño rostro gris. Entonces el bebé abrió la boca y rompió a llorar. Se puso de color morado. Helene no había contado con aquello. Jamás había pensado en un niño, siempre en una niña.

Decídase ahora o si no le daremos un biberón.

Le daré el pecho, por supuesto. Helene se abrió el camisón, iba a colocar al niño junto a su pecho cuando de nuevo se inmiscuyó la sargenta.

Tiene que hacerlo así, mire. La sargenta agarró bruscamente con dos dedos el pecho de Helene y se lo metió al niño en la boca. ¿Así, lo ve? Tiene que fijarse en que esté colocado de forma correcta. Y en cuanto a esos pechos..., bueno, ya veremos lo que dan de sí.

Helene intuyó de inmediato a qué se refería la sargenta. En los últimos meses los pechos le habían crecido tanto y estaban tan hinchados que Helene jamás habría sido capaz de imaginárselos así, pero el tamaño era una cuestión relativa. En comparación con los de otras parturientas eran pequeños, diminutos casi, y Helene lo sabía.

El bebé succionaba y respiraba con dificultad por su diminuta nariz, había hecho ventosa, succionaba tanto que Helene sentía un hormigueo, succionaba tanto que le apretaba, succionaba para sobrevivir. El niño no abría los ojos, chupaba con tanta fuerza que Helene se preguntó si ya tendría dientes.

¿Nombre? Alguien se había acercado a la cama de Helene. ¿Por qué la sargenta sería tan brusca? Seguro que tenía mucho trabajo, seguro que habría algún motivo. Tal vez Helene hubiese hecho algo mal. Qué humillación, estar ingresada en un hospital siendo enfermera.

¿Nombre?

Sehmisch. Alice Sehmisch.

Su nombre no, ése ya lo tenemos. ¿Cómo se va a llamar su hijo?

Helene observó al niño, vio cómo respiraba por la nariz y succionaba su pecho como si quisiera tragársela entera, hasta la última gota. Qué manos tan finas y delicadas, pequeños deditos con un montón de arrugas, la piel fina; su manita se agarraba al índice de Helene como si fuera una rama de árbol, como si tuviese que sujetarse para sobrevivir. ¿Cómo iba a ponerle nombre si no le pertenecía? Menuda responsabilidad, un nombre para un niño. Sobre todo cuando ella misma ya no tenía nombre, al menos no el que le habían puesto para toda la vida. Más adelante podrá cambiárselo si quiere. Eso tranquilizó a Helene. Y dijo: Peter.

Cuando la enfermera se hubo marchado, Helene le susurró a su bebé: Soy yo, tu madre. El niño pestañeó, tenía que estornudar. Cuánto le habría gustado enseñárselo a Martha y a Leontine. ¿No parecía una niña? Mi tesoro, susurró Helene junto a su mejilla y le acarició el cabello, largo y suave.

Wilhelm regresó a casa antes de Navidad. Entretanto habían intercambiado algunos telegramas. Él no se sorprendió de que Helene hubiese parido. Un niño, Wilhelm asintió, no esperaba menos. ¿Peter? Por qué no. Al poco de llegar, Wilhelm le dijo a Helene que debía alimentar bien al niño. El bebé tenía hambre, ¿no lo estaba oyendo? Además quiso saber por qué olía tan raro en la casa, si era por los pañales del niño, y su mirada recayó en los pañales amarillentos que estaban tendidos para que se secaran. ¿Qué pasa, es que ya no sabes lavar? ¿No ves que esos pañales aún están sucios?

Es imposible lavarlos más, dijo Helene, y pensó que si saliese el sol podrían blanquearse con la luz natural, pero fuera apenas clareaba, hacía semanas que estaba nevando.

Cuando por las noches el niño lloraba y Helene se levantaba para llevárselo consigo a la cama, Wilhelm le decía dándole la espalda: Lo tienes todo muy fácil, siéntate en la cocina si es necesario. Un hombre que trabaja necesita descansar.

Helene hacía lo que él ordenaba. Se sentaba en la cocina fría con su bebé y allí lo amamantaba hasta que se dormía. Sin embargo, en cuanto lo iba a poner en la canastilla, el niño se despertaba y se ponía a llorar. Después de dos horas, Helene, exhausta, entró de puntillas en el dormitorio. De la oscuridad surgió la voz de Wilhelm. Procura que el niño esté calladito y que duerma por las noches, de lo contrario me iré mañana mismo.

No todos los bebés duermen durante toda la noche.

Tú lo sabes todo mejor que nadie, ¿verdad? Wilhelm se volvió hacia ella y le gritó: Escúchame, Alice, no permitiré que me des lecciones.

A oscuras, Helene se limpió de la cara las finas gotas de saliva que habían arrojado las palabras de Wilhelm. ¿Cuándo había pretendido ella darle una lección?

Ya va siendo hora de que trabajes, dijo Wilhelm tranquilamente, volviendo a darle la espalda. No podemos permitirnos gorrones.

Helene miró por la ventana, sólo un haz de luz mate iluminaba la cortina. Wilhelm comenzó a roncar de manera entrecortada y extraña. ¿Quién era ese hombre que estaba en su cama? Helene se dijo que probablemente él tuviese razón. Tal vez ella estuviese demasiado acostumbrada al llanto del bebé como para darse cuenta de que pasaba hambre. La leche no le bastaba, pasaba hambre, seguro. A la mañana siguiente iría a por leche. Pobre niño, si sólo durmiera... Peterle, susurraba Helene aunque no le gustaban los diminutivos cariñosos, Peterle. Movía los labios en silencio. Los párpados le pesaban.

Cuando Helene se despertó, le dolía el pecho izquierdo; estaba duro como una piedra y una mancha roja empezaba a extenderse por la piel. Reconoció esos síntomas, así que fue hasta la canastilla, tomó a Peterle, se lo llevó a la cocina y se lo colocó en el pecho. Peterle le pegó un mordisco, era como si estuviesen clavándole un cuchillo en el pecho, punzante, profundo, ardiente; el dolor le impedía pensar. Helene apretó los dientes, el rostro le ardía. Peterle no quería tragar, una y otra vez giraba la cabeza, prefería tomar aire antes que leche y escupía y lloraba, cerraba sus pequeños puños y se encogía.

Pero ¿qué pasa ahora? Wilhelm estaba en la puerta, mirando desde lo alto a Helene y a su bebé. ¿Me puedes explicar qué sucede? Su mirada enfurecida se detuvo en el pecho de Helene. El niño está llorando, Alice, y tú te quedas ahí sentada, probablemente desde hace semanas, y dejas que se muera de hambre, ¿no?

No dejo que llore. ¿Era eso lo que debía responder? Peterle se puso a llorar, tenía la cabeza roja y alrededor de la naricilla se había formado una huella blanca.

¿Te has quedado muda? ¿No dejarás que el niño se muera de hambre? Toma, Wilhelm le dio un billete. Ahora mismo te vistes, vas a comprar leche y se la das, ¿entendido?

Helene lo había entendido. El pecho le palpitaba, el dolor era tan terrible que se mareó y apenas pudo pensar en la orden de Wilhelm. Haría lo que él dijera, por supuesto, obedecer nada más. Helene dejó al bebé encima de la cama y se vistió. Sin mirar a Wilhelm, envolvió al niño en una manta, se puso el bulto en el brazo y bajó las escaleras.

Tiene los ojos vidriosos, le dijo la tendera, ¿tiene fiebre, señora Sehmisch?

Helene se esforzó en componer una sonrisa. No, no.

Tomó la botella de leche y la tarrina de requesón y subió las escaleras mientras el bebé seguía llorando. Tuvo que pararse a mitad de camino. Aún no había dejado de manchar, pero el dolor que sentía en el pecho anulaba toda capacidad de decisión. Puso a un lado la leche y el requesón y dejó al niño en la manta sobre los peldaños. Helene fue al servicio. Nada más regresar vio el rostro alegre de la nueva vecina, que había abierto la puerta y asomaba la cabeza. ¿Puedo ayudarla en algo?

Helene negó con la cabeza, no. Tomó al niño en brazos y continuó escaleras arriba. Al pasar junto a la vecina, su mirada recayó en la placa de la puerta: Kozinska. En esos momentos lo más fácil era retener cosas secundarias. Kozinska, así se apellidaba la nueva vecina.

Cuando llegó arriba, Wilhelm ya tenía el abrigo puesto. Debía marcharse a Pölitz a ver la obra. No hacía falta que lo esperara. Helene puso al niño en la canastilla y calentó la leche al fuego. Después la echó en un biberón que hasta aquella mañana sólo había contenido té, se puso un emplasto de requesón en el pecho para que se enfriara y dio de comer al niño. Por la tarde el cuerpo le pesaba y ardía tanto que apenas podía ponerse en pie para ir al servicio. El niño lloraba. Se podían oír sus gases, gases provocados por la leche y el llanto; había tragado aire, pero pronto estaría saciado, seguro, pronto estaría lleno y satisfecho. Helene ya no podía apoyarse en ninguna parte de su cuerpo; la piel le picaba, la tenía tan fina que la sábana le rozaba y el aire mismo le provocaba un terrible cosquilleo, quería salir de su piel; tenía escalofríos, temblaba, sudor en la frente. A cada hora se levantaba y, con las piernas temblorosas, se preparaba otro emplasto; estaba tan débil que apenas podía escurrir los trapos ni los pañales. La fiebre continuó durante la noche. Helene se alegraba de que Wilhelm no hubiese regresado.

Quería darle el pecho al niño, pero él se resistía y lloraba y mordía el pecho duro, caliente. Lloraba de rabia.

Helene alimentó a su niño con el biberón. Al principio el bebé estaba enfadado, escupía grumos de leche fermentada, se atragantaba, la leche del biberón estaba aún demasiado caliente o ya demasiado fría, Helene apretaba los dientes. Se la tomaría, eso seguro, no se moriría de hambre. La inflamación remitió, el pecho se deshinchó; una semana más tarde todavía no se encontraba bien, no del todo, pero casi, la inflamación había detenido la leche; Wilhelm estaba convencido de haber puesto orden. Lo único que quería aclarar era qué pasaría con el trabajo de Helene antes de que tuviese que partir para Frankfurt a primeros de año. Wilhelm acompañó a Helene al Hospital Municipal, en el barrio de Pommerensdorfer Anlagen.

Seguro que podremos darle un trabajo a su esposa, le dijo a Wilhelm la jefa de personal. Ya sabe que no somos capaces de motivar a tantas enfermeras como las que serían necesarias. Además acaba de producirse un despido. Una enfermera polaca, y además de sangre impura en segundo grado, esos que cuiden a los suyos. El libro de familia, el certificado de pureza de sangre, qué bien que ya hayan traído todo. El certificado médico lo podemos expedir nosotros mismos. La jefa de personal revisó la documentación.

Tras acompañar a Wilhelm y a Helene hasta la puerta, la jefa de personal descubrió el cochecito del niño, que estaba delante del edificio, junto a la escalera que conducía al sótano. ¿Y el niño, se quedará con su abuela?

Wilhelm y Helene miraron el cochecito. Encontraremos a alguien que lo cuide, dijo Wilhelm con una orgullosa sonrisa. La jefa de personal asintió y cerró la puerta. Helene empujó el cochecito, Wilhelm caminaba a su lado con paso largo. Como si fuera lo más natural, Wilhelm no tomó el camino de regreso a su automóvil, sino que llevó a Helene y al niño hasta la zona de Oberwiek. El Oder se veía gris y el viento formaba olas. Wilhelm consultó el reloj y, mirando a su coche, anunció que tenía que irse ya, le esperaban por la tarde en Berlín. Seguro que el tranvía vendría enseguida, sabría volver a casa sola, ¿verdad? Helene asintió.

Durante los primeros meses los cabellos finos, brillantes y oscuros del niño se fueron cayendo, uno tras otro, hasta que la cabecita se quedó pelona y le creció una pelusilla rubio platino que se convirtió en unos rizos dorados, dorados como los de Helene. Según su contrato, ella trabajaba sesenta horas semanales por turno, pero en realidad eran más de sesenta; cada dos semanas tenía un día libre; entonces recogía a su hijo de casa de la señora Kozinska; y cuando el niño cumplió los tres años, le concedieron una plaza en la guardería. Helene se alegró del cambio, pues algunas veces había llamado a la puerta de su vecina y nadie le había abierto. Luego el niño había gritado desde el otro lado de la puerta, mamá, decía, mamá; a veces también llamaba a la tía, que era como se dirigía a la señora Kozinska. Helene tenía que esperarse ante la puerta cerrada porque la señora Kozinska había bajado a hacer unos recados y, alguna vez, no había regresado hasta pasada una hora.

¿Y cómo se llama su pequeña?, le había preguntado la cuidadora a Helene la primera vez que llevó al niño a la guardería. Helene se quedó observando los rizos rubios que le caían al niño suavemente sobre los hombros, como si fueran sacacorchos.

Peter. Aún no le había cortado el pelo ni una sola vez.

Cuidaremos de su hijo, dijo con amabilidad la señorita. Qué niño tan guapo.

Helene tendría que cortarle el pelo. La cuidadora acarició la cabeza de Peter y le cogió de la mano.

Helene anduvo dos, tres pasos tras ellos, se agachó y besó a Peter en la mejilla. Lo abrazó. Él lloraba y se agarraba a ella con sus pequeños brazos.

Volveré pronto, prometió Helene, te recogeré después de la cena.

Peter negó con la cabeza, no la creía, no quería quedarse allí, se puso a gritar, se aferró a ella, las lágrimas se le saltaron de los ojos, le mordió el brazo para que se quedara o se lo llevase consigo, pero Helene tuvo que levantarse y mostrar una sonrisa como por arte de magia, soltarse, darle la espalda y salir apresuradamente. No debía llorar delante de Peter. Eso lo hacía todavía más difícil.

Cuando Helene lo recogió, la mirada de Peter mostraba aún más extrañeza. Le preguntó: ¿Dónde has estado, mamá?

Helene no pudo evitar acordarse de la enfermera herida de Varsovia, a la que le faltaban ambas piernas. Acababan de traerla hacía pocos días, era la primera herida de guerra que veía Helene. Tenía los ganglios linfáticos inflamados y en varias zonas del cuerpo las típicas pústulas cobrizas que, en los pliegues de la piel, ya se habían convertido en bubas de mayor tamaño. Durante las curas Helene debía llevar guantes y mascarilla, ya que las bubas empezaban a supurar y se corría el riesgo de contagio. Lo bueno era que la paciente no tenía picores. Gracias a los antibióticos las heridas de los muñones estaban cicatrizando bien, pero su corazón no se había acostumbrado a pasar tanto tiempo tumbada ni a que la circulación fuese más lenta, por lo que padecía insomnio. Pudiera ser que el Prontosil también ayudase a combatir la sífilis, tal vez.

¿Dónde has estado, mamá? Helene oía a Peter preguntándole. Iban sentados juntos en el tranvía. ¿Debía contarle que había estado en el observatorio o viendo las mariposas, contarle una bonita historia que a sus ojos haría aún más incomprensible el hecho de haberlo dejado doce horas en manos ajenas?

¡Mamá! Di algo. ¿Por qué nunca dices nada?

Trabajando, respondió Helene.

¿Trabajando en qué? Peter le tiraba de la manga, tenía que dejar de hacerlo. ¿Trabajando en qué?

¿Es que no podía dejarla en paz? ¿Tenía que estar todo el rato preguntando? Helene le dijo a Peter: No preguntes.

Una señora de avanzada edad se levantó del banco que se encontraba delante de Helene, probablemente se bajaría en la siguiente parada, y se agarró a la barra. La señora acarició el cabello de Peter recién cortado: Qué renacuajo tan encantador, dijo. Helene miraba por la ventana. Todavía no habían llegado muchos heridos a Stettin, la mayoría se quedaba en los hospitales militares; y una y otra vez se prescindía de trasladarla a otro hospital gracias a que Helene tenía un hijo. Se decía que había escasez de enfermeras, se buscaban con desesperación voluntarias para los hospitales de sangre, los periodos de formación se acortaban, a las enfermeras solteras se las enviaba obligatoriamente a los hospitales militares y cada vez se fue recurriendo más a las casadas para poder seguir atendiendo los hospitales municipales. Cierto día se envió a dos enfermeras a Obrawalde; también quisieron mandar a Helene, puesto que allí necesitaban una enfermera experta como ella, pero tuvo suerte, pues un médico corrió la voz de que también en la Clínica para Mujeres de Stettin necesitaban con urgencia personal experimentado, así que la dirección entendió que a Helene le resultaría difícil llevarse a su hijo a Obrawalde. La lluvia golpeaba contra los cristales. Había oscurecido hacía un rato. Las luces de los coches se desdibujaban.

Gracias a Dios que las mujeres como usted vuelven a tener niños, eso hay que reconocerlo. La señora asentía en señal de admiración.

Helene miró a la señora de pasada, no quería asentir, no quería decir nada, pero la mujer no estaba dispuesta a dejarlo ahí.

Por un momento, Helene pensó en la chica de dieciséis

años que había visto aquella mañana. Con aquel cabello rojizo tan hermoso. Ojos marrón almendra bajo unas pestañas rubicundas. Tenía los pechos tan grandes como manzanas y la sonrisa de un sol mañanero, apenas empezaba a florecer, dieciséis años. Antes de la anestesia la chica había hecho señas en la lengua de signos, señas cuyo significado Helene logró intuir. Eran gestos de interrogación, también de miedo. Le habían administrado anestesia total. Helene estaba sujetando el retractor. Nadie podía mantenerlo tan quieto como ella. El cirujano seccionó las trompas. Al coser había que tener cuidado. El cirujano le había pedido a Helene que sujetara, él tenía que estornudar y sonarse. De Helene se podía uno fiar, eso le había dicho el cirujano, que después le pidió que acabase de coser.

Puede estar orgullosa, en ese momento la señora cambió de mano para agarrarse, pues el tranvía entraba en una curva, de verdad, orgullosa, la señora asentía bienintencionada. Se refería a Peter. Helene no sentía ningún orgullo. ¿Por qué habría de sentirse orgullosa de tener un hijo? Peter no le pertenecía, ella le había dado a luz, pero él no era ni de su propiedad ni su conquista. A Helene le gustaba ver sonreír a Peter, pero rara vez lo hacía; cuando estaban juntos, él casi siempre dormía, dormía en su cama, a menudo tenía miedo y no quería dormir solo. No en vano los hombres eran mamíferos, ¿no? ¿Por qué un niño iba a querer dormir solo cuando todos los demás mamíferos calientan a sus pequeños junto a ellos? Helene casi nunca veía a Peter despierto, y menos aún riéndose.

De lo contrario nos extinguiríamos, ¿sabe usted?

Helene se puso a mirar fijamente por la ventana hacia la calle. ¿A quién se referiría la mujer con ese «nos»? ¿A la raza nórdica? ¿A la humanidad? La chica a la que esa mañana habían seccionado las trompas era una chica sana y alegre. Lo único que ocurría es que no podía hablar de manera audible. Dijeron que lo que se pretendía era evitar que diera a luz hijos sordomudos. ¿Por qué era tan grave que una persona en lugar de con la boca hablase con gestos? ¿Por qué los hijos de esa muchacha iban a ser más infelices que Peter, que tampoco obtenía respuestas a todas sus preguntas? Más tarde, cuando la chica se hubo despertado, Helene se acercó a ella y le llevó una naranja. No debía haberlo hecho. Las naranjas estaban reservadas para otras pacientes, Helene se la había llevado a escondidas. Ella había sujetado el retractor y cosido la herida. Si el cirujano le hubiese dicho que seccionase, probablemente también habría seccionado las trompas. Helene sintió el cristal frío de la ventana contra su frente.

Mamá, ¿me escuchas? Peter le dio un pellizco en la mano. Después la miró confundido, casi enfadado. Al parecer llevaba tiempo tratando de ganarse su atención.

Te escucho, dijo Helene. Peter le contó algo, le contó que los demás niños habían *jugao las ganicas.*

Jugado a, dijo Helene, jugado a las canicas, y se acordó otra vez de la muchacha.

Jugado a las canicas, los ojos de Peter brillaron. Era capaz de pronunciar correctamente cuando ella se lo repetía. La chica estaría en ese momento sola, en su cama, en una sala con otras treinta y ocho pacientes. ¿Le habrían dicho a qué operación acababan de someterla? Helene podía decírselo a la mañana siguiente, debía decírselo. No fuese que más tarde se llevara una sorpresa, al menos tenía que saberlo. Tal vez a la mañana siguiente ya ni siquiera estuviera allí.

Tengo hambre, se quejó Peter. Tenían que bajarse en la próxima parada. Helene se acordó de que por la mañana temprano no le había dado tiempo de comprar nada. ¿Qué comercio estaba abierto antes de empezar su turno? Tal vez llamase al timbre de la tendera. A ésta no le gustaba que llamasen al timbre por la noche, pero a Helene muchas veces no le quedaba otro remedio si no le había dado tiempo a hacer la compra; ese día no tenía nada de comer en casa.

La tendera le dio dos huevos, un cuarto de litro de leche y

medio kilo de patatas. Las patatas tenían algunos brotes, pero en cualquier caso Helene estaba encantada de haberlas conseguido.

Tatas no gutan, se quejó Peter cuando Helene le puso delante el plato de patatas. Ella no quería impacientarse, no quería gritarle que debía sentirse afortunado y comerse las patatas. Prefirió no decir nada.

No gutan, volvió a decir Peter dejando caer al suelo un pedacito de patata desde su pequeña cuchara.

Helene le arrancó la cuchara de la mano y con gusto lo habría estampado contra la mesa; no pudo evitar pensar en su madre, en el centelleo de sus ojos malvados, en la imposibilidad de predecirla; Helene puso la cucharita sobre la mesa. Si no tienes hambre, su voz se ahogaba, no tienes por qué comer. Agarró a Peter por la muñeca y lo llevó a rastras hasta el lavabo. Él lloraba, ella le limpió.

Tero ranja. Peter lloriqueaba. *Tero ranja*, Peter señalaba con la mano el cuadro que colgaba sobre la cómoda, en el que estaba representado un cesto lleno de fruta reluciente. ¿Se referiría a la naranja? ¿Tendría que haberle traído a él tal vez la naranja del hospital? La muchacha necesitaba la naranja, Peter tenía patatas.

¡Ranja! Peter gritó de tal forma que a Helene le hizo daño al oído. Ella se mordió los labios, se mordió hasta los dientes, jamás perdería la paciencia, su paciencia lo era todo, toda ella era contención y buenas formas. Helene cogió a Peter por el brazo, al pasar junto al cuadro le dio la vuelta y llevó al niño a la cama.

Otro día, le susurró al oído. Otro día tendrás una naranja. Peter se tranquilizó, le gustaba dejarse acariciar. Helene le acarició la frente y remetió el edredón.

¿Mamá canta?

Helene sabía que no podía cantar, siguió acariciándolo y negó con la cabeza. Ese día una mujer en el hospital la había sujetado del brazo, con una mano vieja y huesuda, y le había dicho que la dejara morir. Por favor, morir tan sólo. Duérmete, Peterle.

¿Canta, *porfa*, canta? Peter no quería cerrar los ojos.

Tal vez bastaba con que se esforzase un poco, Helene quería cantar, pero no podía. ¿Se acordaba de alguna canción? La de la Virgen María en el bosque de espinos, pero las navidades habían pasado hacía ya tiempo. Su voz carraspeaba, ningún tono era capaz de elevarse por encima de otro. Peter la observaba, Helene cerró la boca.

Canta.

Helene negó con la cabeza. Tenía el cuello rígido y grueso, la abertura demasiado estrecha, escasas fuerzas, las cuerdas vocales tensas y quebradizas. ¿Habría una enfermedad que consistiese en el envejecimiento prematuro de las cuerdas vocales, en la pérdida de la voz?

Tía canta, demandó Peter en ese momento, dispuesto a volver a incorporarse. Helene sabía que la señora Kozinska le había cantado a Peter alguna vez. También iba cantando cuando Helene se la encontraba por la calle o en la escalera. A veces se la oía cantar desde el último piso. Helene negó con la cabeza. A la señora Kozinska le gustaba cantar, estaba siempre alegre, era envidiable, pero había dejado solo a Peter demasiadas veces y las noches que sí que estaba le gustaba beber. La guardería había sido una bendición. Sólo las semanas en las que Helene tenía turno de noche la cosa se complicaba. Solía dejar a Peter solo, al fin y al cabo él dormía la mayor parte del tiempo. Delante de la cama ella le decía que regresaría y cerraba la puerta con llave. Cuando Helene volvía a casa por la mañana, lo primero que hacía era subir trozos de carbón del sótano; casi siempre cargaba más de una docena de una vez, los llevaba en un cuévano a la espalda y con la mano izquierda y la derecha subía además un cubo lleno de briquetas y leña. Una vez arriba calentaba la estufa, Peter seguía durmiendo en su cama, ella le acariciaba el cabello corto y rubio hasta que él se estiraba y quería que le tomara en brazos; después lo lavaba, lo vestía, le daba algo de comer y lo llevaba a la guardería, donde él volvía a pedir que lo cogiera en brazos, pero ella no lo hacía porque, de lo contrario, no habría habido manera de separarlos. De vuelta a casa, Helene hizo la colada y cosió el tirante del pantalón de cuero; desde que Baden había tenido que dejar el negocio ya no conseguía género de mercería bueno y barato; Baden había desaparecido, en febrero se lo habían llevado con los demás, decían que al Este, así que Helene cosió bien el tirante al pantalón, sustituyó el edelweiss que se había perdido por un botón de colores y durmió unas horas, volvió a llenar la estufa, dos briquetas más, recogió a Peter de la guardería y lo llevó a casa, a cenar a la mesa y a la cama, luego apagó la luz y salió de puntillas por la puerta; tenía que darse prisa para tomar a tiempo el tranvía que la llevaría a su turno de noche en el hospital.

Cuando Helene tenía un día libre cada dos semanas se llevaba a Peter de la mano y bajaban al puerto. Contemplaban los barcos, rara vez entraba uno de guerra. Peter miraba con asombro los barcos de guerra, y ella le señalaba las bandadas de pájaros.

Patos, dijo Helene señalando con la mano hacia el pequeño grupo de pájaros que volaban. Lo hacían de cinco en cinco en forma de V. A Peter le gustaba comer pato, pero Helene no tenía dinero para comprarlo. De vez en cuando Wilhelm les enviaba dinero desde Frankfurt. Ella no quería su dinero; estaba comprando su silencio y ella no necesitaba su dinero para callarse. Cada pocos meses mandaba una carta con dinero y una nota en la que ponía: Querida Alice, cómprale al chico guantes y un gorro. Hacía tiempo que Helene le había hecho a Peter unos guantes y un gorro de lana, así que cogió el dinero, lo metió en un sobre y escribió: Señora Selma Würsich, Tuchmacherstrasse 13, Bautzen in der Lausitz. Helene envió las cartas a Bautzen, sin remite, hasta el final, hasta el día en que recibió un paquete de Berlín, estrecho y alargado. En el paquete había el cuerno tallado en forma de pez. Faltaba la cadena. Tal vez alguien hubiese necesitado dinero y hubiese tenido que vender los rubíes; probablemente habrían abierto el paquete en correos y a alguien le habría gustado la joya. En el interior del pez había una carta. Su olor aturdía, olía a Leontine. Era la letra de Leontine. Mi pequeña Alice: En Berlín no para de llover, pero por fin pasaron las heladas. ¿Seguirás viviendo en esta dirección? En los últimos años Martha ha estado muy enferma. Ya la conoces, ella no se queja, no quería que tú te enteraras. No hemos querido preocuparte. Me prohibió escribirte. Tuvo que dejar el trabajo en el hospital. Le han asignado otra tarea en uno de los nuevos campos de trabajo. En ese terreno yo no puedo hacer nada. Necesitaría la ayuda de un marido, unos padres influyentes o un pariente directo. En cuanto me permitan visitarla tengo que contarle que ayer llegó una carta de la Fundación Social Pública para Clínicas de Cuidado Mental.* En ella pone que su madre murió hace unas semanas en Grossschweidnitz a consecuencia de una pulmonía aguda. Lo siento mucho por ella, aunque sé que muchos lo consideran una forma de eutanasia.

Las sirenas de los grandes barcos eran graves, hacían vibrar el diafragma. Helene notaba su bramido incluso en las suelas de los zapatos. Peter quería que su madre le explicara dónde llevaban los barcos los cañones. Al pie, con la letra de Leontine, ponía: Cuídate mucho. Tu hermana, Elsa. A modo de posdata había añadido lo siguiente: ¿Te acuerdas de Fanny, la antigua vecina? Fueron a llevársela. En su casa vive ahora la familia de un militar, un teniente general, su mujer y tres niños muy simpáticos. Helene sabía lo que significaba aquella carta. Leontine debía borrar las huellas, de lo contrario estaría poniendo en peligro la vida de ambas. Había elegido las únicas palabras posi-

---

* *Gemeinnützige Stiftung für Anstaltspflege:* uno de los organismos creados por Hitler para llevar a cabo su plan de eutanasia, con el que pretendía acabar con quienes tuvieran «graves» deficiencias físicas y mentales. *(N. de la T.)*

bles para expresar el horror. Leontine había metido en la carta pétalos de rosa secos y enrollados. Los pétalos se le cayeron a Helene de golpe. Tenía que llorar, pero no podía. Algo se lo impedía, no podía reconocer lo que había entendido. De los pétalos emanaba un dulce aroma, tal vez sólo fuera el aroma del perfume de Leontine. Su nombre auténtico en ningún caso podía asociarse peligrosamente a los de Martha, Helene o quien fuera. ¿Seguiría trabajando en el hospital? ¿Tendría que seccionar ovarios? ¿La querrían mandar también a un hospital militar? Leontine se había separado entretanto, no tenía hijos, así que podían enviarla a donde quisieran. Leontine podía utilizar todos los nombres que le placieran, Leo, Elsa y, si por Helene fuera, incluso Abaelard, que ella siempre reconocería su caligrafía firme y fugaz, estaba marcada a fuego en su interior. Una nostalgia irrefrenable se apoderó de ella, se mareó y empezó a sudar.

¿Y los cañones? Peter tiraba impaciente de la manga de su madre. ¿Dónde están los cañones? Helene no lo sabía.

¿Estás triste? Peter alzó la mirada hacia su madre.

Helene negó con la cabeza. Es el viento, dijo. Ven, vamos a ir también a la estación, a ver los trenes. Helene no pudo evitar preguntarse qué pasaría si simplemente sacase un billete y se fuese con Peter a Berlín. Habría alguna forma de localizar a Leontine. Tenía que haberla. Pero ¿quién podía calibrar el riesgo que eso entrañaría?

La estación quedaba a los pies de la ciudad, a orillas del Oder. Los trenes entraban y salían. El viento barrió el andén y se llevó muchas lágrimas de sus ojos. Los dos se habían sentado en un banco agarrados de la mano. En el hospital había una enfermera nueva, Ida Fiebinger, era de Bautzen. Helene se sintió un poco rara cuando oyó hablar por primera vez a Ida Fiebinger; aquella melodía, las vocales cerradas, la manera de arrastrar las frases con los labios en forma de embudo. Helene quería a toda costa estar cerca de Ida. Un día en que la tormenta había derribado uno de los árboles del patio del hospital, la enfermera Ida dijo: Cuando el viento no sabe hacia dónde soplar, siempre por Bautzen ha de pasar. Lo dijo riéndose y, mientras miraba por la ventana el árbol caído, les dijo a las demás enfermeras que ella no tenía que preocuparse por su patria chica. Al oír aquella frase, a Helene le hubiera gustado desaparecer de la faz de la tierra, sólo con gran esfuerzo logró reprimir una sonrisa: ¿cuánto tiempo hacía que no había oído aquel refrán?

Peter dijo que tenía frío y que quería irse a casa. Helene le entretuvo, esperarían a que pasara otro tren. En una ocasión, mientras estaban comiendo sentadas en círculo, cada una con su plato, en la cocina de las enfermeras, la enfermera Ida se había vuelto hacia Helene en mitad de la frase y le había dicho: Ya sé por qué todo el rato me suena tanto tu cara. Tú eres de Bautzen. Helene dejó tranquilamente el tenedor en el plato y sintió que la sangre se le subía al rostro tan de repente que tuvo que fingir un ataque de tos y salir excusándose. Seguro que conoces a mi tío, fue un juez muy conocido en Bautzen hasta que se jubiló, añadió Ida a toda prisa.

Helene negó con la cabeza. No, dijo aturullada, soy de Dresde, en Bautzen sólo he estado una vez, de pasada. ¿No es allí donde hay una torre inclinada? La enfermera Ida miró a Helene decepcionada, algo incrédula, pero decepcionada. ¿De pasada? Sí, hacia Breslau, respondió Helene con la esperanza intrínseca de que ninguna de las enfermeras fuera de Breslau y quisiera hablar con ella de una ciudad que, de hecho, desconocía. Desde entonces había días en los que Helene notaba la mirada escrutadora de Ida encima de ella. El viento aullaba y zumbaba junto a los postes de telégrafo. Helene miró hacia donde estaba la locomotora. La chimenea sólo humeaba débilmente. Era como si ese día no fuese a moverse de la estación. Nadie había venido y Helene no compraría ningún billete. Helene se levantó, Peter se agarró con fuerza de la mano de su madre y, en silencio, subieron las escaleras de regreso a la ciudad.

Helene no había contado con que Wilhelm volviera a visitarlos y aprovechase para ello justo el verano en el que Peter empezaría a ir a la escuela. Helene había acondicionado el piso; había vuelto a pintar la pared que quedaba junto a la ventana de la cocina, pues por arriba había entrado la lluvia, había pegado el papel de pared del dormitorio y sujetado con clavos la silla que cojeaba hasta que quedó firme y estable junto a la mesa de la cocina; por último, había lavado las cortinas, limpiado los cristales y comprado un ramo de cosmos. Todo debía estar reluciente cuando llegase Wilhelm. Él no debía sacudir la cabeza y creerla incapaz de hacerse cargo del niño sola. Todo lo hacía sola. Con ayuda de Peter trasladó el sofá de los antiguos vecinos de al lado hasta la cocina de su propia casa. Le explicó al niño que durante esa semana tendría que dormir en el sofá. Pero luego Wilhelm prefirió dormir en el sofá, y Peter pudo quedarse en la cama de su madre. Wilhelm dijo que estaba de vacaciones; llegó vestido de traje. Helene no sabía muy bien si en realidad servía como soldado. Él llevaba ese asunto con secretismo. Un holgazán no era, a Helene le pareció que su orgullo apuntaba más hacia la posibilidad de estar llamado para misiones más importantes y estratégicas. Además, las breves cartas con dinero que le enviaba cada pocos meses siempre procedían de Frankfurt o de Berlín. Hacía poco que Helene había apelotonado el dinero en un calcetín de lana gruesa y después lo había escondido en el fondo de su cesto. Cuando en una ocasión Peter se arañó en la rodilla, lloraba y quería que le pusieran una venda, Helene le dijo que la herida se curaría mejor al aire, pero Wilhelm la interrumpió y, dándole una colleja al niño le recriminó: No llores, Peter. Y no olvides una cosa, el hombre está aquí para matar y la mujer para curar sus heridas. Peter había echado la cabeza hacia atrás y alzaba la vista hacia su padre. Tal vez viese una sonrisa. Pero no, la seriedad de su padre iba dirigida a él.

Wilhelm tenía buen aspecto, fuerte y alegre. Rebosaba salud. Por las noches roncaba satisfecho en voz alta, Helene no lograba pegar ojo. Él llevaba las camisas planchadas y con los cuellos limpios, y en la cartera guardaba la fotografía de una mujer sonriente. Helene había cogido el pantalón para lavarlo y, al hacerlo, se había caído la cartera. Aquello no le incumbía, así que no le preguntó, del mismo modo que ella tampoco quería que le hicieran preguntas. La mañana del cuarto día Wilhelm les explicó que, antes de regresar el domingo, le gustaría hacer una pequeña excursión con el chico a Velten. A lo mejor se apuntaba también su hermano desde Gelbensande. Helene nunca había visto al hermano de Wilhelm, hasta ese mismo día seguía sin saber si había sido él quien le había preparado la documentación. Peter abrazó a su madre a la altura de las caderas, no quería ir sin ella. Pero su padre dijo que no debía ser un gallina, que un chico debía hacer de vez en cuando un viaje sin su madre. ¿Velten? Wilhelm creyó ver desconfianza en la mirada de Helene.

No te preocupes, dijo medio riéndose medio reprendiéndola, que te devolveré al niño. Incluso en vacaciones tenía que verse con un compañero de trabajo. Como Wilhelm había dejado el automóvil en Frankfurt, ambos tomaron un tren. Para Peter era un gran día, sería su primer viaje en tren. Tal vez Wilhelm, por su parte, quisiera acortar el tiempo que pasaba con su mujer dedicando la mitad de la anunciada semana de descanso a hacer una breve excursión con Peter. A lo mejor ese viaje también estaba relacionado con su trabajo.

En esa época, Helene trabajaba en la maternidad y las mujeres nunca recibían demasiados cuidados; constantemente había que cambiar compresas y limpiar las chatas, aplicar apósitos fríos contra la fiebre puerperal y reponer cada hora los emplastos de requesón contra los principios de mastitis. Curar los desgarros, echar polvos de talco en los ombligos. Helene les traía a las mujeres sus bebés de la sala neonatal y se los colocaba junto al pecho. Los bebés, de un sano color rosado, succionaban leche dulce de los rebosantes pechos de sus madres; entretanto sus padres combatían en el lejano frente del este y del oeste, por tierra, mar y aire, y vigilaban mientras Leningrado moría de hambre. Helene no quería pensar, había instrucciones y procesos que cumplir, llamadas que atender, tenía que actuar, tenía que correr, colocaba a los bebés en el pecho de sus madres, les ponía el pañal, los pesaba y los vacunaba; y escribió una última carta a la antigua dirección que tenía de Leontine. No enviaría ninguna más, ninguna de sus cartas había obtenido respuesta. La operadora le dijo que ese número de teléfono no estaba asignado y que bajo ese nombre no vivía ninguna Frau Doktor. Helene sólo iba a casa a dormir.

El domingo, tras su regreso de Velten, Peter contó que habían visitado una fundición y pasado la noche en una pensión. El tío no había podido ir, probablemente no le habrían dado vacaciones. Ese día comieron ensalada de arenques con cebolla, manzana y remolacha. Lo único que no pudo encontrar Helene fueron las alcaparras. Peter lamió el plato, tenía la boca de color rosa rojizo por la remolacha. Wilhelm debía regresar a Frankfurt.

De éstos tengo más de los que puedo gastar, le dijo Wilhelm a Peter cuando, al despedirse en la puerta, le puso en la mano un billete de diez. Para que se comprase caramelos. Helene se alegró de que Wilhelm se hubiera marchado.

Por la noche, cuando Helene se tumbó en la cama junto a Peter, él aún no se había dormido. Peter se volvió hacia su madre.

Papá dice que vamos a ganar.

Helene calló. Seguro que Wilhelm le habría hablado al niño de las bombas. Él estaba firmemente convencido de que servir a la patria con un arma bajo el brazo era lo que hacía que un hombre fuese un hombre. Helene acarició la frente de su hijo. Qué ser humano tan bello era.

Papá dice que debo crecer y hacerme fuerte.

Helene no pudo evitar sonreír. ¿Acaso no lo era ya, grande y fuerte? Ella sabía que a veces tenía miedo, pero ¿quién podía ser valiente sin tener miedo? Uno de los días que Peter se había marchado con su padre, Helene le había comprado una navajilla. Se la regalaría en noviembre por su sexto cumpleaños. Sabía que Peter nada deseaba más que una navaja de muelles. Quería hacerse una caña de madera y cortarse él mismo el pan.

Papá dice que tú siempre callas porque eres fría.

Helene miró a su hijo a los ojos, la gente decía que había sacado los ojos de ella, azules y cristalinos; era difícil negar con la cabeza estando tumbada. Le acarició los hombros y Peter apretó la frente contra el pecho de su madre.

Pero yo no me lo creo, dijo Peter acurrucado junto a su pecho. Yo te quiero, mamá. Helene acarició la espalda de su hijo. Le resultaba difícil mover el brazo. Tal vez aquel día había levantado a demasiados enfermos. Se sentía débil. ¿Qué podía ser ella para su pequeño Peter? ¿Y cómo podía él ser su pequeño Peter si ella no era nada para él, si no podía hablar, ni contar, ni sencillamente decir nada? Otra mujer se pondría a llorar, intuyó Helene. Tal vez Wilhelm estuviese en lo cierto y su corazón fuese de piedra. Frío, gélido, férreo. No lloró porque no tuvo ganas de llorar; le dolían los pies, también la espalda, había estado de pie todo el día, sabía que sólo le quedaban cinco horas para dormir antes de levantarse, planchar la colada, fregar la cocina, prepararle el desayuno a Peter, despertarlo y mandarlo a la escuela antes de que ella se fuese a trabajar al hospital. El brazo con el que había acariciado a Peter y que en ese momento descansaba encima de él, de su hijo dormido, le dolía. Una tendinitis sería el colmo. Una enfermera no se ponía enferma. El domingo, al despedirse, Wilhelm le había dicho: Alice, eres dura e inquebrantable. No me necesitas. Helene no fue capaz de interpretar sus palabras. ¿Lo había dicho orgulloso, ofendido o satisfecho porque así su regreso tenía cierta justificación? Tal vez le exasperara que ella no le necesitase. Un hombre quería sentirse necesario, de eso no cabía duda. El puño de hierro no podía perder de vista su objetivo, nada de desviarse y golpear fuera del objetivo, hierro sobre hierro y, sobre todo, no verse despojado de su razón de ser. ¿Y acaso con una mujer no ocurría lo mismo? ¿No era lo más importante para ella estar todos los días puntualmente en el hospital? ¿Qué era lo férreo: un criterio, una propiedad, una particularidad? Disciplina férrea. Cuántas veces hacía horas extra. Ninguna enfermera se marchaba si veía que las chatas se amontonaban en el carrito, que una paciente había vomitado en el camisón y otra estaba muriéndose. Compasión férrea. También a Peter le había acostumbrado a no ponerse enfermo. Razón férrea. De pequeño, cuando pasó la varicela y las paperas, Helene le tuvo que pedir a la señora Kozinska que lo cuidara para que ella pudiese llegar a tiempo al trabajo. En todo el día, la señora Kozinska no lo había lavado ni una vez, se había olvidado de prepararle las compresas frías y, además, por la tarde el niño no había tomado suficiente líquido. Seguramente habría estado ocupada cantando.

Aquella mañana Peter despertó a Helene, ya era de día; él se apretó contra su madre, la rodeó con los brazos y susurró: Mamá, te quiero mucho. De pronto se subió encima de ella y ocultó el rostro en su cuello. El cabello sedoso le hizo cosquillas a Helene. No debía sentarse encima de ella, ¿o es que no lo sabía? Y mientras Helene lo apartaba de un empujón, él dijo: Mamá, tu piel es tan suave y hueles tan bien que siempre querré estar contigo, siempre, y trataba de que no lo apartara, se aferraba con fuerza, le rozó el pecho con la mano y ella sintió algo pequeño y duro junto al muslo que sólo podía ser una erección, su erección. Helene se lo quitó de encima y se levantó.

¿Mamá?

Date prisa, Peter, debes asearte e ir a la escuela, le dijo dándole la espalda. No añadió nada más, no quiso volverse hacia él ni ver su cara.

Durante la guerra, muchos mandaban a sus hijos al campo pero si ella lo hiciera, la enviarían a un hospital de sangre en Obrawalde, o a Ravensbrück. Helene no quería que la enviaran a ningún sitio, así que tampoco podía mandar a Peter al campo.

El sol incidía desde una posición inclinada, la inclinación otoñal respecto a la tierra. El viento soplaba, gemía, silbaba. Una vez que Helene estaba tendiendo la colada en el patio, oyó a los niños mientras jugaban y gritaban. Se perseguían y se chinchaban unos a otros. Helene distinguió claramente la voz de Peter entre las de los otros niños.

> El judío aceite ha tomado
> y después mazapán ha cagado
> el mazapán no es sano
> y el judío es un marrano.

La sábana colgada le entorpecía la vista, el viento la empujaba contra su rostro, era fresco, ella no podía ver a los niños, sólo una niña, de la casa de al lado, se hallaba junto al portón, indecisa. Helene sujetó la sábana con la última pinza y se dio la vuelta. ¿Dónde se había metido ese mocoso? A menudo se alegraba de que él se dedicase a correr solo entre los edificios y ella pudiese hacer su trabajo con tranquilidad; tenía amigos, se iba haciendo independiente, llegaría el día en que no la necesitara, pero en ese momento quería saber dónde estaba. ¿De dónde habría sacado esa canción? El mazapán no es sano. ¿Por las almendras amargas? ¿Cianuro potásico? Hacía casi tres años que ya no quedaban judíos en Stettin, ni uno solo, se los habían llevado a todos.

¿Has visto a Peter, mi hijo? Helene preguntó a la niña que se hallaba junto al portón. Ella negó con la cabeza, no, no sabía hacia dónde había ido.

Helene le esperó con la cena lista. Los alimentos se racionaban, la tendera le había dado un huevo, un cuarto de litro de leche y una lechuga; la hija de la vieja pescadera, más abajo, junto al baluarte, le había dado una caballa, que había rellenado con el último trozo de mantequilla y una hoja seca de salvia y hecho al horno. A Peter le gustaba el pescado al horno. Cuando entró por la puerta, Peter traía rozaduras en ambas rodillas y en el codo tenía una costra que se le había abierto. Tenía las manos negras y en la nariz una mancha de carbón. Sus ojos brillaban, al parecer se había divertido.

Ve ahora mismo a lavarte las manos, dijo Helene. A Peter no se le pasó por la cabeza llevar la contraria a su madre. Se lavó las manos, se frotó las uñas con el cepillo y se sentó a la mesa.

El carbón de la cara, dijo Helene, ¿haces el favor de limpiártelo también?

Es que tengo la negra, dijo Peter riéndose. Le encantaba jugar y, cuando los demás se burlaban de él, él se reía con ellos.

Antes te he oído cantar una rima burlona. Helene le puso a Peter en el plato la parte de arriba de la caballa y partió en dos el canto de pan.

¿A mí?

¿Tú sabes quiénes son los judíos?

Peter se encogió de hombros. No quería enfadar a su madre, nada más lejos de su intención. ¿Personas?

Pues eso, entonces, ¿por qué te burlas de ellos con esa rima?

Peter volvió a encogerse de hombros.

No quiero que lo hagas, Helene lo dijo con voz severa y neutra, que no se vuelva a repetir. ¿Queda claro?

Peter la miró desde debajo del flequillo, no pudo reprimir una sonrisa, parecía un pícaro cuando ponía esa cara, no podía creer que su madre se ofendiese tanto por una rima.

¿Y cómo son los judíos? Peter seguía sonriendo. Lo quería saber de verdad y preguntó al respecto, pero tuvo que conformarse con que Helene no le respondiera. Ella se sentía incómoda, una incomodidad que la atormentaba. ¿Estaba siendo cobarde? ¿De qué manera iba a explicarle a su hijo cómo eran los judíos, quién era ella y por qué no podía hablar? Nadie sabía adónde iba a parar lo que se le contaba a un niño, al día siguiente, en la escuela, podría comentarlo con el maestro o con los demás niños. Helene no quería que eso ocurriera. En ningún caso quería ponerlo en peligro. Seguro que él lo entendería, Helene estaba segura, Peter era un niño listo. Personas, eso bastaba como explicación, ¿no? Helene no respondió a su sonrisa y ambos se comieron el pescado en silencio.

Mamá, dijo Peter después de lamer el plato, gracias por la caballa, estaba fabulosa. Peter sabía distinguir la mayoría de pescados, le gustaban las diferencias, los distintos nombres y sabores. A Helene no le gustaba la palabra «fabulosa». Todos la utilizaban, pero no era clara, inducía a error. En noviembre, cuando le regalase la navajilla, ya sería demasiado tarde para pescar cerca de la ciudad; la orilla ya se habría helado en su mayor parte, los peces nadaban a demasiada profundidad, probablemente apenas pescaría un pez comestible. Helene insinuó una sonrisa. ¿De dónde vendría de pronto tanta amabilidad? ¿Le habría dicho ella alguna vez que había que dar las gracias? Las espinas serían para el gato del patio. Nadie sabía de quién era, era un gato hermoso que parecía siamés, blanco con las patas marrones y unos ojos claros y brillantes. Peter debía fregar los platos, Helene se lo agradeció por adelantado. Él lo hacía con gusto, ayudaba a su madre en lo que podía. También se acostaba solo, Helene cogió su bata planchada y se despidió, tenía turno de noche.

La niebla pendía pesada sobre el Haff, los barcos hacían sonar las sirenas, que parecía que se pisasen los talones. Más arriba, en la ciudad, el sol brillaba con luz dorada y proyectaba largas sombras, el día acababa de empezar.

Vamos a por setas, anunció Helene un domingo libre que le habían concedido tras mucho insistir y en atención al niño, y preparó la cesta. Las condiciones eran inmejorables, el día anterior también había llovido y la pasada noche había habido luna llena. Media ciudad estaría en los bosques un domingo, pero Helene conocía el terreno, seguro que encontraría los claros más solitarios. Un paño, dos cuchillos y un periódico, pues las setas no debían entrechocar ni rozarse cuando estuviesen unas sobre otras.

Fueron en tren hasta Messenthin, pronto dejaron atrás las casas de paredes entramadas y tejados de paja, Helene sabía por dónde entrar al bosque. Los abetos estaban muy juntos, después se abrían paso las hayas y los robles. El aire era fresco. Olía a otoño temprano, a setas y a tierra. Hojas de haya, lisas y algunas ya de color bronce, pequeños robles secos. Helene caminaba delante, iba a paso ligero, conocía el bosque y los claros. Sintió hambre, lo cual no era la mejor condición para encontrar setas. Su mirada rozaba la espesura, la maleza, aquí estaba demasiado oscuro, allí demasiado seco, tenían que adentrarse aún más, hasta donde todavía hubiese abejas calentándose en los troncos con movimientos lentos, pues el frío incipiente las paralizaba.

Espera, mamá, vas demasiado deprisa. Peter iría veinte o treinta pasos por detrás. Helene se volvió hacia él, era joven, tenía unas piernas ágiles, así que no debía ir pensando en las musarañas. Helene prosiguió su camino, sorteó ramas caídas, algunas se rompían bajo sus pies, las setas que crecían en los árboles no le interesaban, por ella podían extenderse por los tocones reblandecidos; Helene siguió adelante, quería encontrar boletus, boletus y boletos bayo. Los rayos de luz se abrían paso entre los árboles, más adelante vio verde, el verde delicado y seco de un pequeño claro, allí podía haber, allí tenía que haber, encontraría una, dos, saquearía todo un corro de brujas. Helene andaba y ya apenas oía a Peter, que avanzaba a trompicones muy por detrás de ella y gritaba. Allí había una. Tenía un sombrero viejo y grueso, marrón, lo menos parecido a lo que se podía esperar una mañana como aquélla. ¿No había llovido en la última noche y había habido luna llena? El rocío tardío aún colgaba de algunas hierbas. Sólo había una posibilidad: que alguien hubiese estado allí antes que ellos y hubiese expoliado su bosque, su linde, su claro. Helene se detuvo y miró a su alrededor, casi sin aliento. Aquella rama de allí detrás, ¿se acabaría de romper?

¡Espera!, exclamó Peter, que aún no había alcanzado el claro cuando ella se disponía a darse la vuelta y proseguir su camino hacia la espesura. Helene no esperó, simplemente fue más despacio. Oyó el ladrido de un perro, sonaba a lo lejos, luego un primer silbato, otro. ¿Estaría de caza un guardabosques en domingo? Conejo con rebozuelos, Helene no pudo evitar pensar en la carne tierna del conejo que había estofado una vez para Wilhelm, hacía mucho tiempo. Haría falta una escopeta. Rebozuelos, o mejor, boletos anillados. Los ojos de Helene rastreaban el suelo, se desbordaban, se le iban a salir de las cuencas. Una seta matamoscas con sombrero vigoroso, joven y jugoso, como de cuento. Helene siguió caminando, Peter siempre tras ella. Atravesaron la línea del ferrocarril. Un hedor asfixiante les vino de frente. Apestaba a carroña, a orina y a excrementos. A cierta distancia estaba parado un transporte de ganado. Los vagones herrumbrosos iban cerrados hasta arriba.

Helene avanzó siguiendo las vías, Peter la siguió, a lo lejos ella distinguió a un policía. Probablemente la locomotora habría tenido una avería, el ganado sufría mucho en los transportes largos. Un perro ladró y Helene sólo dijo: Vamos.

Retomó el camino hacia el interior del bosque. Tuvieron que sortear el tren, rodearlo describiendo una gran curva para evitar el hedor y no cruzarse con los perros.

Mamá, ¿por qué corres?

¿Es que Peter no olía aquella peste? A ella le vino una arcada, tuvo que respirar por la boca, lo mejor era no respirar; Helene echó a correr, las ramas se rompían, le golpeaban en la cara, ella se cubría con los brazos para protegerse los ojos, bajo sus pies se quebraba la madera reblandecida, se resbaló, allí había una seta, probablemente un camaleón rojo, no quiso detenerse, ni agacharse, en ningún caso entretenerse, sólo seguir, alejarse de aquel hedor. Una vez hubiesen rodeado el tren hacia el noroeste la cosa mejoraría, aquel tufo avanzaba hacia el sudeste con el viento que venía de la costa. De nuevo el silbato perforó el oído de Helene. A lo mejor se les había escapado el ganado. O tal vez los domingos cazasen vacas en el bosque o pequeños cochinillos. Helene sintió hambre, no pudo evitar pensar en boletus con bolas de patata verde. Los hayucos salían disparados bajo las suelas de sus zapatos. Por nada del mundo debía agacharse, por muy bonitos que fueran esos sombreritos de pelo duro con semillas planas en grupos de tres; hayucos, si se tostaban sabían a nuez, quería enseñárselos a Peter, pero no en esé momento.

Lo habían conseguido, parecían haber alcanzado al tren y haberlo rodeado describiendo una amplia curva, el hedor había desaparecido. El silencio del bosque, el zumbido de los insectos. Un pájaro carpintero.

Mamá, estoy viendo una ardilla.

Helene se limpió el sudor de la frente con el dorso de la mano.

En su camino se interponía el tronco grueso y largo de un haya, la corteza aún tenía un brillo gris plata. Por las grietas de la corteza pululaban escarabajos planos con manchas rojinegras, enganchados por parejas, parecían animales fantásticos de dos cabezas, como en los cuentos del doctor Doolittle. Al menos eso le podía haber leído a Peter, no así *El corazón frío*, ese cuento le daba miedo, pero sí las historias del doctor Doolittle en caso de que le diese tiempo a leerle algo; le gustaría, pero aún había tiempo, seguro, aún tenían tiempo, algún día, sólo debía volver más pronto del hospital, llegar a tiempo a la biblioteca, que estuviese el libro y que ella pudiese sacarlo prestado. Un tronco como ése había que sortearlo. Helene dejó la cesta en el suelo y apoyó las manos en el tronco, con cuidado para no aplastar ningún escarabajo; el tronco no cedió ni un milímetro.

¡Mamá, espera!

Helene fue palpando hasta dar con la superficie adecuada, se apoyó con ambas manos sobre el tronco y, con un pequeño impulso, pasó una pierna por encima. El tronco era tan grueso y estaba tan alto por su propia curvatura que Helene se quedó sentada sobre él. Ahora bien, ¿cómo bajar? Se oyó un chasquido. El tronco no se podía romper. El chasquido sonó muy próximo. El hedor, allí estaba otra vez, a Helene se le puso un nudo en la garganta, le dio una arcada, tragó saliva y no quiso seguir respirando, ni una sola inspiración más. Un mareo, ese olor, no era carroña, sólo purines, un estiércol asqueroso. ¿Cómo era posible?, acababan de sortear el transporte de ganado, lo habían dejado atrás, estaba segura. Un estornudo. Helene se dio la vuelta. Debajo del tronco, en el hoyo que habían abierto las raíces que ahora apuntaban hacia el cielo, había un hombre acurrucado. Helene abrió la boca, pero no pudo gritar. El pavor era tal que ningún sonido salió de su garganta. El hombre se había agazapado, sobre la joroba que formaba había ramas, la cabeza no se le veía, la había hundido en la tierra, probablemente porque tenía la esperanza de desaparecer y la esperanza de que nadie lo viera. Temblaba tanto que las hojas mustias de las ramas que había amontonado sobre sí vibraban. De nuevo un chasquido. Parecía que le costaba permanecer quieto, que nada le hiciera moverse ni él moviese nada.

¿Mamá? Peter estaba a menos de diez metros. Su sonrisa pícara ocupó su rostro. ¿Ibas a esconderte? Lo preguntó, ya no tuvo que gritar de lo cerca que estaba. Helene se deslizó tronco abajo, se resbaló y corrió hacia Peter, le agarró de la mano y se lo llevó de allí.

Puedo ayudarte, mamá, si no puedes trepar por encima del árbol yo te ayudo, puedo hacerlo, ya lo verás. Peter quería volver donde estaba el tronco, no quería ir en otra dirección, quería hacer equilibrios y enseñarle a su madre cómo se trepaba por encima de un tronco como aquél. Pero su madre, imperturbable, daba un paso tras otro arrastrando a Peter tras ella.

Suéltame, mamá, me haces daño.

Helene no lo soltaba, corría, tropezaba, las telarañas se le quedaban pegadas a la cara, corría y sujetaba la cesta por delante de ella, como si eso pudiese eliminar las telarañas; el bosque comenzó a clarear, los helechos y las hierbas eran altos, allí apenas había viento, no había tiempo para descansar, debían seguir. El ganado era un hombre, probablemente fuesen personas las que estaban allí, sobre las vías, pudriéndose y expeliendo aquel hedor. Presos, ¿quién si no se agazapaba tembloroso bajo unas ramas con tan poca ropa? Se había escapado. Puede que fuese uno de los transportes con destino a Pölitz, encargados de llevar una nueva remesa. Desde que había comenzado la guerra no lograban producir suficiente combustible, ni forzar a suficientes trabajadores, ni esclavizar a suficientes presos para acarrearlos hasta allí. Según los rumores que las enfermeras se contaban tapándose la boca con la mano, incluso las mujeres trabajaban en las fábricas, bregaban hasta no poder más, hasta no poder comer ni beber siquiera, hasta que un día ya no les era necesario respirar. ¿Le había visto la cara al fugitivo, había levantado él la cabeza y le había mirado Helene a los ojos, ojos asustados, ojos negros? Helene vio entonces los ojos de Martha. Los ojos asustados de Martha. Helene vio a Martha en el vagón de ganado, vio cómo los pies descalzos de Martha resbalaban sobre los excrementos, cómo ella buscaba dónde agarrarse, los gemidos de los hacinados, los lamentos de aquel hombre, sus temblores, las hojas de roble y el estornudo. Se oyó un disparo.

¡Un cazador!, exclamó Peter lleno de júbilo.

Los perros ladraron a lo lejos, otro disparo.

Espera, mamá. Peter quería pararse y mirar a su alrededor, ver de dónde venían los disparos. Pero Helene no esperó, la mano de Peter resbaló de la suya, ella siguió avanzando a toda prisa, se tropezó, cayó y se apoyó en los troncos caídos, se agarró a varias ramas y no dejó de dar un paso tras otro, un paso tras otro, podía correr. Algo muy sencillo, conejo con rebozuelos. Como decía la canción infantil: El conejo en el hoyo, entre la montaña y el bajo valle. Sobre todo en el valle. ¿Cómo había sido capaz de comer conejo?

Corrieron por el bosque durante un tiempo indefinido hasta que Peter gritó tras ella que no podía más y, sencillamente, se detuvo. Helene no se dejó retener, continuó su camino, sin descanso.

¿Sabes dónde estamos?, gritó Peter tras ella.

Helene no lo sabía, no podía responderle, todo el tiempo había estado pendiente de que el sol, en cuanto asomase entre el follaje, proyectase su sombra hacia la derecha. ¿Era el sol o los árboles los que proyectaban la sombra? Helene no estaba segura. Era una pregunta sencilla, pero irresoluble. Probablemente fuese el hambre lo que la impulsaba, lo que aceleraba su corazón, lo que le hacía sudar. Sí, tenía hambre. En la cesta no había aún ni una sola seta, lo único que había hecho era correr y ni siquiera sabía hacia dónde. Había tratado de avanzar hacia el oeste y dejar el tren atrás. Tal vez lo hubiesen conseguido. Tenían que seguir, Helene vio que allí, más adelante, clareaba, habría un claro, un desmonte, una carretera, lo que fuese.

Una mano trató de agarrarla, Peter la había alcanzado, su mano era fuerte y pequeña y enjuta. ¿Cómo un muchacho podía tener tanta fuerza en la mano? Helene quiso soltarse, pero Peter la agarró fuertemente, la sujetó de la mano.

Adelante, y uno, y dos, y tres, Helene se sorprendió contando sus pasos, quería escapar, salir de allí, lejos. Peter se aferraba a ella, la agarraba del abrigo, ella sacudió la manga, lo hizo con ímpetu hasta que Peter tuvo que soltarse. Ella iba delante, él, detrás. Ella corría más rápido que él. El claro del bosque resultó ser un espejismo, allí nada clareaba, el bosque era cada vez más espeso, el sotobosque, por encima de las copas se habían formado nubes, nubes que avanzaban, se trasladaban desde la costa hacia el interior. ¿Qué hora sería? ¿Mediodía? ¿Antes? ¿Después? A tenor del hambre que sentía debía de ser tarde, las dos, puede que ya fuesen las tres por la posición del sol. ¡Mamá! Setas fritas con tomillo, simplemente rehogadas con un poco de mantequilla, con sal, pimienta, perejil fresco, unas gotas de limón, setas estofadas, al horno, cocidas. Crudas, la primera que encontrase se la comería cruda, allí mismo. A Helene se le hacía la boca agua, avanzaba a trompicones, sin sentido. Hojas y ramas, las espinas de las bayas, moras tal vez, pero ¿dónde estaban las setas? ¡Mamá! Las hayas quedaron atrás, un viejo coto de bosque nuevo, ya sólo había helechos y eran bajos, cada vez más pequeños, las ramas colgaban a poca altura, las agujas crujían, el suelo del bosque cedía. Un pequeño claro, de entre las agujas surgían suaves montones de musgo. Una seta matamoscas y luego otra, los vigilantes venenosos. Y allí estaba, la tenía delante, el sombrero curvo, oscuro y reluciente. Los caracoles ya se habrían deleitado con ella, uno, dos pequeños hoyuelos atestiguaban el paso de otros predadores. Helene se arrodilló, clavó las rodillas en el musgo, se agachó sobre el sombrero y olió. La hojarasca, la seta, olía a bosque, a comida en otoño. Helene apoyó la cabeza en el musgo y la miró desde abajo, los pequeños tubos aún estaban blancos y firmes, era una seta excelente. ¡Mamá! Sonaba como muy a lo lejos. Helene se volvió. Y allí estaban, formando calle en declive, una seta al lado de otra, jóvenes ejemplares de la pasada noche; Helene se puso a gatas bajo las ramas, fue abriéndose camino con las manos y se tumbó en el suelo del bosque. Qué bien olía. ¡Mamá! Helene arrancó una seta, la partió y se la metió entera en la boca, la carne tierna y compacta casi se le deshizo en la lengua, qué placer. ¿Dónde estás? La voz de Peter se quebraba, estaba asustado, no la podía ver y creía haberse quedado solo. ¡Dónde estás! A su voz le salió un gallo. Helene había dejado la cesta en el claro. La segunda seta era aún más pequeña, más firme, más fresca, el pie claro pronto sería más grueso que el sombrero marrón. ¡Mamá! Peter luchaba con las lágrimas, ella vio sus delgadas piernas entre las ramas, lo vio recorriendo el claro a pisotones y deteniéndose junto a la cesta para luego agacharse y volver a incorporarse. Se colocó las manos delante de la boca en forma de embudo: ¡Mamá!

No había eco, el viento pasaba rápidamente sobre las puntas de los árboles, azotaba las ramas más altas queriendo tocar tierra. El niño gritaba en todas las direcciones. ¡Mamá!

¿Qué le costaba estarse callado? Era el ejercicio más fácil que había, ni temblores ni crujidos, sólo el silencio.

El niño se sentó en el suelo y se echó a llorar. No era divertido. Si ella saliese en ese momento de entre la maleza, a unos pocos metros, él sabría que lo había estado observando y que se había escondido adrede. ¿Con qué intención? ¿Por qué? Helene se avergonzó y guardó silencio, el niño lloraba. Ella respiró débilmente, no le costaba ningún esfuerzo. Ni un estornudo, ni una traición. Las hormigas le hacían cosquillas, la cintura comenzaba ya a picarle, esas bestias diminutas atravesaban sus ropas e hincaban el diente. Una araña roja de finas extre-

411

midades, no más grande que la cabeza de un alfiler, avanzaba por su mano. El niño se levantó y se puso a mirar en todas las direcciones, alzó la cesta y empezó a andar hacia el sudeste. Tonto no era, era justo la dirección de regreso al pueblo y la ciudad. Una tras otra, Helene se metió las setas en la boca, qué dulce era la soledad, el masticar, la calma.

Cuando dejó de oír los pasos de Peter entre el sotobosque, Helene salió a gatas de su escondite. Tenía agujas y trozos de corteza pegados en su abrigo corto. Se sacudió la falda. Se oyó un frufrú y un pájaro salió volando. Helene corrió atravesando los helechos y los jóvenes robles hacia el interior del bosque. Gritó ¡Peter! y él respondió ya a la segunda sílaba de su nombre; con voz aguda, aliviada, feliz, con una risa llena de impaciencia, gritó: ¡Mamá, estoy aquí!

Una fina sutura, la piel que cubría el ojo, tan delicada, el ojo del herido, de un padre, de la guerra. El globo ocular apenas era reconocible bajo la carne hinchada. Helene fue extrayendo con las pinzas las esquirlas de cristal del rostro, de la frente, de la sien, las esquirlas más finas de una mejilla, aún reconocible, y de la otra, que no era más que carne abierta y sangrante. El herido no se movía, tras varios intentos el médico había conseguido anestesiar a aquel hombre a pesar de la pequeña dosis. Los medicamentos escaseaban, la mayoría tenía que ser tratada sin anestesia. Estaban tumbados en catres, en armazones de camas que otros habían traído de sus casas, algunos se acurrucaban en el suelo porque no lograban encontrar lechos suficientes, todo ello bajo tiendas de campaña y en las cocheras del hospital, destruido en su mayor parte. Helene aplicó tintura de color óxido sobre las heridas, pidió gasa, pero a ninguna de las enfermeras le quedaba. Una niña pequeña la miraba muda desde hacía días, tenía el cabello algo chamuscado por delante, un chichón y nada más, pero había perdido a su madre. Desde entonces no había dicho ni una palabra. Había que sacarla del hospital, llevarla a cualquier parte, pero quién iba a encontrar un momento para pensar en eso. Allí le daban una sopa en cuanto alguien lograba hacer una, en cuanto hubiese vuelto el gas y saliera de nuevo agua del grifo.

En marzo, poco después de los últimos ataques, habían evacuado la clínica para mujeres trasladándola hasta Seebad

Lubmin, cerca de Greifswald. Helene había prometido que se incorporaría en cuanto hubiesen paliado las necesidades urgentes de los heridos que había en la ciudad; de su hijo ya no hablaba.

Tenazas, enfermera Alice, pinzas. Helene corría, alcanzaba el instrumental, abría el peritoneo, seccionaba porque tenían que ir rápido y el médico estaba en otra tienda atendiendo a una joven embarazada que sólo tenía herido un pie, tal vez lo habría perdido. Helene sajaba y cosía, taponaba hemorragias, una muchacha le sujetaba el instrumental, el escalpelo y las tijeras, las tenazas y las agujas. Helene trabajaba día y noche, a veces dormía una o dos horas en el cobertizo que las enfermeras habían habilitado como cocina. Rara vez se acordaba de que tendría que ir a casa para comprobar si todo estaba en orden. Peter debía ir a la escuela. Él le llevaba la contraria, decía que ya no había escuela, pues entonces a clase, por Dios, tenía que conseguir algo de comer, tenía dos piernas ¿o no?, debía buscarse la vida. ¿Acaso no había tenido suerte? En ninguno de los ataques le había ocurrido nada. Una vez, en invierno, había traído a casa una mano y no había querido decir nada sobre su hallazgo. Probablemente la habría encontrado en la calle, la mano, una mano de niño. A Helene le había costado lo suyo quitársela. Él no quería soltarla. El chico tenía que irse, eso seguro, a ella no le servía, debía hacer los deberes, calentar la estufa, ocuparse de encontrar carbón o madera, había por todas partes, ella tenía que dejarle solo desde hacía semanas, meses. Cuando Helene regresaba a casa, él la miraba con ojos grandes, siempre quería saber algo, le preguntaba, quería saber dónde había estado y quería que se quedara con él. Extendía las manos hacia ella para agarrarla y, si se tumbaba junto a él en la cama que compartían, la abrazaba como si fuera un pulpo. Tentáculos, se pegaba a ella como una lapa. Sus brazos absorbían hasta la última gota de aire. Pero ella no podía quedarse, tenía cosas que hacer. Helene ya no hablaba con nadie. ¡Mami! Una vieja moribunda llamó a gritos desde su lecho. Ésa no era Helene, Helene no era mami de nadie, no tenía que darse la vuelta, podía callar y taponar, coser y vendar. En cuanto había agua limpiaba a los heridos, en precario, y a los enfermos; apenas le daba tiempo a cogerles la mano a los moribundos, morían demasiados, demasiadas manos, demasiadas voces, gemidos y lamentos, por último el silencio, había que atar las sábanas y arrastrar a los cadáveres hasta los transportes. De nuevo a la mesa de operaciones; a un hombre había que operarlo por cuarta vez, del cráneo, el médico quería que Helene le asistiera, nadie sabía si había algo que salvar, pero la operación se llevó a cabo. Habían volado la cabeza de puente, a las afueras de la ciudad aguardaba el Ejército Rojo, la ira de los hambrientos, primero llegaron historias de cómo saboreaban la victoria, de cómo iban abriéndose camino, había que tenerles miedo, ya estaba entrando en la ciudad, el Ejército Rojo, hacía falta una venda, una compresa, cualquier cosa para cubrir una herida. ¿Cuánto tiempo hacía que no había pasado por casa? ¿Un día o dos? Ya no sabría decirlo. La noche anterior había dormido unas pocas horas en la tumbona del cobertizo turnándose con otras enfermeras, durante esos meses apenas había soñado una vez, cosía a varias personas entre sí, una persona a otra, había creado una gran malla de gente y ella no sabía quiénes vivían y quiénes habían muerto, ella sólo cosía, uno pegado a otro; durante las demás noches y horas dormidas no había tenido ningún sueño, un color negro agradable; Helene corrió a casa, ya estaba oscuro, no levantaba la vista, no observaba ningún destrozo, ningún daño objetivo, qué le había ocurrido a este edificio, qué otra cosa a aquél, avanzaba presurosa, tenía que decirle a Peter que se encargase de buscar una nueva cerradura. Helene aceleró, sus piernas debían llevarla más rápido aún, no lograba avanzar, el suelo cedía bajo sus pies, resbaló, piedras, grava, arena, pisó, pisó la tierra, siguió resbalando, lentamente, cada vez más profundo, sus pies se enterraban con la arena en el suelo, utilizó las manos para ayudarse, tuvo que salir a gatas, pero volvió a resbalar. El embudo de una bomba podía convertirse en una trampa, en una trampa en el tiempo, en una trampa nocturna. Un paso bastaba para caer dentro y mil no eran suficientes para salir, por mucho que uno se esforzara. Helene no gritó, había algunas personas por la calle, pero cada cual seguía su camino y ninguno el de Helene. Palpó a su alrededor con las manos, lo intentó de nuevo, palpó arriba y abajo hasta que notó algo firme y pudo agarrarse. Estaba tan oscuro que no podía distinguir lo que era. Fue avanzando sujeta a aquella cosa firme, un cable tal vez, un cable rígido, una tubería de agua, algo curvo, después algo blando, la cosa blanda la dejó caer, podía ser una persona, un trozo de cadáver, siguió avanzando agarrada a la cosa firme, tirando de ella y escaló hasta arriba. La calle estaba negra; el cielo, oscuro, en ningún edificio había luz, tal vez un apagón. Los adoquines resbalaban a causa de la llovizna. ¡Ladrones! A lo lejos se oyó el grito estridente de una mujer enfurecida que se quejaba por los saqueos. ¿Quién iba a querer acalorarse con ella esa noche, la del día siguiente, y la del otro? Por una de las ventanas negras se asomaba un joven. Con los brazos abiertos de par en par gritaba en mitad de la noche: ¡El Salvador! ¡El Salvador! Rara vez se veía a un hombre joven, para que así fuera era bastante probable que estuviese hablando del Salvador, seguramente creyese en eso, en la Salvación. Lo que había desaparecido ya no estaba, no había más. Helene tuvo que poner atención para no resbalar. Oyó a unos hombres tras ella. Voces zalameras, apretó el paso, echó a correr. En ningún caso debía darse la vuelta. Un disfraz le vendría bien; la tierra olía a primavera, una noche polvorienta de primavera.

Tenía que tomar una decisión, lo intuía; no, no era una decisión, sólo la iniciativa de hacerlo, eso era lo que tenía que tomar. Todos los alemanes habían sido llamados a abandonar la ciudad, allí no quedaba nada, ni clases ni pescado para Peter.

¿Adónde lo iba a mandar? Él jamás se separaría, nunca, no por voluntad propia. Ella no tenía tiempo para emprender largos viajes, no se lo podía llevar consigo, tampoco sabría adónde. Peter no permitiría bajo ningún concepto que lo mandase lejos. Intuía cualquier pretexto, detectaba el menor atisbo de mentira. Sin embargo, ella no tenía nada más que darle, las palabras se le habían agotado hacía tiempo, no tenía pan ni tampoco una hora, no le quedaba nada para su hijo. El tiempo de Helene era igual a alivio, alivio de enfermos, vivir un poco más con un poco menos de dolor. Palpita la nostalgia de un mundo por el que debemos morir. ¿Por qué la tal Else escupía siempre dentro de su cabeza? Nada de morir, Else, sólo extinguirse. Y eso era bueno. Helene se entregaba a los heridos y a los enfermos, ellos no le hacían preguntas, lo único que tenía que hacer era tocarles con la mano, ése era su deber y sabía cómo hacerlo.

Una vez en casa encontró a Peter metido en su cama. Ya estaba dormido. Encendió una vela y puso encima de la mesa el espadín que había envuelto en periódico y metido en el bolsillo de la bata. A Peter le haría ilusión desayunar espadín. Cogió del armario la pequeña maleta color granate y la abrió. En el fondo puso el calcetín de lana lleno del dinero de Wilhelm. Encima dos camisas, dos calzoncillos y un jersey que le acababa de tejer en otoño. El pijama que llevaba puesto le estaba demasiado corto. ¿Por qué Peter tenía que crecer precisamente en ese momento? Esa misma noche se sentaría junto a la máquina de coser que había cogido del piso de al lado tras el incendio. Le haría un pijama nuevo, nada rebuscado, algo sencillo. Tenía la tela necesaria. ¿Para qué si no iba a haber guardado un pijama de Wilhelm durante tantos años? Metió en la maleta dos pares de calcetines y su libro favorito, cuyas historias Peter leía y releía desde hacía meses, *Leyendas de la Antigüedad clásica*. Sin pensarlo mucho escribió en un papel: Tío Sehmisch, Gelbensande. Suponía que el presunto hermano de Wilhelm existiría. O al menos una esposa que lo esperase, que aguardase a quien pronto volvería de la guerra. En el campo aún había con qué alimentarse. Ellos debían ocuparse de Peter, el dinero de Wilhelm tal vez les sirviese de ayuda. Puso el papel con la dirección del tío y la partida de nacimiento de Peter debajo del calcetín con el dinero, muy al fondo, no debían encontrarlo a la primera. Peter también se quedaría con el pez, lo llevaría en la maleta, el cuerno tallado en forma de pez. ¿De qué le iba a servir a ella? La carta de Leontine la quemó dentro de un cazo puesto al fuego, quemó todas las cartas. En cuanto tuviese que abandonar Stettin se pondría en marcha y buscaría a Martha, tenía que encontrarla. Sentía claramente que su hermana seguía viva, por supuesto que vivía. Tal vez el campo de trabajo fuese un lugar seguro. ¿Un lugar seguro para vivir? También Martha era dura, lo bastante dura. ¿Y quién sabía dónde terminaría? Helene quería viajar vía Greifswald, pasar por Lubmin, sus pacientes la necesitaban. Helene cosió el pijama para Peter, el pedaleo regular la tranquilizó. No debía faltarle de nada, por eso tenía que marcharse, alejarse de ella. Helene no lloró, se sintió aliviada. La perspectiva de que él tuviese una vida mejor y de que alguien hablara con él de esto y aquello y el sol al atardecer, eso le hacía feliz. Helene hizo una doble costura en el dobladillo y puso un pequeño bolsillo en la parte de arriba. En el bolsillo metió su alianza. Un poco de oro no le vendría mal. Cerró el bolsillo con una costura. Colocó el pijama en lo alto de la maleta. No podía decirle que se trataba de una despedida. Él no la dejaría marchar.

Epílogo

Peter escuchó lo que le decía su tío. Ahora viene la que dice ser tu madre. El tío bufó en su pañuelo de cuadros y escupió con desdén hacia el montón de estiércol. Pues hala, que se vaya dando prisa, dijo alzando la vista hacia el cielo y mirando a las grullas. Las demás aves habían emigrado hacia el sur hacía semanas. Peter debía ayudar a su tío a limpiar el establo, no fuera a ser que creyese que estaba allí para holgazanear. Que fuese tan listo en el colegio no implicaba que fuese un finolis. Peter no lo era. Ayudaba en el establo, ayudaba a ordeñar, le daban su leche y tenía su propio lugar donde dormir, en el banco de la cocina. Lo sufrían.

Todos estos años sin dar señales, gruñó el tío. Se largó, así de fácil. Y se supone que eso es una madre. El tío negó con la cabeza en señal de desprecio y volvió a escupir. Luego fue agujereando el enorme montón de estiércol con la horquilla. Procura que no se vaya extendiendo por abajo, Peter, échalo siempre aquí, arriba del todo.

Peter asintió; se adelantó y corrió hasta la puerta del establo, que ya dejaban cerrada, pues estaba siendo un otoño inusualmente frío. Abrió la puerta. Le gustaba el cálido aliento de los animales, sus gruñidos y mugidos, cómo rumiaban y chascaban la lengua. Ella había anunciado que llegaría por su cumpleaños, el decimoséptimo. Peter sabía que su tío estaba enfadado con su madre. Su mujer y él no tenían hijos, al parecer nunca los habían deseado. Peter había crecido en la granja y se había convertido en una gran ayuda, pero los primeros años habían sido difíciles; ambas partes creyeron tener que acostumbrarse la una a la otra sin saber si sería por unas semanas o por unos meses. Entretanto, todos tenían claro que iba a ser para siempre, hasta que Peter fuese lo bastante mayor. Ninguno se había acostumbrado al otro; se soportaban. El tío y la tía se quejaban cada vez que tenían que gastar algo en una prenda de ropa. La bicicleta con la que Peter había ido a la escuela, primero hasta Graal-Müritz y más tarde hasta la estación para tomar el tren a Rostock, se la había tenido que construir él mismo a base de piezas sueltas que primero había tenido que encontrar y, en caso extremo, ganarse trabajando. Esto último lo había hecho durante las primeras vacaciones de verano volteando el heno de sol a sol. Al final aprendió, había demostrado a sus tíos que podía ser útil. Eso era bueno. Tampoco debía comer demasiado; si alguna vez lo hacía, decían: Éste nos va a dejar sin una migaja. Sus tíos habían manifestado una y otra vez la esperanza de que alguien viniera a recogerlo; la madre, sobre todo su madre debería venir, no en vano había indicado esa dirección. Tío Sehmisch, Gelbensande. Así, sin más, sin preguntar. Pero ella estuvo mucho tiempo desaparecida. También su hermano podría haber dado señales de vida, ese hermano que ahora residía elegantemente con su nueva compañera en el Oeste, junto al mercado de Braunfels bei Wetzlar. Allí era alguien y no tenía tiempo para ocuparse de un pillastre como aquél. Una boca más que alimentar, así habían llamado a Peter durante sus primeros años en la granja.

¿Desde dónde viene? ¿Viene del Oeste? Peter sabía que su pregunta no haría más que irritar de nuevo a su tío, pero quería saberlo, quería saber de dónde venía.

Del Oeste, ¡bah, paparruchas! Vive cerca de Berlín. Y dice que quiere verte, ¡ja! El tío arrugó la nariz sin mirar a Peter. La tía le escribió rápidamente para saber si quería recuperarte. Se lo preguntamos. ¡Pero qué se ha creído! Recuperarte. Dijo que las circunstancias no se lo permitían, ¡ja!, que vive muy humildemente con su hermana en un piso de una habitación y trabaja mucho. ¡Mira tú! El tío se agachó. ¿Es que los demás no trabajamos? Vamos, Peter, coge de ahí. Peter levantó por un lado el comedero, el tío lo agarró por el otro extremo y juntos lo llevaron hasta el establo del fondo, donde uno de esos días iba a parir la cerda más vieja de la granja.

Peter supo entonces que ella vendría de cerca de Berlín. No tenía marido, pero aun así no quería recuperarle. Sólo quería verlo. Peter notó cómo apretaba los labios, cómo la piel áspera se desprendía con ayuda de los dientes, cómo él la ablandaba, la mordisqueaba y la arrancaba. Pero ¿qué se le había pasado por la cabeza? Después de todos esos años. Él ni siquiera iba a permitir que lo viera, de ninguna manera. Por él podía venir tranquilamente.

El tío recogió a la madre por la mañana en la estación de Gelbensande, debía llegar en el tren que pasaba por Rostock. El tío le preguntó a Peter si quería acompañarlo a la estación, pero la tía dijo que la cerda había parido aquella noche y que alguien debía ocuparse de los cochinillos. Eran demasiados, faltaban dos pezones, y los dos cochinillos de más podían morir de hambre o a mordiscos, ya que cada uno vigilaba con celo su pezón. Peter fue al establo de buen grado, se arrodilló junto a la cerda tumbada y eligió de entre todos al cochinillo más robusto. El pelo color claro de la cerda que recorría la línea de mamas era extrañamente suave, los pezones estaban más o menos llenos, unos eran grandes y nudosos, otros pequeños y alargados. Los cochinillos aún no abrían los ojos. Peter cogió al más robusto despojándolo de su pezón; el animal chilló como si lo fueran a acuchillar. Peter lo tendría un rato en brazos para que, durante ese tiempo, uno de los dos más débiles ocupara su pezón. Con el cochinillo en brazos, Peter anduvo dando pisotones entre la paja. Subió por la estrecha escalera hasta el henal. Allí estaba seco y hacía calor, aún más que abajo. A veces Peter se escon-

423

día en ese lugar para soñar y leer. Por la rendija de la lumbrera del tejado se obtenía una buena panorámica de toda la granja. Desde allí arriba se podía ver el portón, la entrada, el comienzo de la alameda. Peter se sacó la navajilla del bolsillo e hizo una pequeña muesca en el marco, ya profusamente decorado; otra muesca, una cenefa, un ornamento. No transcurrió mucho tiempo hasta que se oyó un traqueteo y Peter alcanzó a ver la camioneta. Su tío se bajó, abrió el portón, volvió a subir, entró en la granja y volvió a bajarse para cerrarlo. *Hasso* rompió a ladrar y saltó sobre su tío. Era un perro pastor bueno, lo bastante listo como para vigilar la granja. El último que habían tenido era un perro grande y mezcla al que Peter le tenía mucho cariño, pero al que su tío había decidido sacrificar porque no ladraba lo bastante alto. La otra puerta de la camioneta se abrió y se bajó una mujer joven. Desde allí arriba parecía una muchacha de piernas delgadas que asomaban bajo la falda, con un abrigo a la moda, de cuadritos, y un pañuelo azul en la cabeza. Peter reconoció el cabello rubio, que brillaba tanto como si se hubiese vuelto cano. Su figura familiar, su forma de andar y cómo ponía un pie delante del otro le pusieron a Peter la carne de gallina. Ella llevaba un pequeño bolso y una malla en la mano. Miró a su alrededor, vacilante. A lo mejor le había traído un regalo. ¿Cuántos años tendría su madre? Peter lo calculó rápidamente, debía de tener cuarenta y siete. ¡Cuarenta y siete! Al fin y al cabo seis menos que sus tíos. El cochinillo que Peter tenía en brazos chilló. Peter observó cómo su tío y su madre desaparecían tras la puerta de la casa. Peter bajó hábilmente por la escalera y devolvió el cochinillo a su sitio.

¡Peter! Era la voz de su tío. Tenía que haber salido a la puerta para llamarle. Peter se quedó quieto y no respondió. ¡Adentro! ¡Vamos a tomar café!

Su tío jamás le había llamado para tomar café. Sólo en una ocasión, a escondidas, Peter se había echado un poco de la cafetera y lo había probado con mucha leche y azúcar.

Peter esperó hasta que no oyó más que los resoplidos y la respiración de los animales y volvió a subir a su escondite. A través de la rendija podía ver la casa; sobre la puerta de entrada se erguía un tejado de madera, debajo había bancos a derecha y a izquierda donde quitarse las botas de goma y ponerse los zuecos. Cuando hacía frío, como entonces, *Hasso* se tumbaba sobre los tablones, entre los zapatos y los bancos. Le gustaba mordisquear los zapatos, ése era su único vicio, que le perdonaban por lo bien que ladraba. A través de la rendija, Peter pudo distinguir la cola de *Hasso*, que golpeaba los tablones a intervalos regulares. Después observó cómo *Hasso* se levantaba de un salto y meneaba la cola. Su tío apareció bajo el voladizo y gritó: ¡Peter!

El hecho de que sólo gritasen una vez su nombre daba muestras de la consideración prestada a la visita. En circunstancias normales, su tío jamás habría mostrado tanta paciencia, nunca gritaría su nombre en lugar de maldecir a ese granuja y preguntarse dónde se habría metido. Peter no pudo reprimir una sonrisa. De un momento a otro ella aparecería bajo el tejado. Puede que gritara su nombre. Peter se notó excitado. Él nunca aparecería, jamás. ¡Peter! Podían gritar todo lo que quisieran, esperarle, confiar en que apareciese. Peter se llevó la mano al pantalón, que estaba lleno de heno y paja.

Espera, oyó a su tío decirle al perro, ¡se va a enterar! Peter sintió ganas de orinar, pero no quería abandonar su puesto, quería verla, ver cómo aparecía bajo el tejado y lo buscaba con la mirada.

¿Dónde está Peter?, oyó preguntar a su tío. ¡Ataca, *Hasso*, ataca! El tío se palmeó el muslo, impaciente. Seguro que la tía ya había puesto las patatas a hervir. Su madre iba a quedarse a comer. La tía iba a preparar hojas de repollo rellenas. Peter había sugerido que hiciera arenques en vinagre. Pensó que a su madre le gustarían tanto como a él. Rollitos de arenque en escabeche y arenques en vinagre. Pero a su tía no le gustaba el pescado. Vivían a ocho kilómetros de la costa y la tía en su vida había probado el pescado, así que nunca había pescado para comer. Peter se acordó de cómo su madre solía preparárselo. Enebro, esa palabra le vino a la mente. Qué palabra tan bonita. La dijo en voz alta: enebro. Eran pequeñas bayas negras con las que su madre cocía el pescado. A Peter le gustaba olerle las manos; incluso después de haber limpiado y cocido el pescado el olor de sus manos era maravilloso. Tal vez algún día lograra olvidar el olor de su madre. El tren desde Gelbensande a Berlín vía Rostock no salía hasta las cuatro aproximadamente. *Hasso* meneaba la cola. Era obvio que no se tomaba en serio la orden que le había dado su tío.

Peter sacó un pañuelo del bolsillo y se limpió las manos. Tenía que hacerlo con frecuencia, varias veces al día. Los chicos de la escuela decían que uno se volvía estéril de tanto hacerlo. Eso era bueno. Peter no se imaginaba a sí mismo engendrando un hijo. Entonces su madre apareció bajo el tejado. Ya no llevaba el pañuelo y también había dejado dentro el abrigo. Llevaba el cabello recogido. Tendría que estar helándose. Peter la vio cruzarse de brazos y detenerse en la escalera, bajo el voladizo, indecisa, el aliento blanco detenido ante su rostro. Tenía un rostro hermoso. Grande y regular. La frente alta y redondeada, los ojos rasgados, cuyo brillo Peter aún recordaba, tan brillantes como el Báltico en verano. El tío había salido al patio y ordenó a *Hasso* que buscara a Peter. ¡Busca, *Hasso,* busca! Peter vio a su tío dirigirse hacia el establo, no en vano aquella mañana le habían dicho a Peter que cuidase de los cochinillos. Su tío desapareció de su campo de visión y Peter oyó la puerta de abajo. En silencio y con cuidado se ocultó entre las pacas. Oyó a su tío gritar su nombre y luego oyó un chacoloteo, un choque, como si su tío hubiese dado un pisotón y se hubiese volcado un cubo, el chillido de los cochinillos, como si los estuviese pateando.

Los pasos de su tío recorrieron la parte de abajo del establo, tal vez creyera que Peter estaría al fondo, con las vacas. De nuevo le llegó el sonido estridente de su nombre, amortiguado por la paja. *Hasso* volvió a ladrar, esta vez fue un ladrido corto y lejano.

Una vez se hubo cerrado la puerta trasera del establo y pareció no haber moros en la costa, Peter salió a gatas de su escondite. La rendija permitía ver el voladizo, a *Hasso* y a su tío. Su madre seguramente habría vuelto a entrar donde hacía calor. ¿Les preguntaría algo? ¿Querría saber de él? A lo mejor se sentía orgullosa de que fuese a la escuela secundaria. A sus tíos no les gustaba hablar de eso, no se habían atrevido a contradecir la recomendación del maestro. Por mí que vaya, había dicho su tío tras la conversación mantenida en la escuela. Mientras siguiera ayudándoles en la granja podía ir al colegio. Peter ya sabía adónde le gustaría ir más adelante. En Potsdam, cerca de Berlín, acababan de inaugurar hacía pocas semanas una universidad dedicada a la cinematografía, lo había leído en el periódico. Un domingo habían emitido un extenso reportaje en la radio explicando que pretendían formar a jóvenes talentos. Quién sabe, tal vez él fuese uno de ellos. Dejaría a todos boquiabiertos, a su tío, su tía, su padre y su madre.

Abajo, en el establo, los gansos graznaron y aletearon. Alguien debía haberlos espantado, los gansos no rompían a graznar porque sí, sólo cuando tenían hambre o si alguien los asustaba. A Peter le hubiera gustado bajar y ver qué sucedía, pero era demasiado arriesgado. La chimenea de enfrente comenzó a humear. Era mediodía, Peter tenía hambre. ¡A comer! Esta vez fue la tía la que salió a gritar bajo el tejado. ¡Peter, a comer!

Era placentero resistirse al hambre y al encuentro con su madre; un placer irrefrenable, apremiante, dulce y doloroso a un tiempo. Peter se los imaginó sentados a la mesa; a su tío renegando, a la tía confusa, maldiciendo en voz baja, a su madre en silencio. ¿Estaría su madre sentada en el banco donde él dormía? Seguro que no les preguntaba: ¿Y dónde duerme? Esas cosas no las preguntaba, debía estarles agradecida porque le hubieran dejado vivir allí todos estos años. Una vez Peter había escuchado a sus tíos discutir por dinero, le había parecido oír que su padre enviaba de vez en cuando dinero para él. Sin embargo, Peter no sabía nada al respecto, lo único que sabía era que debía ganarse su estancia allí y que así lo hacía, tanto eso como el tiempo que faltaba en la granja para ir a la escuela. ¿Cómo hablaría de él? ¿Diría «mi pequeño Peter», o simplemente «Peter», o incluso «el chico»? A lo mejor ni siquiera estaba hablando de él. Tal vez callara. No entendería por qué él no aparecía. Quizá se avergonzara de que su hijo fuese tan maleducado y no quisiese verla. Por él podía atormentarse todo lo que quisiera. Peter puso el puño encima del bulto que se le había formado en el pantalón, se lo apretó, se golpeó con cuidado. Tenía que largarse, su madre, la de ahí abajo, debía largarse de una vez. ¿Es que no se daba cuenta de que estaba esperando para nada? Nunca volvería a verlo, ni en ese momento ni tampoco ese día, jamás. Que se fuese de vuelta a las afueras de Berlín con esa supuesta hermana a retirarse de la frente sus rizos rubios y a lavar sus delantales blancos. ¡Que se largara! ¡Largo de una vez!

Peter miró fijamente a través de la rendija. Unos copos que parecían grandes y suaves se mecían en el aire. No se podía decir que cayeran, más bien flotaban, danzaban hacia delante y hacia el este y se detenían más abajo, sobre las piedras redondeadas del patio. Cuántas veces se había imaginado de niño que escapaba de casa de sus tíos y corría hacia el sembrado, hacia la nieve. Una vez allí se tumbaba y simplemente esperaba hasta que dejase de respirar. Pero de eso nada, no les daría ese gusto, les haría esperar, inquietarse y recorrería su camino en solitario. No necesitaba a nadie.

Hasso ladró y corrió hacia el portón meneando la cola. Alguien en bicicleta y con una lechera colgada del manillar abrió el portón y se retiró los copos de nieve de la cara. Llevaba su anorak rojo, era Bärbel. Bärbel era algo mejor, mucho mejor. Al menos ella así lo creía. Sus padres la mandaban a por leche los fines de semana. Bärbel tenía la misma edad que Peter y ya estaba formándose como dependienta en Willershagen. En verano Peter la veía de cuando en cuando en la playa de Graal-Müritz. A él rara vez le dejaban ir en bicicleta hasta la costa atravesando las landas de Rostock. Y eso que se tardaba poco. A veces se iba sin pedir permiso. En la playa podía observar a los chicos y chicas, estaban casi desnudos. También Bärbel. Bärbel creía que el mundo le pertenecía porque tenía la playa y a los bañistas estivales a sus pies. Nadie la veía ahora, en invierno, llegando a la granja con la lechera colgada del manillar y resbalándose. Se resbalaba de verdad, todo a lo largo, la bicicleta con ella, y mientras *Hasso* ladraba y meneaba la cola. Su tío apareció bajo el voladizo. Él no podía saber cómo era Bärbel en verano, pues nunca iba a la playa. No obstante, Bärbel le gustaba y no quería que Peter ni la tía le diesen la leche, prefería hacerlo él solo. Bärbel era una pava estúpida. Le había dicho a Peter que era un retrasado. Tenía razón, en todo había de llevar la razón.

Peter oyó cómo se abría la puerta del establo. Se ha largado, le oyó decir a su tío. Precisamente hoy. Habrase visto. Bärbel soltó una risita. Casi siempre lo hacía cuando entraba con el tío al establo. También cuando iba en bicicleta y en la tienda donde, como aprendiz, ya le dejaban estar en la caja, allí también se reía y suspiraba cuando Peter le preguntaba cuándo volverían a tener auténtica miel de abeja.

Peter escuchó atentamente. El tío y Bärbel hablaban en voz baja. Susurraban. Tal vez ni siquiera estuviesen hablando. Peter oyó cómo la leche fluía desde el tanque grande a la lechera de Bärbel. Después oyó cerrarse la puerta del establo y vio por la ranura cómo Bärbel daba la mano a su tío, abría el portón y salía empujando su bicicleta. El tío regresó a la casa. Se volvió una vez más hacia el portón, allí donde Bärbel estaba cerrán-

dolo. *Hasso* estaba delante de él, con las orejas en alto golpeaba el suelo con la cola y gemía. Seguro que estaba oliendo el
repollo, esperaría que hubiese alguna sobra para él. El tío miró
en distintas direcciones. Ya no gritó el nombre de Peter, no podía saber que sólo había desaparecido temporalmente, no del
todo. El cielo se volvió azul y más oscuro. La oscuridad propia
de una tarde de noviembre; había llegado la hora para su madre. Tal vez no fuesen más que unas nubes de nieve que anun-
ciaban la caída de la tarde. Seguramente su tío se alegrase, se
sentiría aliviado porque Peter al fin se hubiese ido. Se había escapado. Seguro que su tío se enfurecería cuando él reaparecie-
se por la noche reclamando su lecho sobre el banco de la cocina. Encima con exigencias. Eso diría su tío.

    ¿Qué esperaba su madre? Quería verlo, ¿y luego qué? ¿Aca-
so pensaba pedirle perdón, debería perdonarla? No podría perdonarla, jamás podría hacerlo. Ni siquiera estaba en sus manos; aunque así lo hubiera querido, no podía. ¿Qué esperaba
encontrar al verlo? Era valiente. Presentarse así, después de
tantos años. Sin más. Había elegido su decimoséptimo cumpleaños, el que él estaba pasando oculto en el henal. Peter
mantenía los ojos pegados a la rendija para no perderse el momento de su marcha. La oscuridad incipiente dificultaba la visión. La pequeña lámpara que había a la entrada se había encendido. Peter no tenía frío. Sólo el hambre había vuelto. Bajó
en silencio la escalera y se acercó de puntillas al tanque de leche. La oscuridad no le molestaba, conocía el establo. Abrió
el grifo y bebió. Los chasquidos y ligeros gemidos de los cochinillos eran agradables. Ninguno chillaba ni se quejaba, tal
vez los sobrantes ya hubiesen muerto. Fuera *Hasso* dio un breve ladrido, Peter se limpió la leche de la boca con la manga,
debía darse prisa, no quería perderse el momento de su marcha. Volvió a subir apresuradamente la escalera. Tomó posición
junto a la rendija y fijó la mirada en la granja azul oscuro. Entre la paja, sobre los animales, hacía calor. Había meado en un

rincón, antes, cuando había tenido ganas. ¿Qué otro remedio le quedaba? Allí, en el establo, nadie lo notaría, nadie lo olería. A Peter le gustaba mear en la paja. ¿Qué mejor que mear en la paja? Lo hacía describiendo una gran parábola, lo más lejos que podía.

Oyó voces que procedían de la granja. ¿Volvería ella a sonreír? Cuando sonreía solían salirle unos hoyuelos en las mejillas. Peter había retenido los hoyuelos en su memoria. Ella rara vez sonreía. Peter se arrodilló junto a la rendija. En aquella hora azul vio a su madre recorrer la fina alfombra de nieve recién caída, ella se cubrió la cabeza con el pañuelo y abrió la puerta de la camioneta. ¿Qué le había quedado de su madre? Peter se acordó del pez, del extraño cuerno tallado en forma de pez. Nadie sabía nada de ese pez, ni su tío ni su tía. Peter lo había contemplado durante mucho tiempo, todas las noches; lo había abierto y mirado dentro, pero no había nada, sólo el hueco. Abajo, su madre se había anudado el pañuelo. Desde allí arriba no parecía que nadie estuviese sonriendo, la despedida tuvo que ser breve y escueta. Su madre llevaba en la mano el bolsito y la malla. ¿Se volvería a llevar el regalo? Tal vez no hubiese pensado en ningún regalo y lo que llevase en la bolsa sólo fuese comida para el viaje. A Peter el hueco en el vientre del pez le había resultado inquietante. Haría tres años, o quizá dos, después de llevarse el pez a la playa lo había arrojado al mar. Aquel estúpido pez no quería hundirse, flotaba sobre las olas. A Peter le gustaba la curvatura del horizonte. Se veía especialmente bien desde el acantilado del Este, desde el istmo de Fischland. ¿Tal vez su madre tenía la espalda algo encorvada? Sólo un poco, como si estuviese apesadumbrada. Debía de estarlo, Peter se lo deseaba. No se le ocurría otra posibilidad. Pero podía darle igual, de una sola cosa estaba seguro: no quería volver a verla en su vida. Peter vio a su madre agarrarse a la manecilla de la puerta y subir a la camioneta. Su tío le cerró la puerta y se fue hacia el otro lado para montarse.

Peter oyó el viento entre los álamos. La tía abrió las hojas del portón. El motor se encendió, la camioneta atravesó el patio describiendo una curva y se dirigió a la salida. La tía le dijo algo a *Hasso* y cerró el portón. Peter se tumbó boca arriba. La paja le hacía cosquillas en la nuca. La oscuridad calmaba, estaba muy tranquilo.

Últimos títulos

651. Ganas de hablar
     Eduardo Mendicutti

652. Un trastorno propio de este país
     Ken Kalfus

653. Tsugumi
     Banana Yoshimoto

654. Balas de plata
     Élmer Mendoza
     III Premio TQE de Novela

655. El coleccionista de mundos
     Ilija Trojanow

656. Boca sellada
     Simonetta Agnello Hornby

657. La muerte me da
     Cristina Rivera Garza

658. El fundamentalista reticente
     Mohsin Hamid

659. El navegante dormido
     Abilio Estévez

660. Campo de amapolas blancas
Gonzalo Hidalgo Bayal

661. El día de la lechuza
Leonardo Sciascia

662. Sin nombre
Helder Macedo

663. El interior del bosque
Eugenio Fuentes

664. Las maestras paralíticas
Gudbergur Bergsson

665. Sobre los acantilados de mármol
Ernst Jünger

666. Los atormentados
John Connolly

667. La lámpara de Aladino
Luis Sepúlveda

668. Tirana memoria
Horacio Castellanos Moya

669. Adverbios
Daniel Handler

670. After Dark
Haruki Murakami

671. El sobre negro
Norman Manea

672. Todos los cuentos
Cristina Fernández Cubas

673. Expediente del atentado
Álvaro Uribe

674. El chino
Henning Mankell

675. El doctor Salt
Gerard Donovan

676. Guerra en la familia
Liz Jensen

677. Un día en la vida de Iván Denísovich
Alexandr Solzhenitsyn

678. Los hermosos años del castigo
Fleur Jaeggy

679. Desierto
J.M.G. Le Clézio

680. Onitsha
J.M.G. Le Clézio

681. Presencia
Arthur Miller

682. Sólo un muerto más
Ramiro Pinilla

683. A cada cual, lo suyo
Leonardo Sciascia

684. La mujer del mediodía
Julia Franck

685. El espíritu áspero
Gonzalo Hidalgo Bayal